KB082273

가창교수법

vocal pedagogy

가창교수법_vocal pedagogy

지은이 이지훈

발 행 2023년 2월 28일
펴낸이 한건희
펴낸곳 주식회사 부크크
출판사등록 2014.07.15.(제2014-16호)
주 소 서울특별시 금천구 가산디지털1로 119 SK트윈타워 A동 305호
전 화 1670-8316
이메일 info@bookk.co.kr

ISBN 979-11-410-7433-3

www.bookk.co.kr

가창교수법

이 지 훈

소개글

“내 영혼아 여호와를 송축하라 내 속에 있는 것들아 다 그 성호를 송축하라”

- 성경, 시편 103:1

위와 같은 성경구절에서 잘 드러나듯, 노래는 인류의 시작과 더불어 가장 기본적인 표현 방식 중 하나였다. 위에서는 성경구절을 인용하였지만 종교와 시대, 문화를 불문하고 음악 그리고 노래는 인간의 혼과 영을 표현하는 중요한 수단이었다.

우리 인간에게 있어서 음악이 가지는 의미는 남다르다. 그 중에서도 특히 가창은 아주 천연적인 수단인 음악에 언어가 덧입혀진 형식으로서, 그것은 어떻게 보면 가장 인간다운 음악이라 할 수 있다. 목소리는 인간의 가장 천연적인(natural) 악기이며, 한편 언어는 반대로 인간의 가장 지성적인 표현이기 때문이다. 즉 가창은 인간의 근본적인 본성(nature)과 지성의 결합체이다.

이러한 가창의 독특성은 교수법에 있어서도 잘 나타난다. 가창에서의 악기인 목소리는 일반 악기와 달리 눈에 보이지 않는 요소들로 이루어져 있으며, 그리고 조절 프로세스와 메커니즘조차 대부분 눈으로 보이지 않는다. 심지어 발성기관의 대부분은 불수의적으로 동작한다. 여기서 가창교수법의 난제가 시작된다.

가창교수법이란 학문은 이 난제를 해결하기 위한 학문으로서, 그 역사는 최소 400년이 넘었다. 그리고 세월을 거쳐 현재는 음성학, 언어학과 함께 발전하여 왔다. 누군가 한명이 갑자기 기가 막힌 방법을 새로 발견하였다고 해서 그것만으로는 그것을 가창교수법이라고 부를 수는 없다. 가창교수법은 하나의 학문 체계이며, 이론적, 과학적, 경험적인 측면에서 수많은 귀납적 논거를 가지고 있다.

이 책은 그런 '가창교수법(vocal pedagogy)'에 대한 개괄적인 설명을 담아낸 글이다. 물리적 한계로 인해 가창교수법이라는 체계 속의 상세한 내용들 하나하나를 전부 다루기는 힘들 것이다. 그래서 오히려 이 글은 핵심적인 내용만 추려서 '가창교수법(vocal pedagogy)'의 큰 그림을 그리고자 한다.

이를 위해 우선 우리는 올바른 가창의 각종 조건들을 객관화하여 이해할 수 있어야 한다. 여기에는 우리 신체의 해부학, 생리학, 음향학, 신경학 등의 분석이 포함된다. 그러는 한편 또 중요한 (동시에 간과되기도 하는) 것 하나가 있다. 그것은 바로 학생의 가창기관에 대한 조절능력에 어떻게 접근할 것인가 하는 문제이다. 가창교수법은 이것에 대한 깊은 고민이 반드시 이루어져야 한다.

필자가 바라는 것이 있다면, 독자가 이 글을 다 읽고 난 후에 "아 가창교수법이란게 대충 이런이런 학문이구나"라고 말할 수 있었으면 좋겠다. 그래서 혹시 독자 중에 발성을 공부하는 학생이 있다면, 자신의 목소리를 더욱 더 아끼고 사랑할 수 있는 계기가 되었으면 좋겠다. 잘못된 지식으로 얼마나 많은 '마땅히 찾았어야 할' 아름다움들이 사라지고 말았던가!

참고사항

필자는 여기서 가창교수법과 발성교수법이라는 어휘를 혼용해서 사용하였다. 원래 영어 원문은 'vocal pedagogy'로서 이는 '목소리 교수법'이라고 번역 될 수 있다. 국내에서는 'vocal'이라는 어휘를 주로 '성악', '발성', '가창'으로 번역하는데 필자 입장에서는 난감하게도 이 셋의 지시하는 바가 전부 다르다.

본 책의 경우 우선 성악이라는 장르에만 국한된 내용이 아니기 때문에 성악이라는 어휘는 배제하였다. 그리고 본 책의 내용이 가창이 가지는 음악적 예술성과 신체기관을 조작하는 가창테크닉 둘 중에서, 후자에 더 많은 비중을 두고 있는데. 그런 테크닉을 국내에서는 '발성'이라는 용어를 관용적으로 사용하는 경향이 있기 때문에 그런 맥락에서 필자는 최초에 발성교수법이라는 어휘를 사용하였다. 하지만 후에 가창 예술적인 측면도 무시할 수 없기 때문에 마무리 과정에서 결국 두 어휘를 혼용해서 사용하게 되었다.

결과적으로 제대로 된 기준이 없이 마구잡이로 혼용한 것 같아 독자들에게 송구스럽다. 독자들의 양해를 부탁드린다.

차례

[제1장] 가창교수법 개요

[제2장] 발성의 3요소 : 성구, 공명, 호흡

[제4장] 발성기관은 어떻게 진보하는가

제1장 가창교수법 개요

제1장 가창교수법 개요

1. 가창 교수법 소개

가. 가창교수법이란?

가창교수법이라 함은 말 그대로 '발성을 어떻게 잘 가르칠 수 있는지'에 대한 학문이다. 두산백과[1]에는 교수법(교육학, pedagogy)에 대해 *"교육을 근대과학적 방법으로 연구하고 그 성과를 체계화하여 정리한 학문"*이라고 정의하고 있다. 이 정의에서 잘 나타나듯이, 어떤 학문을 '교수법'이라고 부르기 위해서는 반드시 '근대과학적' 방법이 뒷받침되어야 한다.

그렇다면 과학은 무엇인가? 과학은 라틴어 *scientia* 에서 유래한 것으로서 그 원어는 '지식(knowledge)'의 뜻을 가지고 있다. 즉 과학이란 '(자연 뿐 아니라) 이 세상에 대한 올바른 지식을 체계적으로 탐구하는 것'이라고 봐야한다. 흔히 볼 수 있는 오해와 달리 과학은 이공학 계열의 학문인 물리, 화학, 생물 등에만 국한되지 않는다. 과학은 그런 이공학 학문이 체계화되기 훨씬 이전인 고대 그리스 철학자들로부터 시작되었다.

---

1) 두산백과사전(두피디아) - "교육학(pedagogy)"

영국 옥스퍼드 사전에는, '과학적 방법(scientific method)'에 대해 *"17세기 이후 자연과학의 특성을 찾아내는 절차적 방법으로서, 체계적인 관찰, 측정, 실험, 공식화, 시험, 그리고 가설의 변형으로 구성되어 있다"*라고 정의한다.[2] 이런 진리탐구에 대한 기본적인 개념은 우리에게 너무도 유명한 뉴턴(Isaac Newton)[3]이나, 또 미국의 근대 과학철학자인 찰스 샌더스 펄스(Charles Sanders Peirce)[4] 등이 말하는 과학의 정의에서도 공통적으로 찾아볼 수 있다.

다시 말해, '가창교수법'이라는 학문에는 반드시 가설-실험-증명 등 기본적인 과학적 탐구가 기반이 되어야 한다. 오직 개인적인 체험에 의거한 채 빈약한 근거를 바탕으로 한 방식은 '교수법'이라 부르기 어렵다.

여기에 더해 '가창교수법'의 밑바탕에는 역사적 맥락이 무척이나 중요하다. 가창교수법에는 오랜 역사를 걸쳐 이미 어느정도 입증된 기본적인 담론이 포함되어 있으며, 이는 더 진보된 진리탐구의 바탕이 된다.

나. 가창교수법의 중요성

우주선을 만들어내는 공학자가 피타고라스와 같이 가장 기본적인 수학 공식들을 새로 증명하여 만들어내지 않듯이, 우리는 이미 입증되어 통용되고 있는 기본적인 개념을 익히고 적극적으로 활용할 필요가 있다.

---

2) 「Oxford English Dictionary」, "scientific method"

3) Newton, Isaac (1687, 1713, 1726), Philosophiae Naturalis Principia Mathematica, University of California Press, 3rd edition. From I. Bernard Cohen and Anne Whitman's 1999 translation, 974 pages.

4) Peirce, C. S., Collected Papers v. 1, paragraph 74.

가창교수법의 역사는 최소 400년이 넘었고, 19세기 이후로 그것은 음성학, 언어학 등과 같이 발전하여 왔다. 그 결과로 최근의 가창교수법은 물리학과 인지심리학까지 포함되어 다루어지고 있다. 이런 배경을 무시하고, 어느 누군가 본인이 탁월한 방법을 새로 발견하였다고 해서, 그것만으로 그것을 가창교수법이라고 부를 수는 없다. 가창교수법은 하나의 학문 체계이며, 이론적, 과학적, 경험적인 측면에서 수많은 귀납적 논거 거친 내용들의 집합이다.

실제로 필자는 주변에서 가끔씩 소위 '과학적'이라는 이론을 제시하는 사람을 볼 수 있었다. 그들은 해부학 도식이 담긴 몇 가지 그림을 놓고, 저마다 자신만의 해석을 덧붙여 놓고는 스스로 자신의 방법을 '과학적'이라고 말하였다. 그리고 그 과학적 표현 속에서 공신력을 얻고자 시도한다. 하지만 안타깝게도 위에서 언급하였듯이, '과학'이라는 용어는 고작 '과학적'인 내용 몇 개를 인용한 것만으로 사용될 수 없는 것이다.

필자가 본 바로 그들이 말하는 것은 대부분, 이미 19-20세기에 들어서 거짓이라고 판명된, 비강공명, 호흡, 머리의 각종 강(cavities)과 동(sinuses) 등에 대한 미신이었다. 하지만 현재는 이미 21세기에 진입한 지 꽤 많은 시간이 지나간 후이다..

물론 감사하게도, 21세기 들어서서는 한국에도 본격적으로 가창교수법이라고 부를만한 내용들이 소개되기 시작했다. 그리고 인터넷의 발달 덕분에 이제는 해외에서의 최신 논문을 실시간으로 조회할 수 있게 되었다. 하지만 아직은 여전히 가창교수법에 대한 우리나라의 전반적인(일부 그룹을 제외하고) 지식과 의식수준은 아직 부족하다고 생각한다.

이 책에서는 그런 일반적이고 기본적인 내용들을 중심으로 다루고자 한다. 필자는 이 책의 대부분을 필자가 새로 정립한 내용들이 아니라 이미 기존에 진행되어 정리된 연구들을 중심으로 구성하려고 노력했다. 그러는 한편 필자의 의견은 필요한 경우에 한해 최소한으로만 기술하려고 노력하며, 기술할 경우에는 그것이 필자의 의견임을 명기하였다.

다. 가창교수법은 누구를 위한 학문인가?

우리는 가창교수법의 주체를 분명히 할 필요가 있다. 그것은 학생이 아니다. 그 주체는 바로 교사이다. 가창교수법은 교사의, 교사에 의한, 교사를 위한 학문이다. 학생은 주체가 아니라 수혜자이다. 가창교수법은 교사들이 연구하여 정립한 학문이다. 그렇기 때문에 가창교수법은 교사에게 가장 필요한 학문이다.

필자의 문장이 간혹 비난의 어조로 느껴질 수도 있다. 하지만 이것이 기존에 학생을 잘 지도하던 교사들에 대한 비난이 결코 아님을 기억해달라. 사실 현직에서 활동하는 교사들은 경험적으로 체득한 비법을 가지고 학생들을 잘 가르쳐온 경우도 많다. 하지만 필자는 믿기로 교사는 거기서 만족하지 않아야 한다고 생각한다. 교사들은 학생의 목소리에 대한 가장 직접적인 책임자이다. 만일 학생에게 어떤 방향을 제시하였다면, 교사는 그것의 타당성에 대해 스스로 끊임없이 질문을 던져야만 한다. 만일 학생 10명을 가르쳤는데 1명의 목소리가 개선되지 않았다면, 교사는 그것을 가지고 괴로워하며 고민할 필요가 있다.

이런 고민을 해결하기 위해서는, 참고할만한 자료들이 꼭 필요하다. 다시말해 교사는 기존에 정립된 가창교수법을 알아야 한다. 이미 입증되어 보편적으로 사용되는 가창지도법을 자신의 것으로 취해서 교사 스스로의 메소드를 끊임없이 발전시켜야 하고, 또 한편으로는 자기만의 노하우와 지식을 학계에 발표하여 객관적인 검증을 받아야 한다.

교사의 존재이유는 학생의 목소리이다. 교사의 지식은 개인적 차원에서 그치지 않는다. 교사의 지식은 직•간접적으로 반드시 학생에게 영향을 주기 마련이고, 발성(가창)교사라면 그것은 학생의 목소리로 이어지게 된다. 따라서 교사는 의무적으로 자신의 수준을 계속 발전시킬 필요가 있다. 그리고 이것은 교사이기 이전에 지식인으로서의 기본적인 책무인 '진리에의 탐구'를 의미한다.

라. 가창교수법의 학문적 구성

가창교수법은 특정한 분야의 깊은 내용을 담고 있다기 보다는 가창이라는 종합예술을 다루는 학문이다. 따라서 가창교수법은 폭이 넓은 학문이다. 이는 기본적인 음악은 물론, 생물학(해부학, 생리학), 심리학, 역사학 등 다양한 분야를 포함하고 있으며, 가창의 종류에 따라 그 분야가 더 확장되기도 한다. 따라서 가창 교사는 폭넓은 분야에 대해 박학다식한 지식을 가지는 것이 좋다.

2. 가창 교수법의 역사

가. 17-18세기 벨칸토 시대

가창교수법 그 시작은 이르게는 그리스-로마 시대까지 거슬러 올라갈 수 있으나, 본격적으로 그 내용을 다루고 있는 최초의 저서는 피에르 프란체스코 토지(Pier Francesco Tosi, 1653-1732)의 「Observations on the Florid Song(1743)」라고 볼 수 있다. 그 책에는 당시의 대세였던 카스트라토(거세가수)와 소프라노를 중심으로 구성되어 있으며, 학생이 가져야 할 기본적인 마음가짐을 비롯하여 실제적인 내용들, 즉 모음의 종류와 사용법, 성구에 대한 종류와 사용법, 메사 디 보체(messa di voce), 트레몰로, 앞꾸밈음 등에 대한 꽤나 상세한 내용들이 담겨져 있다. 이 내용들은 그 이전의 저자, 즉 카치니(Giulio

Cassini, 1551-1618)나 바실리(Bertrand de Bacilly, 1621-1690)의 저서들에 담긴 내용들보다 훨씬 상세한 것이다. 이 책은 후에 요한 프레드리히 아그리콜라(Johann Friedrich Agricola)와 갈리아드(J. E. Galliard)에 의해 번역되고 주석이 첨부되어 독일, 영국에 소개되었다.

그 이후의 중요한 저자는 만치니(Giambattista Mancini, 1714-1800)를 꼽을 수 있다. 그 또한 카스트라토로서 그의 저서 「Practical Reflections on the Figurative Art of Singing(1774)」는 토지의 책보다도 더욱 상세한 내용들을 포함하고 있지만, 성구에 대한 개념 등 기본적인 가르침들은 토지의 내용과 일치한다. 특별히 현대의 발성교사 코핀(Berton Coffin)은 그의 저서에서 만치니가 '입의 열림'에 대해 자세하게 언급하고 있다는 점에서 근대적 가창교수법의 내용도 꽤나 포함되어 있다[5]고 만치니를 평가하였다.

또한 17-18세기 벨칸토 황금시대를 살펴보면서 살펴봐야 할 저자는 이삭 나단(Isaac Nathan)인데, 그는 도메니코 코리(Domenico Corri)의 학생이었다. 이 도메니코 코리는 영화화되어 우리에게도 잘 알려진 파리넬리

그림 1. 전설적인 카스트라토 파리넬리(우)와 그의 스승 포르포라(좌)

(Farinelli)의 스승인 니콜라 포르포라(Nicola Porpora)의 제자이다. 결국

---

5) Berton Coffin, 「Historical Vocal Pedagogy Classics(1989)」, The Scarescrow Press, ISBN 0-8108-4412-5(paper), page 6-11.

이삭 나단 본인은 카스트라토도 아니고, 또한 가수보다는 작곡가로서 더 유명하지만, 17-18세기 벨칸토 황금시대의 가르침을 잘 알고 있던 저자였음을 알 수 있다. 이삭 나단은 최초 「Essay on the History and Theory of Music(1823)」를 출간하였다가 이후에 그 책을 다시 정리하여 「Musurgia Vocalis(1836)」를 출간하였는데, 현대 교사 코넬리우스 리드(Cornelius L. Reid, 1911-2008)에 따르면 이 책에는 팔세토와 흉성의 중간연결 역할을 하는 보체 디 핀테(voce di finte)에 대한 상세한 설명이 포함되어 있는 등, 이삭 나단은 17-18세기 벨칸토 시대의 성구 개념에 대한 중요한 단서를 제시하는 인물 중 하나라고 볼 수 있다.[6)]

나. 19세기 근대적 가창교수법의 등장 : 가르시아, 람페르티

이후 19세기로 넘어와서는 '근대적' 가창교수법의 아버지라고 할 수 있는 **마뉴엘 가르시아 2세**(Manuel Garcia II, 1805-1906)가 등장한다. 그는 후두경(laryngoscope)을 발명하여 후두 내부를 육안으로 관찰한 최초의 인물이다. 스승과 제자의 관계를 통해 구두로 전승되던 가창교수법을 탈피하여 '과학적'인 실험과 관찰을 가창교수법에 접목시킨 장본인이라고 볼 수 있다.

그는 스페인에서 로시니가 사랑한 테너 마뉴엘 가르시아 1세의 아들로서 태어났다. 그는 아버지와 달리 바리톤이었으나, 어린 시절부터 그의 아버지를 좇아다니며 오페라 공연을 하느라 목소리를 혹사시킨 탓에 그의 커리어는 불과 20대에 마감이 되었다. 은퇴 후에 그는 1830년부터 1848년까지 파리의 콩세르바투와(Paris Conservatoire)에서 학생

6) Cornelius L. Reid, 「벨칸토 발성법-그 원리와 실천(1993)」, 대한음악저작연구회 번역, 삼호뮤직 출판, (원제 「Bel Canto-Principles and Practices(1950)」, Joseph Patelson Music House (1972))

들을 가르쳤고 1848년부터는 런던의 왕립음악학교(Royal Academy of Music)에서 근무하였다. 그의 제자는 유명한 소프라노인 넬리 멜바(Nellie Melba)의 교사로 유명한 마틸다 마르케지(Mathilde Marchesi)와 줄리어스 스톡하우젠(Julius Stockhausen)이 있다.

마뉴엘 가르시아 2세는 자신의 교수법을 정립하면서, 아마도 그의 첫 근무지인 파리 콩세르바투와에서의 경험에 큰 영향을 받았을 것이다. 가르시아의 전임자로서 파리 콩세르바투와의 가창교수법을 확립한 인물들은 멩고찌(Bernardo Mengozzi, 1758-1800)와 가라우드(Alexis de Garaude, 1779-1852)이다. 이들은 각기 유명한 벨칸토 시대의 카스트라토들, 즉 베르나키(Antonio Bernacchi)와 크레센티니(Girolamo Crescentini)의 가르침을 받은 자들로서, 18세기 이탈리아 벨칸토의 정통을 따라 파리 콩세르바투와의 가창교수법을 정립하였다. 이미 가르시아 2세가 교수로 부임하기 이전에 멩고찌는 「Méthode de chant du Conservatoire de musique(1803)」의 출간하였고, 가라우드는 후에 그 책을 개정하여 「Méthode complète de chant(1830)」로 이름을 바꾸어 재출간하였다. 가르시아 2세가 발표한 첫 저서 「Mémoires sur la voix humaine(1840)」는 상기한 2개의 저서로부터 연장선 상에 있다고 볼 수 있을 것인데, 그렇다면 결국 우리는 가르시아 2세가 이미 파리 콩세르바투와에 확립되어 있던 18세기 이탈리아 벨칸토 황금시대의 전통을

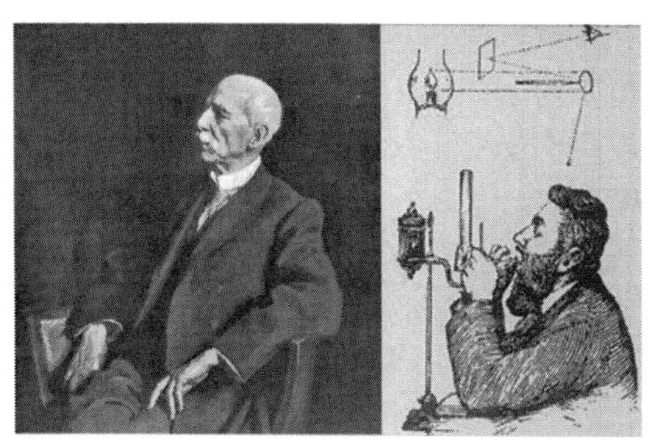

그림 2. 마뉴엘 가르시아 2세(좌), 후두경으로 자신의 성대를 관찰하는 모습(우)

무척이나 잘 알고 있던 인물이었음을 추측할 수 있다.

마뉴엘 가르시아 2세에 대해서는 또한 두 가지의 큰 논란거리가 매우 유명한데, 그 중 하나는 어택에 관련된 내용으로서 '쿠페 데 라 글로테(*coup de la glotte*)'이고, 또 다른 하나는 성구 '팔세토(falsetto)'에 대한 내용이다.

'쿠페 데 라 글로테(coup de la glotte)'는 프랑스어로서, 이를 영어로 번역하면 'stroke of the glottis'가 되는데, '성문을 타격하다'라는 뜻이다. 가르시아는 분명한 /a/ 모음과 같이 성문을 가볍게 타격하면서 톤을 어택한다고 자신의 저서에서 기술하고 있는데(Garcia 1847, 1:25), 이 타격(stroke)라는 표현이 발성교사들로부터 굉장한 논란거리가 되었다. 스탁스(James Stark)는 자신의 저서에서 이 '쿠페 데 라 글로테'에 대해 한 챕터 전체를 사용하면서. '많은 교사들이 이것을 눌린 발성(pressed phonation)과 혼동하고 있으나, 이것은 성문의 굳건한 폐쇄(firm glottal closure)에 대한 내용이며, 이것은 빛나는 톤 음질과 호흡 효율성을 높인다[7]'고 해석하고 있다.

이 '쿠페 데 라 글로테'에 반대하는 대표적인 학자는 커티스(Henry Holbrook Curtis)가 유명했으며, 그는 이 '쿠페 데 라 글로테'가 목소리를 망가뜨리는 주범이며, 당시의 유명한 테너 장 드 레스케(Jean de Reszke)와의 공동연구를 통해 비강공명으로 성대의 부담을 줄여줘야 한다고 결론을 내었다. 그 이외에도 많은 교사들과 학자들이 이 '쿠페 데 라 글로테'를 비판하였는데, 그들은 대부분 '쿠페 데 라 글로테'의 개념을 '눌린발성(pressed phonation)'의 개념으로 해석하여 비판하고 있으며, 그에 대비되는 올바른 방법으로는 '흐르는 발성(flow phonation)'이라는 개념[8]을 제시하고 있다.

---

[7] James Starks, 「Bel Canto - A History of Vocal Pedagogy(1999)」, University of Toronto Press, ISBN 0-8020-8614-4

마뉴엘 가르시아 2세와 관련하여 성구에 대해 논란이 발생하는 이유는, 그가 제시하는 성구의 개수가 각 저서들 사이에서 서로 다른 것으로 보이기 때문이다. 그는 1841년의 저서에서 성구의 개수를 흉성, 팔세토(두성)의 2개로 기술하였으나, 이후 1856년의 저서에서는 팔세토(falsetto)를 흉성과 두성 외의 별도의 성구로 다루어 3개의 성구를 기술한 것으로 보인다. 그러다가 마지막으로 1894년에는 기존의 흉성과 두성, 팔세토(falsetto) 외에 중성(*voix mixte*)이라는 개념이 등장하여 총 4개의 성구에 대해 기술하고 있다. 이로 인해 몇 학자들 사이에서는 가르시아 2세의 성구개념에 대해 많은 비판과 논란이 있었으며, 심지어 몇 학자들은 마뉴엘 가르시아 2세가 스스로 성구개념을 헷갈려한다고 평가하기도 하였다. 상기 내용을 비롯한 성구개념에 대한 논란과 변천사는 이후 성구 챕터에서 별도로 다루도록 하겠다.

위와 같은 논란에도 불구하고, 마뉴엘 가르시아 2세는, 후두경의 발명과 성대에 대한 직접관찰 등 가창교수법에 대한 과학적 접근법을 최초로 시도하였다는 점, 그리고 그의 아버지 가르시아 1세로부터 시작하여 남성 가창자에 대한 교수법을 본격적으로 기록하였다[9]는 점 등으로 인하여 근대 발성법의 아버지라고 불리기에 충분하다.

한편 19세기 근대 가창교수법의 또 다른 한 축은 람페르티 부자(父子)에 의해 이루어져 있다. 람페르티 부자란 아버지인 프란체스코 람페르티(Francesco Lamperti, 1813-1892)와 아들인 지오반니 바티스타 람페르티(Giovanni Battista Lamperti, 1839-1910)를 포함한다. 앞

---

8) 저자 주: 여기서 발성이라고 번역한 단어 'phonation'은 성대주름의 진동을 나타내는 말로서, 여기서는 편의상 발성이라고 번역하였다. 이 성대진동의 방식을 pressed, flow, breathy 등의 종류로 구분하는 방식은 준트버그(Johan Sundberg), 티체(Ingo Titze) 등과 같은 현대 음성학자들이 사용하는 분류 방식으로서 가르시아 2세 당시에는 통용되지 않던 개념이나, 대체적인 내용을 가장 잘 함축하고 있는 단어라고 판단하여 편의상 사용하였다.

9) Berton Coffin, 「Historical Vocal Pedagogy Classics(1989)」, The Scarescrow Press, ISBN 0-8108-4412-5(paper)

의 가르시아 2세가 과학적 접근방법으로 유명하다면, 이 람페르티 부자는 이탈리아 가창법의 전승(傳乘)을 집대성한 것으로 유명하다.

그들의 가르침 중에는 호흡과 관련된 아포지오(appoggio), 공명과 관련된 키아로스쿠로(chiaroscuro) 등의 개념이 무척 유명하며, 그 이외에도 목소리 투쟁(lutte vocale), 소리의 돌아감(girare), 횡격막 호흡과 늑간근 호흡, 목소리 배치, 입을 모으는 것(una bocca raccolta), 열린 모음(voce aperta)과 닫힌 모음(voce chiusa) 등 현재 성악계에서 널리 쓰이는 용어의 대부분이 이 람페르티 계열의 내용에 포함되어 있다.

그림 3. 람페르티 부자. 아버지 프란체스코 람페르티(좌), 아들 G.B. 람페르티(우)

이런 람페르티 계열의 가르침들은 이후 윌리엄 셰익스피어(Willam Shakespeare), 윌리암 얼 브라운(William Earl Brown)와 같은 람페르티의 제자들을 거쳐 현대 20세기 이후까지도 리차드 밀러(Richard Miller) 등 여전히 많은 교사들이 적극적으로 사용하는 내용들이다.

다. 19세기 ~ 20세기 초 가창교수법의 흐름

1) 수많은 가창교수법의 난립

19세기는 시대적으로 과학의 발전이 폭발적으로 일어나던 시기였다. 이러한 영향은 가창교수법 분야에도 마찬가지였다. 위에서 언급한 가르시아, 람페르티 계열의 교사들 뿐 아니라, 19세기에는 헬름홀츠(Hermann von Helmholtz), 맥켄지(Morrel McKenzie), 바타이유(Charles Amable Battaille) 등의 학자들이 등장하여 가창교수법에 중요한 과학적 기반을 다졌으며[10], 그 외에도 세디(Enrico Delle Sedie), 스탠리(Charles Stanley), 바시니(Carlo Bassini), 바넷(Anne M. R. Barnette), 바흐(Albert Bernard Bach), 보튬(John Franklin Botume), 자일러 부인(Emma Seiler), 부스티(Allesandro Busti), 시콜리나(Sophia Marquise A. Ciccolina), 데스티(John D'Esté), 파우르(Jean-Baptiste Faure), 페티스(François-Joseph Fétis), 코플러(Leo Kofler), 찰스 룬(Charles Lunn), 나바(Gaetano Nava) 등등 정말 수십명의 가창교사들이 너도나도 자신만의 교수법을 발표하였다. 결국 가창교수법의 카오스와도 같은 시대가 등장하게 되는데, 이렇게 수많은 저자들이 각자 자기가 옳다고 떠들어대는 정보의 홍수 속에서, 카오스와 같은 혼란은 어찌보면 당연한 수순이었을지도 모르겠다.

2) 드라마틱한 테크닉에 대한 요구

당시 대 혼동의 시대가 도래한 것은 물론 시대적으로 과학적 지식이 대폭발하였던 시대였기 때문도 있지만, 음악적인 스타일의 변화 또한 중요한 원인이었다. 17-18세기를 풍미했던 카스트라토는 점점 쇠퇴하여 1878년에는 새로운 카스트라토의 고용자체가 금지되기에 이르렀고, 이제는 카스트라토가 표현했던 어떤 신적인 존재가 아닌, 진짜 남성가수가 오페라 무대에 등장하기 시작했다. 상대적으로 홀대받던 남성가창자에 대한 교수법이 이제는 중요한 한 부분을 차지하게 되었다.

---

10) Clifton Ware, 「성악교수법」, 박순복, 남국희옥 번역, 경희대학교출판국 출판, 원제 「Basics of Vocal Pedagogy(1997)」

또 한편으로는 19세기 말 베리즈모(verismo) 오페라의 등장에서 잘 드러나듯이, 19세기에 들어서면서 오페라는 주제가 현실주의적, 민족주의적 성향으로 점차 변화하게 되었고, 형식적으로는 이전의 화려한 멜로디 중심의 음악에서 19세기 중반부터 보다 무겁고 웅장한 음악을 추구하기 시작했다. 그에 따라 오케스트라의 편성의 규모도 점차 커졌으며, 목소리에 대해서도 더욱 극적인 강력함을 요구하기 시작했다.

이런 시대적 단면을 잘 보여주는 일화가 바로 테너 길버트 듀프레즈(Gilbert Duprez)에 도전하다 추락해버린 아돌프 누릿(Adolphe Nourrit)의 비극적인 이야기이다.

듀프레즈와 누릿은 19세기 초반 프랑스에서 가장 인기 있는 테너들이었다. 그러다 듀프레즈는 원래 프랑스에서는 큰 성공을 거두지 못하다가, 1828년 이탈리아로 이동하면서 점차 목소리에 큰 힘을 얻기 시작하였다. 마침내 그는 1831년 윌리엄 텔의 초연 무대에서 하이 C(C5)를 흉성으로 부르는 'Do di petto'를 오페라 역사 상 최초로 연주하였다.

이 'Do di petto'는 현재까지도 훌륭한 테너인지 여부를 결정짓는 요소로 꼽힐 정도의 최절정의 테너 테크닉인데, 이 듀프레즈의 등장 이전에 남성가수들이 (특히 프랑스에서) 보여준 고음은, 현대의 테너들과 같이 힘찬 소리라기보다는 오트 콩트르(haute contre)라고 불리는 훨씬 팔세토의 비율이 높고 기교에 유리한 유연한 소리였을 것으로 추측된다. 그러던 중에 듀프레즈로 인해 남성가수의 새로운 테크닉이 시작된 것이다.

이후 듀프레즈는 이탈리아에서의 화려한 성공을 바탕으로 1837년에 프랑스로 돌아왔다. 프랑스로 돌아왔을 당시, 프랑스 오페라 무대에서는 아돌프 누릿이 가장 인기있는 테너였는데, 듀프레즈의 새로운 가창스타일에 밀려 누릿은 점차 설 자리를 잃기 시작했다. 누릿은 새로운 가창스타일을 익혀 이탈리아의 나폴리로 떠났지만, 간 질환과 잘못된 테크닉(과도한 비음) 등의 이유로 그의 목소리는 오히려 악화되었다. 결국 그는 1839년 자신의 공연에 실망으로 투신하여 자살하였다.[11)]

그림 4. 하이 C를 최초로 흉성으로 소리 낸 테너 길버트 듀프레즈

이러한 드라마틱한 목소리에 대한 요구는 가창교수법에서 호흡과 공명의 강조라는 경향으로 나타났다. 이러한 계보는 위에서 언급하였다시피 람페르티 부자 계열의 교수법에 해당하는데, 듀프레즈의 등장으로 'Do di petto'가 시작되기는 했지만, 이미 이탈리아에서는 바리톤적인[12)] 테너 도니젤리(Domenico Donzelli) 등 힘찬 가창 스타일이 존재했었고(비록 도니젤리는 팔세토 방식으로밖에 하이 C를 소리내지 못했지만), 또한 듀프레즈도 이탈리아에서 도니젤리의 영향을 많이 받았던 것을 감안하면, 이 새로운 가창스타일은 이미 전승되어 내려오던 이탈리아 가창 테크닉에 가장 잘 표현되어 있었을 것을 추측해 볼 수 있다. 그리고 앞에서 언급했듯이 전통적인 이탈리아 가창 테크닉은 람페르티 부자에 의해 집대성 되었다.

이후 자세히 기술하겠지만 좋은 호흡은 좋은 공명의 필수조건이고, 또한 좋은 공명은 힘찬 가창의 필수조건이다. 이전 바로크시대의 가창에서는 화려한 기교와 폭넓은 음역이 매우 중요했기에 가창테크닉에 있어서 제일 중요한 것이 무엇보다도 성구조절(registration)이었지만, 시

---

11) Ned Ludd, critics reviews on 「ADOLPHE NOURRIT. The Great Tenor Tragedy(1995)」, Portland, OR, Amadeus, ISBN : 9780931340895

12) William Ashbrook, 「Donizetti and His Operas(1983)」, Cambridge University Press, page 337

대가 변화하며 호흡과 공명이 가장 중요한 요소로 대두되기 시작한 것이다.

한편 이런 남성테너의 힘찬 목소리는 20세기 초 위대한 전설적인 테너 엔리코 카루소(Enrico Caruso)의 시대에 와서야 완성이 되었다고 볼 수 있을 것이다. 듀프레즈가 파리로 돌아와서 공연을 시작한지 불과 1년 뒤인 1838년 베를리오즈(Hector Berlioz)의 기록에 의하면, 그의 목소리는 Benvenuto Cellini의 공연 초연에서 이미 경직된 상태였다고[13] 한다. 또한 듀프레즈는 그 이후의 몇몇 공연에서 여전히 성공을 거두긴 했지만, 뚜렷한 하향세를 보여주다가 결국 불과 45세에 은퇴를 한 것을 비추어보면, 아마도 그는 무거운 목소리를 사용하는 테크닉으로 목을 혹사시켰음을 추측할 수 있다. 물론 아직까지도 무거운 목소리를 추구하다 목을 망가뜨리는 테너는 흔하게 찾아볼 수 있고, 여전히 드라마티코 테너는 하이 C를 내는 것을 (목소리의 건강을 위해) 가능한 피하는 경향이 있다.

3) 목소리 음향학과 국제음성부호(IPA)의 등장

음향학(Acoustics)은 초기에 갈릴레이나 뉴턴이 음속을 연구하는 등으로부터 시작되었지만 본격적인 정립은 19세기 레일리(John Rayleigh)와 헬름홀츠(Hermann Helmholtz)에 의해 이루어졌다. 이들 중 목소리 음향학에 대한 연구는 주로 헬름홀츠에 의해 이루어졌는데, 헬름홀츠는 의사출신의 학자로서 음성음향학뿐 아니라 유체역학, 전기역학, 광학, 기상학 등 광범위한 분야에 걸쳐 업적을 남긴 인물이다.

헬름홀츠는 자신의 연구에서 목소리가 기음(fundamental) 과 배음

13) Hector Berlioz, Ernest Newman, 「Memoirs of Hector Berlioz(1932)」, Courier Corporation, ISBN : 978-0486215631, page.224

(overtones)로 이루어져 있으며, 배음은 기본주파수의 배수라는 사실을 발견했다. 또한 소리굽쇠와 공명기를 이용해서 성도(vocal tract)의 자세에 따라 공명이 결정된다는 사실을 관찰하였는데, 이것은 후에 포먼트(formant)라 불리는 내용의 원시적인 개념이다. 또한 그는 모음에 의해 가장 낮은 포먼트가 결정된다는 사실과, 높은 여성 피치에서의 모음변조(vowel modification)까지 관찰하였으니[14], 실로 현대 음성음향학의 기반을 먼저 닦은 인물이라고 평할 수 있겠다.

IPA(International Phonetic Alphabet)의 발명도 가창교수법에 있어서 중요한 사건 중 하나인데, 왜냐하면 IPA를 이용하여 미묘한 모음의 변화를 더욱 정확하게 표기할 수 있게 되었기 때문이다. 예를 들어 /아/ 모음을 소리낼 때, 고음으로 진입하게 되면, 좋은 소리를 위해 모음의 음색이 다소 어두워져야 하는데, 이 소리를 표현하려면 이전에는 '어두운 /아/' 혹은 'nut의 /아/'라고 표현하는 등의 간접적인 방법을 사용했어야 했다. 그런데 IPA를 사용하게 되면 그냥 간단히 "/a/보다 /ɐ/ 혹은 /ʌ/가 가창에 더욱 적합하다"라고 모음을 정확하게 지칭할 수 있게 되는 것이다.

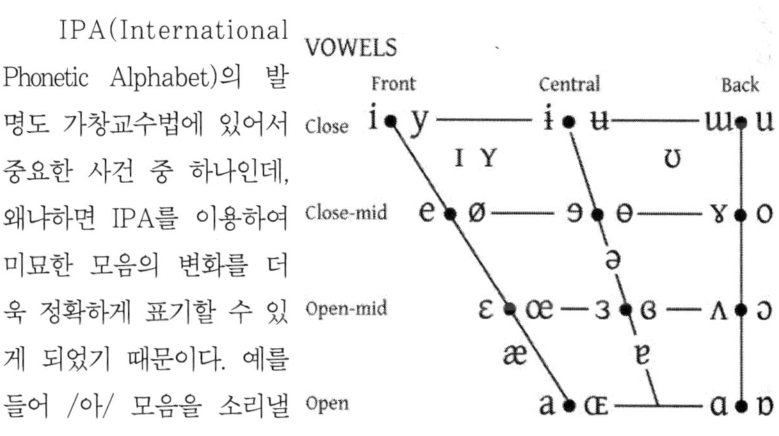

그림 5. 국제음성부호 중 모음 차트. 국제음성협회 홈페이지(http://www.internationalphoneticassociation.org)에서 국제음성부호를 확인할 수 있다.

이 IPA는 현재 존재하는 국제음성협회(International Phonetic

---

14) Hermann Helmholtz, 「On the Sensations of Tone(1862)」

Association)의 전신인 음성교사협회(Phonetic Teachers' Association)가 1886년에 결성되어 개발된 것으로, 1888년 발명 이후 현재 전 세계 공용의 표준 발음문자로 사용되고 있다. 이 협회는 프랑스 언어학자인 파시(Paul Passy)가 결성[15]하였고 이후 엘리스(Alexander J. Ellis), 스윗, 존스 등이 이 IPA 시스템을 발전시켰는데, 그 중 엘리스는 헬름홀츠의 제자이자 헬름홀츠 저서의 번역자로서, 벨(A. Melville Bell)과의 연구를 통해 특히 조음(articulation)의 음향적 특성을 규명[16]하는데 업적을 남겼다.

하지만 여전히 IPA만으로는 모든 모음의 음질을 다 담아내지 못하는 한계를 가지고 있다. 개인의 특성은 물론이고, IPA의 홈페이지에 들어가서 각 발음의 샘플을 직접들어보면 알겠지만, 전반적으로 가창훈련이 되지 않은 일반인의 좁은 목구멍에서 나는 소리의 경향을 가지고 있다. 일반인의 목소리와 달리 훈련된 가창자의 목소리는 더욱 더 낮은 F1 값을 가져서 더욱 풍부하며, 반면에 가수음형대(singer's formant)가 튜닝되어 동시에 밝은 배음도 두드러진다.

라. 20세기 ~ 현재 가창교수법

20세기 중반에 들어서면서 현재에 이르기까지, 정보교류가 크게 발달한 시대적 변화로 인해, 21세기에 들어선 지금에는 이제 가창교수법 분야에서 어느 정도 모두가 동의할 수 있는 보편적인 담론이 어느 정도 형성되었다고 필자는 생각한다. 물론 용어 등에 있어서 약간의 이견은 여전히 현재까지도 존재하지만, 성구의 개념과 개수, 호흡과 공명

15) Malmkjær, Kirsten 「The Routledge Linguistics Encyclopedia(2010)」 Ed.: 3rd ed. London : Routledge. "International Phonetic Alphabet"

16) James Starks, 「Bel Canto - A History of Vocal Pedagogy(1999)」, University of Toronto Press, ISBN 0-8020-8614-4, [chapter 2. Chiaroscuro: The tractable Tract]

의 원리 등에 대해 실제적인 생리적-음향적 현상에 대해서는 널리 인정되고 통용되는 내용들이 있다.

그것이 가능한 것은 과학의 발전이 주요한 원인인데, 여기서 과학의 발달이란 곧 관찰장비의 발전과 음향학의 발전을 말한다. 19세기 후두경이 발명되었을 때는 지금과 같은 카메라를 이용한 내시경의 형태가 아니고, 혀를 내리누르거나 잡아당기고 거울을 목구멍 깊이 넣어 성대를 관찰하는 방식이었다. 당연히 성대의 온전한 모습을 관찰하기가 무엇보다 힘들었고, 가창자는 불편한 상태에서 노래 불러야 했기에 설령 관찰이 온전히 이루어진다고 하더라도 그 상태가 제대로 된 가창의 상태가 맞는지 의문이 남을 수밖에 없었다. 정작 후두경을 발명한 가르시아 본인도 전체 성대의 2/3 이상을 관찰한 적이 없다고 고백했건만, 정작 당시 성대를 조금이라도 관찰한 사람들은 저마다 자기가 본 현상들이 진리라고 우겨대는 바람에 매우 혼란스러운 상황이 되었다는 사실은 메켄지 경의 발언에 잘 나타나있다.17) 그에 반해 현재는 후두내시경을 이용해 코로 카메라 라인을 집어넣기만 하면 되고, X-레이를 이용한 비접촉식 관찰, 그리고 EGG(Electroglottography) 등과 같은 방식 또한 사용할 수 있으니, 이

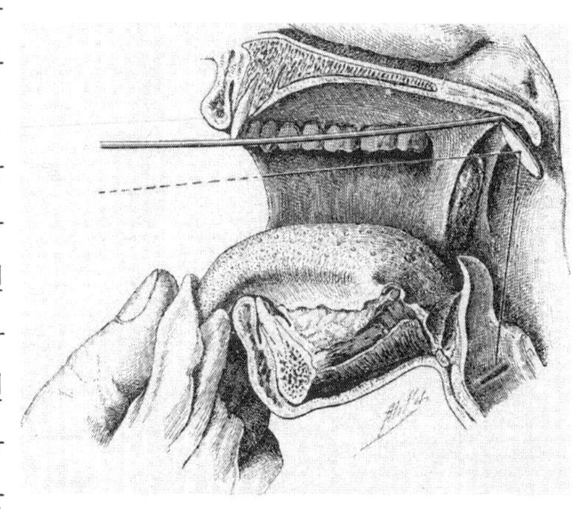

그림 6. 「Surgical therapeutics and operative technique (1917)」에 묘사된 성대를 관찰하는 방법. 혀를 당기고 반사경을 입속 깊숙이 집어넣어 성대를 관찰했다.

17) Cornelius L. Reid, 「벨칸토 발성법: 그 원리와 실천(1993)」, 삼호뮤직. p.177

전에 비해 훨씬 신뢰할만한 관찰이 가능해진 것이다. 물론 여전히 아직도 관찰의 한계는 존재하지만, 향후 더 많은 방법들이 개발될 것으로 기대할 수 있다.

그리고 음향학의 발전도 그 공로가 크다. 이전에는 무엇보다도 가장 중요한 것이 바로 교사의 '귀'였다. 가창지도 현장에서 눈으로의 관찰은 언제나 한계가 있을 수밖에 없다. 그런 상황에서는 숙련된 교사의 '귀'만이 가창자의 목소리 수준을 분석하고 평가할 수 있는 유일한 단서였다. 그래서 많은 교사들이 이 청각적 정보를 전달하려고 시도하였지만, 어쩔 수 없이 추상적이고 감각적인 어휘를 사용할 수밖에 없었다. 대표적인 예시들이 밝음과 어두움을 뜻하는 키아로스쿠로(chiaroscuro), 가르시아의 sombre/clair, 가슴/머리를 울리는 흉성/두성, 닫힌/열린 모음 등의 어휘들이다.

그러나 음향학이 발전하면서, 목소리 톤에 대한 보다 객관적인 분석과 표현이 가능하게 되었다. 이후에 자세한 내용을 설명하겠지만, 모음의 닫힘과 열림은 각자 첫 번째 포먼트(formant)가 낮은 혹은 높은 주파수에 형성되는지에 따라 결정된다는 사실을 발견했고, 또한 소리의 울리는(ringing) 스퀼로(*squillo*) 음질은 3kHz 근처의 가수음형대(singer's formant) 때문임을 발견하였다. 물론 아직까지도 피로감, 심리적 상태 등이 반영된 목소리 톤의 미묘한 변화까지 명백하게 규명할 수는 없는 것[18]으로 보이나, 그럼에도 불구하고 목소리의 문제를 진단하는 데는 큰 문제가 없는 수준이라고 필자는 생각한다.[19]

---

18) Harry Hollien; Oren Brown; Rudolf Weiss, "Another View of Vocal Mechanics(1999)", Journal of Singing, Vol.56, No.1, September/October 1999

19) 저자 주 : 물론 이러한 현상의 분석이 학생의 올바른 발성적 진보를 보장하지는 않는다. 진정한 가창 교수법은 정확한 현상의 진단과 동시에 적절한 훈련방법을 제시할 수 있어야 한다. 이것은 아직까지도 과학적인 방법으로는 해결이 불가능한 것으로 보인다. 왜냐하면 발성기관의 조절은 대부분 불수의적으로 이루어지는 경향을 가지고 있기 때문이다.

1) 현대 가창교수법의 주요 교사(학자)

클리프튼 웨어(Clifton Ware)는 자신의 책에서 (비교적) 보편적인 가창교수법을 전반적으로 잘 담아내고 있는 저자로 다음의 4명을 꼽는다: 밀러(Richard Miller), 버나드(William Vennard), 애플먼(Ralph Appelman), 도셔(Babara Doscher)[20].

이들의 각 저자의 주요저서는 「The Structure of Singing(1986)」, 「Singing: The Mechanism and the Technique(1967)」, 「The Science of Vocal Pedagogy(1967)」, 「The Functional Unity of the Singing Voice(1988)」이다. 이 4명 중 특히 밀러는 유럽의 주요 4개 국가(이탈리아, 독일, 프랑스, 영국)을 직접 탐방하며 각국의 스튜디오에서 내려오는 가창교수법을 관찰-정리하여 「National Schools of Singing(1977)」을 출간하였으며, 그 이후로도 총 6개의 책을 더 집필하는 등 20세기 가창교수법의 대부(代父)라고 불릴만한 인물이다.

또한 음성과학 분야에서는 준트버그(Johan Sunderberg)와 티체(Ingo Titze)가 유명한데, 스웨덴 음성학자인 준트버그는 특별히 가수음형대(singer's formant)에 대한 연구로 유명하며, 잉고티체는 임피던스(impedance) 등 물리학적 개념을 음성음향학에 접목시킨 연구로 유명하다. 그 외에도 로렌스(Van Lawrence)와 사탈로프(Robert Sataloff)와 같은 후두전문의도 가창 목소리에 대해 많은 연구를 실시하였다.

2) 대중음악의 등장과 가창교수법

대중음악(popular music)이란 대중의 기호에 맞는, 락(rock)과 팝

20) Clifton Ware, 「성악교수법」, 박순복, 남궁희옥 번역, 경희대학교출판국 출판, 원제 「Basics of Vocal Pedagogy(1997)」

(pop) 그리고 소울(soul), 레게(raggae), 랩(rap), 댄스(dance) 등의 음악을 뜻한다.[21] 이 책에서 대중음악이라 함은, 전통적인 클래식 가창과 구분되는 가창양식을 뜻하며, 편의상 뮤지컬 계열의 음악도 포함한다.

그림 7. 미국 레코딩 회사 Victor 社에서 결혼선물로 받은 전축 앞에 서 있는 카루소

대중음악이 본격적인 주류로 자리 잡기 시작한 것은 20세기 초 무렵으로 보이며 그 배경에는 녹음기술의 등장이 있다고 볼 수 있다. 녹음기술이 등장하면서 무대중심의 음악에서 레코딩을 기반으로 한 음악산업이 1930년대 형성되기 시작한 것이 대중음악의 토양이 되었다.[22] 사실 에디슨이 발명한 축음기가 엔리코 카루소(Enrico Caruso)의 음반 때문에 불티나게 팔렸었다는 일화를 생각해보면, 녹음기술의 발달이 오페라가 음악의 주류를 팝 음악에게 내주게 만든 주요원인중 하나라는 사실은 참 아이러니한 일이 아닐 수 없다.

원래 오페라를 중심으로 한 공연극장에서는 커다란 성량이 필수적이었다. 더욱 더 웅장한 음악적 카타르시스를 위해 악단의 편성이 급속히 커져갔으며, 마침내 말러에 이르러서는 '1000명의 교향곡'이라고 불리는 「말러 교향곡 제8번」이 등장하기에 이르렀다. 한편 자본주의의 발달로 인해 더 많은 관람료를 받기위해 극장 자체의 규모도 더욱 커져가고 있었다. 이런 시대적 흐름 속에서 오페라 가수의 우렁찬 소리는 무척이나 필수적인 요소였던 것이다.

그러나 레코딩 시스템은 간단하게 더 많은 전기를 투입하기만 하

21) 「Oxford dictionary」 - "popular music"
22) 김창남 외, 「대중음악의 이해(2012)」, 한울 출판사

면, 엄청난 크기의 소리들을 만들어 낼 수 있었다. 이런 상황에서 가창자의 성량은 더 이상 핵심적인 요소가 아니었다. 가창자의 미세한 감정표현, 가사의 의미, 음악적 분위기 등이 대중의 마음을 사로잡았고, 그에 따라 가수들도 발성보다는 다른 요소들에 더욱 집중하기 시작했다. 그 결과 엘비스 프레슬리(Elvis Presley), 루이 암스트롱(Louis Armstrong)과 같은 전통 성악 기준에서는 한참 벗어난 전혀 다른 가창방식이 등장하였다.

한편 뮤지컬(musical theatre) 음악도 19세기 말 영국에서 탄생하였는데, 이후. 20세기 초부터 미국 브로드웨이를 중심으로 뮤지컬 음악은 흥행을 거두었다. 이 뮤지컬 음악은 앞의 대중음악 보다는 오페라의 형식을 상당부분 유지하고 있지만, 훨씬 더 자유로웠으며 특히 여성의 가창양식에 있어서 '리짓(legit)'과 '벨팅(belting)'이라는 가창양식을 탄생시켰다.

허나 이러한 '새로운' 가창 스타일 또한 여전히 기본적으로 자연의 법칙에 지배받는 목소리를 사용하는 것인지라, 대중음악과 뮤지컬 음악에서의 가창교수법에 대한 요구는 점차 커져가고 있었다. 그런 가창교수법에 대한 요구에 부응해서 등장한 인물이 바로 조 에스틸(Jo Estill)과 세스릭스(Seth Riggs)이다.

그림 8. Estill Voice Training의 창시자 조 에스틸

조 에스틸(Jo Estill)은 뮤지컬 음악계에서 유명한 인물로서, 'EVT(Estill Voice Training)'의 창시자이다. 그녀는 특별히 벨팅과 관련된 연구를 많이 진행하였는데, 세스릭스(Seth Riggs)와 달리 가창지도 현장에서만 활약한 것이 아니라 음성학자들과의 많은 공동연구도 수행하였

다. 그녀의 훈련방식은 에스틸 보이스 트레이닝은 과학적 논거를 체계화하여 실제적 훈련에 접목시킨 최초의 메소드라고 볼 수 있다. 그것은 발성 프로세스에 대한 해체분석적 접근을 기반으로 하여[23], '진성대, 가성대, 후두, 갑상연골, 피열연골' 등 발성기관의 각 부위에 대한 조절을 익히기도 하고, 목소리 음질을 '스피치, 팔세토, 흐느낌, 콧소리, 오페라, 벨팅'으로 나누는 등, 목소리의 각 요소들을 무척이나 세세하게 나누고 운동감각적(kinesthetic)으로 익혀보는 내용으로 커리큘럼을 구성하고 있다.[24] 공식 커리큘럼에 '벨팅'을 별도 항목으로 구분해서 다루는 접근은 매우 드문데, EVT가 그 시초라고 할 수 있을 것이다.

한편 세스릭스(Seth Riggs)는 유명한 팝 가수인 '마이클 잭슨, 스티비 원더, 루더 밴드로스, 레이 찰스, 마돈나, 프린스'등의 보컬코치로서 유명한데, 그의 이러한 성공 배경에는, 고음을 못 내거나 목소리가 불안한 사람 누구라도 그에게 지도를 받으면 3개월 남짓의 짧은 시간 뒤에 목소리가 무척 좋아지게 되는, 그의 뛰어난 가창지도 능력이 있었다. 조 에스틸이 '과학적 발성법'을 기반으로 한 교수법을 가지고 있다면, 그에 반해 세스릭스는, 이탈리아 테너 티토 스키파(Tito Schipa)에서 사사를 받기도 하고[25], 테너 질리(Beniamino Gigli)의 가창법에 대해 책을 쓴 카세리(Herbert-Caesari)의 책에 영향을 받았다고 말하기도 하는 등, 이탈리아 전통가창의 가르침을 가지고

그림 9. SLS의 창시자 세스릭스

23) Christina Shewell, 「Voice Work: Art and Science in Changing Voices(2009)」, Wiley-Blackwell

24) Estill Voice International 홈페이지(https://www.estillvoice.com/)

25) 세스릭스 공식 홈페이지(http://www.sethriggs.com/resume.html)

있는 인물로 보인다. 실제로 그는 자신의 저서에서 '과학적 발성법'에 대해서는 신중한 입장을 가지고 있음을 기술하기도 하였고[26], 유튜브 등에 남아있는 티토 스키파의 연습 녹음자료[27]를 살펴보면 자음과 모음의 사용 방식이 현재의 SLS 계통에서 사용하는 훈련 보칼리제와 무척 유사함을 살펴볼 수 있다.

세스릭스의 가창 교수법은 성구전환에 기반을 두고 있는데, 이것은, 마침 1950년에 '옛 벨칸토의 핵심은 성구에 있다[28]'라는 사실이 코넬리우스 리드(Cornelius Reid)에 의해 책으로 발표되었고, 또 세스릭스 등을 비롯한 성구에 기반한 가창지도가 효과가 무척 좋다는 사실을 바탕으로, 가창교수법에서 잊혀져 가던 성구의 중요성을 다시 강조하게 되는 계기가 되었다. 그러나 성구를 중요시 하는 학파에 대해 호흡과 공명을 너무 도외시하는 것이 아니냐는 비판도 적지 않다. 참고로 위에서 언급한 조 에스틸의 교수법도 호흡과 공명과 관련하여 비판을 받는다.

세스릭스의 교수법은 현재도 SLS(Speech Level Singing)이라는 단체를 통해 이루어지고 있고, 한편 그의 제자들이 독립하여 설립한 단체들은 IVTOM(International Voice Teachers of Mix), IVA(Institute for Vocal Advancement), SS(Singing Success), Bast(Be A Singing Teacher), VIP(Vocology In Practice) 등이 있다. 각 단체의 이름에 잘 나타나 있듯이 이들 단체는 각기 추구하는 지향점이 다른데, VIP같은 경우에는 이름에 Vocology[29]가 들어있듯이, Vocology의 창시자인 잉고 티체

---

26) Seth Riggs, 「스타처럼 노래하세요」, 상지원 출판. 원제 「Singing for the stars(1992)」

27) 유튜브 링크 (https://youtu.be/UdyE0lv2AsY)

28) Cornelius Reid, 「Bel Canto : Principles and Practices(1950)」

29) 저자 주 : 잉고티체가 제시한 어휘. 목소리 훈련에 대한 과학과 실제를 다룬 학문을 말한다. (출처 : Ingo R. Titze. "What is vocology?(1996)", Logopedics Phoniatrics Vocology 21:1, pages 5-6.)

(Ingo Titze)와의 긴밀한 협력관계를 유지하였다. 이처럼, 이전에는 주로 서양 클래시컬 교사들이 가창교수법 연구에 참여했지만, 현재는 대중음악계에서 활약하는 교사들도 가창교수법 연구에 활발히 참여하고 있다.

더! 깊이 살펴보기!!

리짓과 벨팅창법

리짓(legit)은 뮤지컬 연극이 영국의 1737년 인가법(Licensing Act 1737)에 의해 합법적 연극(legitimate theatre)라고 명명되는 데서 유래했다. 이 가창양식은 일반 클래시컬한 가창법에 비해 가사전달에 큰 비중을 두고 있는 발성법인데, 특히 저음에서 적극적인 흉성을 사용하고, 낮은 후두를 고집하지 않고 상대적으로 짧고 좁은 성도를 사용하는 등의 특징을 보여준다. 그러나 기본적으로 팔세토(혹은 두성) 중심적인 가창 스타일은 유지하고 있어 고음으로 올라가면 클래시컬한 가창법과 크게 차이가 나지 않기도 한다.

벨팅(belting)은 여성가창자가 흉성을 비중을 크게 늘린 목소리를 사용하는 것으로 보통의 흉성음역대인 E4~F4 이상(경우에 따라 C5 이상에서도)으로 흉성을 끌어올리는 가창 스타일을 말한다. 벨팅가수(belter)라고 하더라도 C#5 정도 부터에서는 성구전환이 일어나는데, 그 전환된 목소리를 믹스(mix)라고 부르기도 한다.

이 새로운 가창양식에 대해 교사들과 학자들의 입장은 현재 이견이 분분하다. 특히 벨팅창법을 놓고 '흉성을 억지로 끌어올려' 목소리를 망가뜨리는 가창이라고 비판하는 교사가 여전히 많이 존재한다. 그러나 필자는 이러한 벨팅창법이 현재는 많은 발성적 결함의 원인이 되기도 하지만, 하나의 새로운 양식으로 자리잡고 있는 현재 진행형의 상태라고 생각한다. 19세기 'Do di petto'가 새로운 목소리로 각광을 받았다가 이제는 훌륭한 테너라면 누구나 가지고 있는 목소리가 되었듯이, 이 벨팅도 새로운 가창양식으로 보는 것이 옳다고 생각한다. 이를 위해 현재 많은 연구가 진행되고 있으며, 또한 조 에스틸(Jo Estill)과 세스릭스(Seth Riggs)의 등장 이후 대중음악에 대한 가창지도 또한 많은 경험이 축적되고 있는 상황이다. 따라서 벨팅창법도 성구, 호흡, 공명 등의 기본적인 발성원리만 지켜진다면 얼마든지 건강하게 아름다운 목소리가 될 수 있다고 필자는 생각한다. 벨팅에 대한 생리학적-음향적 특성과 유의점 등은 뒤에서 별도로 상세히 다루도록 하겠다.

3) 가창교수법의 최근 동향

최근의 가창교수법의 주요 화제는, 물론 여러 가지 주제가 있겠지만, 실제적인 가창지도방법에 대한 연구라고 필자는 생각한다. 대표적인 것이 위에서 언급한 **보콜로지**(vocology)인데, 잉고티체는 이 학문에 대해 '목소리 훈련'에 초점을 맞추어 소개하였다[30]. 이것은 곧 보콜로지가 이전의 음성학적 연구가 현상학적인 측면에서 벗어나지 못하고 있었던 한계를 극복하기 위한 학문이라는 것을 시사하는 바이다.

한편 이와 유사하게 '실제적' 가창지도에 대해 고민하는 방법 중 하나가 바로 운동감각, 즉 키네스테지아(kinesthesia)에 대한 연구이다. 운동감각이란 인간의 기본적 5감 외에 제6의 감각이라 불리는 것으로서, 근육과 관절에서의 신경 수용체를 통해 자세나 움직임을 자각하는 감각을 뜻한다.[31]

이런 접근방식들은 기본적으로 발성기관이 불수의적(involuntary)으로 동작하기 때문에 시도되고 있다. 즉 목소리에 대한 과학적 원인이 규명이 되어서 그 원리를 이해하더라도, 가창자가 그것을 실제로 수행하기는 거의 불가능에 가깝다는 것은 가창교수법에 있어서 큰 장애물이다. 다만 이런 특정한 신체구조의 조절이 가창자에게는 '확장된', '뒤가 열리는' 등의 독특한 느낌으로 다가오는데, 이런 가창자의 감각을 가창지도에 이용하는 것이 최근의 시도이다.

사실 이러한 가창 지도방법은 전통적인 가창지도 방법에는 매우 일반적인, 더 나아가서 주된 지도방법이었는데, 최근의 연구는 그런 '감각적' 가창지도방법과 과학적인 근거를 짝지어서 정리하는 방향으로 이루어지고 있다. 이런 연구는 바우어(Karen Tillotson Bauer)[32], 보즈먼

---

30) Ingo R. Titze. 「What is vocology?(1996)」. Logopedics Phoniatrics Vocology 21:1, pages 5-6.

31) 「Oxford dictionary」 "kinesthesia"

(Kenneth Bozeman)[33] 등에 의해 책으로 정리되었다.

4) 앞으로의 연구과제

앞으로의 연구방향도 이런 '가창지도의 실제'에 대한 연구로 진행될 것으로 예상된다. 특별히 '가창자의 개념과 발성기관의 조작 사이의 메커니즘'에 대한 다양한 접근이 필요하다. 뒤에서 더욱 상세히 다루겠지만, 교사가 핵심 타겟으로 결국 삼아야 할 것은 '학생의 개념'이다. 학생에게 좋은 발성이 가지는 일련의 조건들을 직접 지시해봐야 아무런 도움이 안되거나 오히려 문제가 악화되는 경우가 다반사이다. 학생에게 *"일단 좋은 호흡으로 목구멍을 열어주고, 어택을 부드럽게 시작한 다음, 피치에 맞게 성대가 길어지면서도 잘 접촉하도록 윤상갑상근과 피열근을 잘 조절해봐. 그리고 좋은 공명을 위해 후두를 내리고 목구멍은 열어주고, 그러면서도 강한 소리를 위해 상후두관은 좁혀야만 해."* 라고 아무리 이야기 해봤자 학생은 그 지시를 수행해낼 수 없다. 왜냐하면 가창자의 발성기관은 기본적으로는 불수의적이기 때문이다. 발성기관의 근본적인 트리거(trigger)는 바로 가창자의 머릿속에 있는 '개념'이다. 우리에게는 카루소의 발성기관이 필요한 것이 아니라 카루소의 뇌가 필요하다.

이러한 목적을 달성하기 위해서 기존의 생리학적 연구는 물론 뇌과학, 인지과학, 신경과학적으로 가창자의 개념을 정량화하고 조절할 수 있게 하는 연구가 동반되면 좋을 것이다. 하지만 이러한 학문분야는 그 자체의 발전수준이 아직까지도 걸음마 단계에 불과하고, 심지어 유사과

---

32) Kenneth Bozeman 「Kinesthetic Voice Pedagogy: Motivating Acoustic Efficiency(2017)」, inside view press

33) Karen Tillotson Bauer 「The Essentials of Beautiful Singing: A Three-Step Kinesthetic Approach(2013)」, Scarecrow Press

학(pseudoscience)으로 분류되거나 실제로 그 수준에 머무르는 경우가 다반사이다. 필자도 이 분야에 대해 아직 자세히 모르고 있으나, 혹시나 스포츠과학 등의 분야에서 이러한 시도가 이루어지고 있다면, 같은 맥락에서 연구가 이루어질 때 좋은 성과를 기대해 볼 수 있을 것이다.

현재 이런 운동학습 분야에서 연구를 하고 있는 교사와 학자는 베르돌리니-애벗(Katherine Verdolini-Abbot), 헬딩(Lynn Helding), 맥스필드(Lynn Maxfield) 등이 있다.

이러한 시도가 초기에는 물론 전통적인 교사의 입장에서는 매우 우습게 보일 가능성이 크다. 이를 바탕으로 한 훈련의 초기단계에서는 기존의 전통적인 방식에 비해 가지는 실효성과 보여준 성과가 너무 떨어지기 때문이다. 하지만 이런 접근법은, 기존의 전통적인 방식에 대한 과학적 근거를 제공하여 옳고 그름을 구분할 수 있게 한다는 측면을 가지고 있기에 무척 유용하고, 또한 추상적인 내용을 객관적으로 의사소통 할 수 있다는 점에서 무척 건설적일 것이라는 사실은 쉽게 추측할 수 있다. 앞으로 더욱 좋은 연구결과를 기대해 본다.

발성교사 연대표

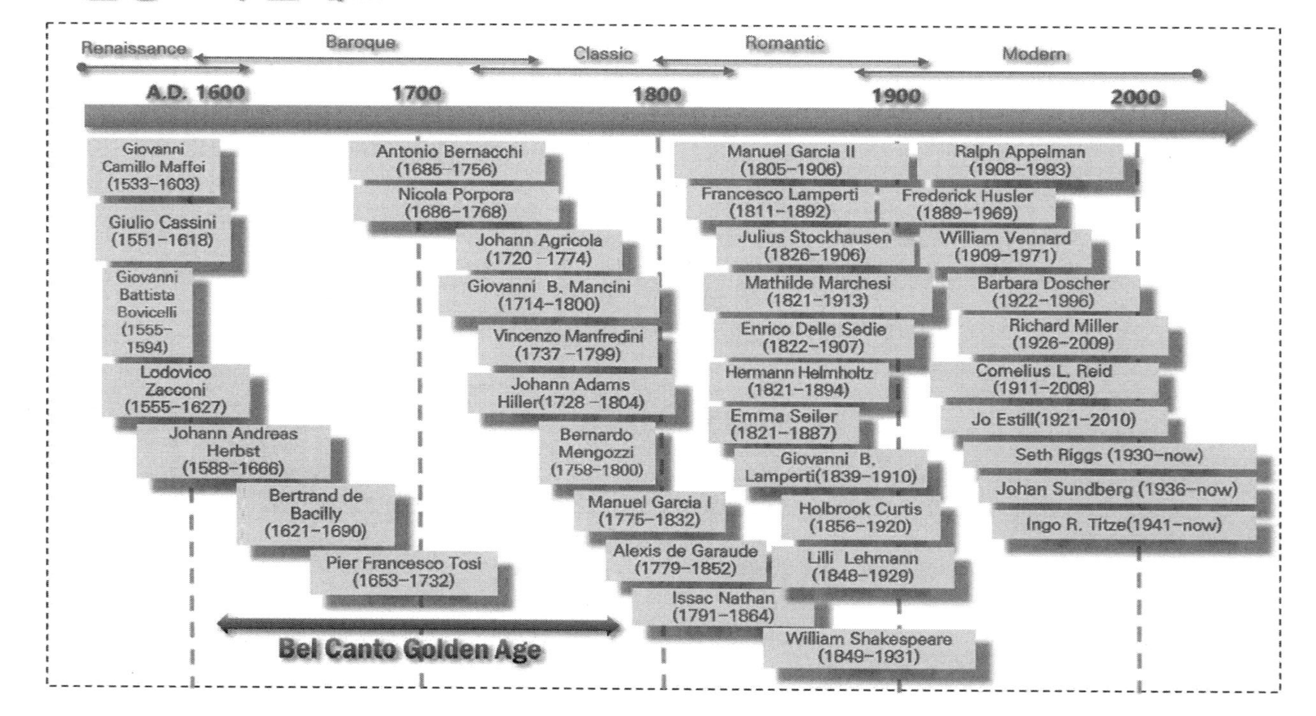
Renaissance
Baroque
Classic
Romantic
Modern
A.D. 1600
1700
1800
1900
2000
Giovanni Camillo Maffei (1533-1603)
Giulio Cassini (1551-1618)
Giovanni Battista Bovicelli (1555-1594)
Lodovico Zacconi (1555-1627)
Johann Andreas Herbst (1588-1666)
Bertrand de Bacilly (1621-1690)
Pier Francesco Tosi (1653-1732)
Antonio Bernacchi (1685-1756)
Nicola Porpora (1686-1768)
Johann Agricola (1720-1774)
Giovanni B. Mancini (1714-1800)
Vincenzo Manfredini (1737-1799)
Johann Adams Hiller(1728-1804)
Bernardo Mengozzi (1758-1800)
Manuel Garcia I (1775-1832)
Alexis de Garaude (1779-1852)
Issac Nathan (1791-1864)
Manuel Garcia II (1805-1906)
Francesco Lamperti (1811-1892)
Julius Stockhausen (1826-1906)
Mathilde Marchesi (1821-1913)
Enrico Delle Sedie (1822-1907)
Hermann Helmholtz (1821-1894)
Emma Seiler (1821-1887)
Giovanni B. Lamperti(1839-1910)
Holbrook Curtis (1856-1920)
Lilli Lehmann (1848-1929)
William Shakespeare (1849-1931)
Ralph Appelman (1908-1993)
Frederick Husler (1889-1969)
William Vennard (1909-1971)
Barbara Doscher (1922-1996)
Richard Miller (1926-2009)
Cornelius L. Reid (1911-2008)
Jo Estill(1921-2010)
Seth Riggs (1930-now)
Johan Sundberg (1936-now)
Ingo R. Titze(1941-now)
Bel Canto Golden Age

Summation

가창교수법(Vocal Pedagogy)는 최소한 4세기 이상의 오랜 역사를 가지고 있는 학문이며, 지식에 대한 우리의 탐구는 역사적 맥락의 기반에서 과학적 방식으로 이루어져야 한다. 여기서 '과학적'이란 보편적인 학문의 탐구과정을 의미한다.

가창교수법의 역사는 **17-18세기** 벨칸토 시대 카스트라토들을 중심으로 확립되기 시작했으며, 이 시대의 주요 교사는 토지(Francesco Tosi), 만치니(Giambattista Mancini), 나단(Isaac Nathan) 등이 있다.

19세기에 들어서서 본격적인 가창교수법이 확립되었는데, 과학적 발성법 계열은 후두경을 발명한 가르시아 2세(Manuel Garcia II)에 의해 시작되었고, 이탈리아 가창지도의 전통은 람페르티(Lampertis) 부자에 의해 집대성되었다. 한편 이 시대에 폭발적인 교사와 학자의 등장으로 인해 수많은 논란과 혼동이 야기되었다. 베리즈모 오페라의 등장으로 드라마틱한 테크닉에 대한 요구가 늘어났고, 듀프레즈를 시작으로 드라마티코 테너의 목소리가 등장하게 되었다. 그 결과로 가창교수법의 패러다임이 성구에서 호흡과 공명으로 이동하게 되었다. 한편 메켄지 등의 학자에 의해 발성기관의 생리적 원리가 자세히 관찰되었고, 헬름홀츠의 등장으로 음성음향학의 기반이 마련되었으며, IPA가 고안되어 정확한 모음 톤을 정의하고 구분할 수 있게 되었다.

20세기에는 과학적 접근과 전통적인 지도법의 융합이 본격적으로 일어나기 시작했으며, 그 내용을 잘 정리한 저자들은 밀러(Richard Miller), 바바라 도셔(Barbara Docher), 랄프 애플먼(Ralph Appelman), 윌리엄 버나드(William Vennard)가 있다. 과학적인 접근법도 고도화되었으며 대표적인 음성학자는 준트버그(Johan Sundberg), 티체(Ingo Titze)가 있다. 한편 20세기 초부터 대중음악과 뮤지컬이 등장하였는데, 이 분야에서 가창교수법을 확립시킨 교사는 세스릭스(Seth Riggs), 조 에스틸(Jo Estill)이 있다. 최근에는 클래식 분야뿐 아니라 대중음악과 뮤지컬 분야에서도 가창교수법 확립을 위한 많은 연구가 수행되고 있는 추세이다.

현재 가창교수법 연구의 경향은 보콜로지(vocology)나 키네스테지아(kinesthesia)와 같이 '가창지도의 실제'에 대한 연구가 더욱 깊이 이루어지고 있는 실정이다. 이는 불수의적인 발성기관에 대한 접근방법을 획득하기 위한 것으로, 전통적인 가창지도 방식에 과학적인 근거를 제공하는 방식으로 연구가 이루어지고 있다. 앞으로도 이 '가창자의 개념-발성기관의 조절 사이의 메카니즘'을 규명하는데 더 깊은 연구가 이루어질 것으로 기대되며, 뇌과학, 인지과학, 신경과학, 심리학 등의 다양한 접근법이 필요할 것이다.

3. 발성기관의 구조와 생리학적 특성

우리의 목소리는 다음의 3단계를 거쳐서 생성된다 : ①호흡(파워 공급) → ②후두(성대의 진동) → ③ 성도(공명과 조음 articulation). 이를 바탕으로 하나씩 기본적인 구조와 생리학적 특성을 알아보도록 하자. 이 책은 해부학적 지식을 목적으로 하는 것이 아니기에 필자가 필요하다고 생각하는 부분까지만 한정해서 설명하도록 하겠다.

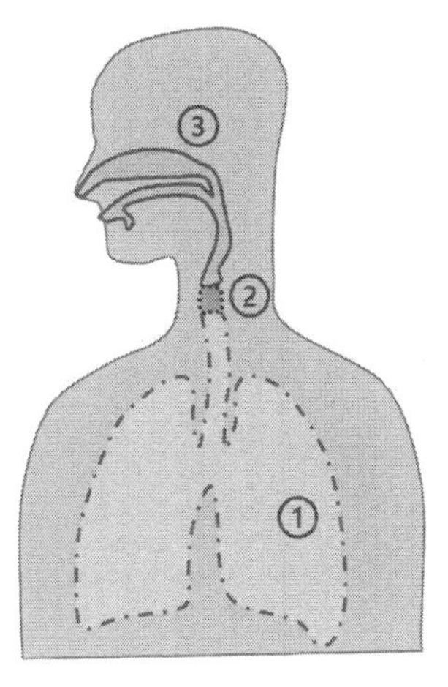

그림 11. 목소리 생성의 순서

가. 호흡 동작

호흡을 먼저 다루기에 앞서 우리가 다룰 호흡의 범위를 먼저 한정할 필요가 있겠다. 생물학적으로 호흡은 외호흡과 내호흡으로 나뉜다. 외호흡은 폐에서 이루어지는 산소와 이산화탄소의 교환과정으로서 허파에서 이루어지는데 반해, 내호흡은 산소를 이용해 ATP[34]를 합성하는 과정이다. 우리가 발성에서 '호흡'이라고 다루는 부분은 내호흡은 당연히 아니고, 외호흡도 아니다. 그것은 단지 공기를 물리적으로 다루는 '들숨과 날숨의 조절'에만 국한된 내용들이라고 봐야 한다.

우선 들숨을 유도하는 가장 주요한 근육은 바로 횡격막(diaphragm)이다. 이 횡격막은 우리의 몸통을 복부와 흉곽으로 완벽히 나누는 옆으로 가로지르는 형태로 배치된 근육막이다. 이 횡격막은 평

34) 아데노신 3인산(adenosine triphosphate). 인체에서 에너지 화폐로 쓰이는 물질. 인체는 기본적으로 에너지의 생산 시 ATP를 생성하며, 필요 시에 ATP를 가수분해하여 에너지를 획득한다.

소에는 아치 모양으로 자리잡고 있는데, 수축하게 되면 평편해지면서 흉곽의 부피를 크게 한다. 흉곽이 커지게 되면 허파가 부풀어 오르고, 안쪽의 공기는 상대적으로 대기압에 비해 낮은 압력상태가 되는데, 그 결과로 공기가 허파 속으로 유입되게 된다.

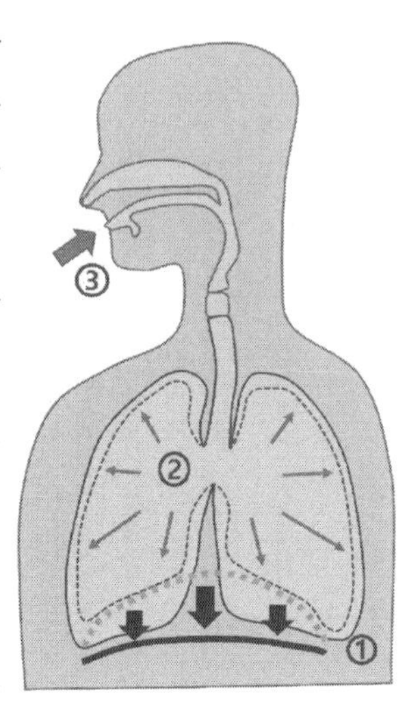

그림 12. 들숨의 메커니즘.
'①횡격막 하강 → ②허파 팽창 → ③ 외기유입'

한편 이때 외부 늑간근(external intercostal)들도 들숨에 있어서 역할을 하게 되는데, 외부 늑간근들이 수축하면 늑골이 밖으로 회전하듯이 움직이면서 결과적으로 흉곽이 커지게 된다. 결국 횡격막이 하강할 때와 같은 결과로 인해 들숨이 이루어진다.

위에서 살펴본 것처럼 들숨은 근육의 수축이라는 전적으로 능동적인 동작에 의해 이루어진다. 그에 반해 날숨은 꼭 그렇지는 않다. 그저 횡격막이 이완하기만 해도 자체적으로 가진 탄성반동(elastic recoil)에 의해 흉곽은 원래의 형태로 돌아가며, 결국 저절로 공기가 밖으로 나가게 된다. 이를 조용한 날숨(quiet exhalation)이라고 명명한다.

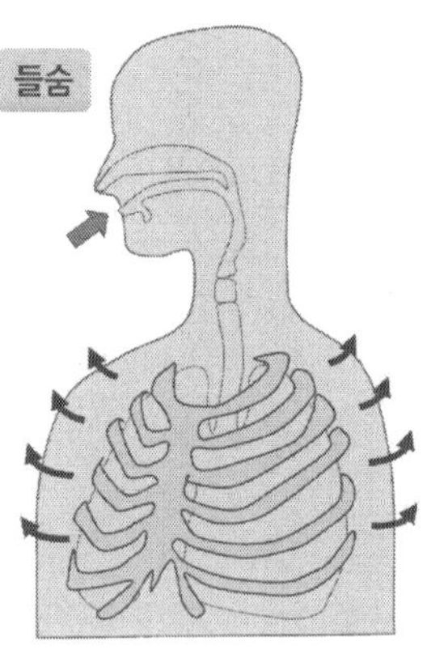

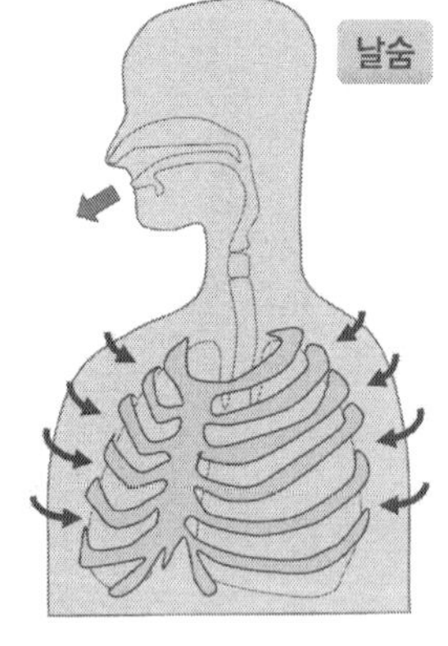

그림 13. 늑간근의 동작. 들숨 시는 외늑간근의 수축으로 흉곽이 들리며(좌), 반면 날숨 시는 내늑간근이 수축하여 흉곽이 작아진다(우).

물론 능동적인 날숨(active

exhalation)도 존재하는데, 이는 흉곽과 몸통에 붙어 있는 근육들에 의해 이루어진다. 이 근육들이 흉곽과 몸통을 조이게 되면, 바깥 방향으로의 압력이 형성되면서 조용한 날숨에 비해 훨씬 빨리 날숨이 이루어지게 된다. 이 동작에 관여하는 근육들은 내늑간근(internal intercostal)과 복부의 근육들(복직근[rectus abdominis], 복횡근[transverse abdominis], 외복사근[external oblique abdominis], 내복사근[internal oblique abdominis], 요방형근[quadratus lumborum])이다. 이중에서 특별히 늑간근들이 날숨인 성문하압(subglottal pressure)의 일정한 유지와 미세한 조절에 중요한 영향을 미치는 것[35]으로 알려져 있다.

이 이외에도 흉곽, 복벽, 목의 근육들이 호흡에 영향을 미치며, 이 근육들을 2차 호흡근이라고 부르기도 한다. 또한 자세를 유지하는 근육들 또한 간접적으로 호흡에 영향을 미치나, 이 근육들이 호흡에 미치는 영향은 그다지 크지 않기에 여기서는 생략을 하도록 하겠다.

나. 후두에서의 성대진동(phonation)

1) 성대진동의 원리

허파에서 시작한 공기의 흐름은 성대가 진동함으로써 드디어 '소리'의 형태를 가지게 된다. 성대의 진동은 우선 내전동작으로 성문이 폐쇄된 상태에서, 날숨으로 인한 성문하압(subglottal pressure)이 형성되고, 그 압력이 성문을 열어젖힘으로써 시작된다.

성문 아래쪽에서 압축된 공기가 성문을 통해 방출되면서 성문 위쪽 공기의 밀(密)한 부분이 형성되고, 반면에 성문이 닫히면서 공기의 소(疎)한 부분이 형성된다. 이 때 이 공기가 압축된 정도는 목소리의

35) Donald F.Proctor, 「Breathing, speech, and song(1980)」, Springer-Verlag

세기를 결정짓고, 밀한 공기와 소한 공기의 반복주기는 목소리의 피치를 결정한다. 이 피치는 이것은 성대의 진동(개방과 폐쇄)주기와 일치한다.

사람의 목소리는 가장 높은 성종인 소프라노의 경우 C6 혹은 그 이상의 높은 소리도 소리낼 수 있는데, C6의 주파수는 1046.5Hz로서, 결국 1초에 1000번 이상의 진동을 유지해야 한다는 것을 의미한다. 사람의 심박이 겨우 1~2Hz인 것을 생각해 볼 때, 이 운동은 다른 신체 부위의 운동에 비해 무척이나 빠른 운동이라는 것을 알 수 있다. 티체에 따르면 이 속도는 눈의 반사동작 다음으로 빠른 동작[36]인데, 반사동작이 단회성에 그치는 반면에 성대진동은 몇 분 혹은 몇시간 이상 지속된다는 측면에서 성대가 받는 운동 스트레시는 상당히 그 양이 많다고 볼 수 있다.

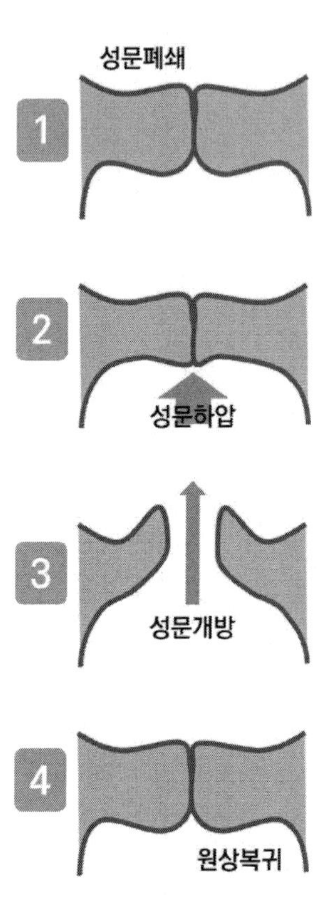

그림 14. 성대진동의 프로세스

이 재빠른 진동이 가능한 이유에 대해서는 역사적으로 두 가지 이론이 제시되었는데, 하나는 신경의 재빠른 흥분에 의한 것이라는 허슨(Raoul Husson)의 신경흥분설(neurochronaxic hypothesis)이고[37], 다른 하나는 베르누이 효과와 근육의 탄성으로 인한 것이라는 반 덴 버그(Janwillem van den Berg)의 근탄력-공기역학

36) Ingo Titze, 「Principles of Vocal Production(1994)」, Prentice Hall

37) Raoul Husson, "A New Look at Phonation" translated by Jill Perkins, The NATS Bulletin, XIII(December, 1956)

(myoelastic-aerodynamic) 이론[38]이다. 후자의 이론은, 일단 폐쇄된 성문이 성문하압에 의해 개방된 이후, 성문을 통과하는 공기의 속도가 빨라짐에 따른 베르누이 효과(성문에서의 음압 형성)와 근육의 탄력에 의해 성대주름이 다시 폐쇄되게 되는데, 이 동작이 반복되면서 성대의 진동이 유지된다는 내용의 이론이다.

티체는 여기에 더해 단순히 베르누이 효과 뿐 아니라 성대 근육을 여러개의 덩어리로 나누는 mass 모델을 통해, 공기역학과 근탄력으로 인한 성대의 자기유지 진동원리를 조금 더 자세히 설명하고 있다. NCVS(The National Center for Voice & Speech)에 따르면 티체가 속한 아이오와 대학에서는 일반적으로 16-mass 모델을 기반으로 시뮬레이션 등 연구를 진행한다고 한다[39].

이 두 가지의 상반된 이론 중에서, 신경흥분설이 불가능하다는 것이 밝혀지고(근육의 긴장으로는 성대의 진동 주파수를 충족시킬 수 없음), 동시에 티체를 통해 공기역학과 근탄력을 이용해 충분히 성대진동이 유지될 수 있다는 것이 밝혀지면서, 현재 학계에서는 근탄력-공기역학 이론이 정설로 받아들여지고 있다. 다만 아직도 신경흥분설이 가지는 개념이 여전히 효용성을 가진다고 주장하는 학자가 일부 존재하기도 한다.

2) 후두의 기본 구조

근육을 살펴보기 이전에, 후두의 골격을 살펴보자(그림 14). 후두의 골격은 모두 연골(cartilage)로 이루어져 있으며, 다음의 5 종류로 구성되어 있다: 후두개연골(epiglottic cartilage), 갑상연골(thyroid

---

38) Janwillem van den Berg, "Myoelastic-Aerodynamic Theory of Voice Production", Jounal of Speech and Hearing Research 1: 227-244, 1958.

39) Ingo Titze, 「Principles of Vocal Production(1994)」, Prentice Hall

cartilage), 피열연골(arytenoid cartilage), 윤상연골(cricoid cartilage), 설골(hyoid bone). 각 명칭의 의미를 부연하면, 갑상(甲狀)은 '방패모양', 피열(披裂)은 '나뉘어져 있다', 윤상(輪狀)은 '반지모양'이라는 뜻이다. 갑상연골과 피열연골은 각기 윤상연골에 관절을 통해 붙어 있는 형태이며, 주위 근육들에 의해 위치가 조절된다.

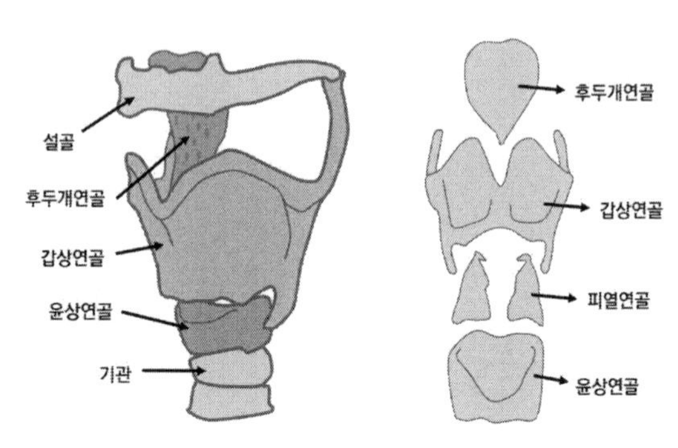

그림 15. 후두의 연골구조

한편 성대는 다음과 같은 여러 근육들에 의해 조절된다 : 윤상갑상근(cricothyroid, CT), 갑상피열근(thyroarytenoid, TA), 성대근(vocalis), 측윤상피열근(lateral cricoarytenoid, LCA), 사피열근(oblique arytenoid m.), 횡피열근(transverse arytenoid m.), 후윤상피열근(posterior cricoarytenoid, PCA).

이 후두근육들에게 이름이 붙여지는 방식은 근육이 연결하는 양 끝단의 연골명칭을 이어서 적고, 필요 시에 위치나 형태를 표현하는 수식어를 붙인다. 복잡한 이름이지만 작명 원리를 알면 각 명칭을 조금 더 쉽게 이해할 수 있을 것이다.

3) 후두 근육의 동작 메커니즘

일반적으로는 후두내부의 동작을 크게 내전(adduction)과 외전(abduction)의 2가지로 나뉜다. 이 중 내전(adduction)이라 함은 피열연골이 안쪽으로 회전하는 것을 의미하고, 결과적으로 성문이 닫히게 된다. 반대로 외전(abduction)은 피열연골이 바깥쪽으로 회전하는 것이며, 그 결과로 성문이 열리게 된다.(그림 15.)

그러나 단순히 내전과 외전으로 성대의 움직임을 분류하는 것은, 성대의 본래적이고 단순한 기능인, '음식물의 삼킴 시 기도를 폐쇄하는 것'을 이해하는 데는 문제가 없을지도 모르겠으나, 훨씬 복잡한 발성(phonation)에 있어서는 충분치 못하다고 볼 수 있다. 그래서 각 근육 하나에 의한 동작, 즉 기능을 하나하나 세부적으로 이해하는 것이 필요하다. 예를 들어 성문의 폐쇄 시에 필요한 동작은, 회전운동인 내전 이외에도 횡피열근(transverse arytenoid m.)의 긴장으로 피열연골 사이의 거리가 좁아지는데, 이 동작은 단순히 내전으로 표현할 수 없다(그림 16. 의 점선). 그리고 저 내외전 운동조차 한 점에 고정되어서 회전하지는 않는다[40]. 왜냐하면 내외전에 관여하는 근육들(측윤상피열근과 후윤상피열근)이 단순히 직선방향으로 부착되어 있지 않고 대부분 각선 방향으로 윤상연골에 부착되어 있기 때문이다. 그래서 내외전운동은 피열연골의 포지션 자체를 반드시 조금씩 변화시킨다.

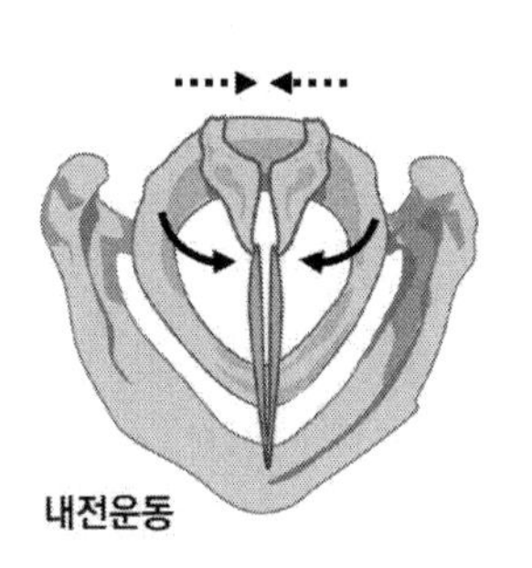

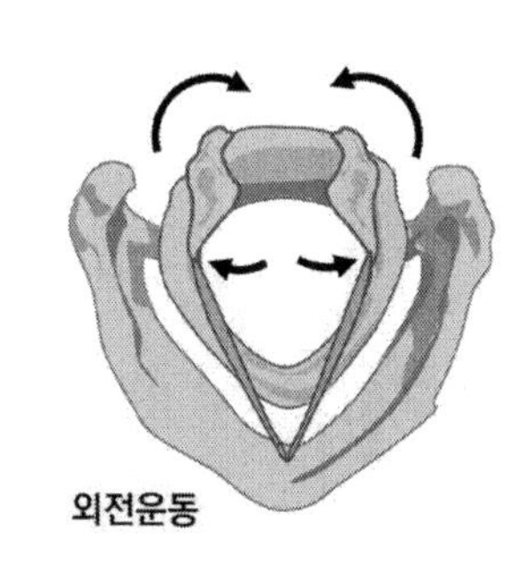

그림 16. 성대의 내.외전 운동

각 근육에 따른 동작을 세부적으로 살펴보도록 하자. 우선 횡피열근은 피열연골 사이를 가깝게 하는 역할을 한다. 측윤상피열근은 피열

40) Harry Hollien; Oren Brown; Rudolf Weiss, "Another View of Vocal Mechanics(1999)", Journal of Singing, Vol.56, No.1, September/October 1999

연골을 회전시켜 성대를 내전시킨다. 그리고 후윤상피열근은 피열연골을 바깥방향으로 회전시켜 성대를 외전시킨다.

그림17.의 아래쪽은 성대의 내외전 운동이 아닌, 성대 길이를 조절하는 근육들이다. 갑상피열근과 성대근은 성대를 수축시켜 길이를 짧게, 그리고 두께를 두껍게 한다. 한편 윤상갑상근은 갑상연골과 윤상연골 사이에 위치하고 있는데, 이 근육이 긴장하게 되면 갑상연골이 앞으로 기울어지게 되면서 성대의 길이가 늘어나고 두께가 얇아지게 된다. 특별히 이 근육들은 내외전의 개념이 아닌 성대 길이/두께에 변화를 주는 근육이라는 것을 구분해서 알아 둘 필요가 있다.

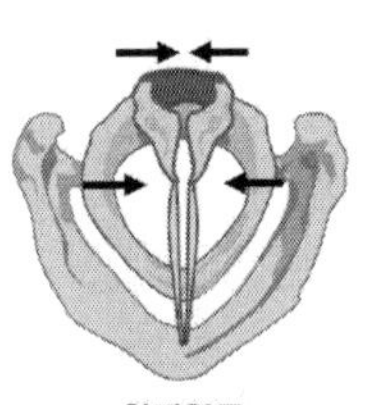

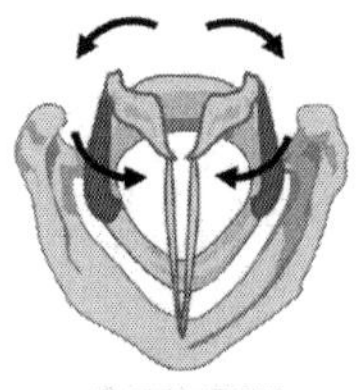

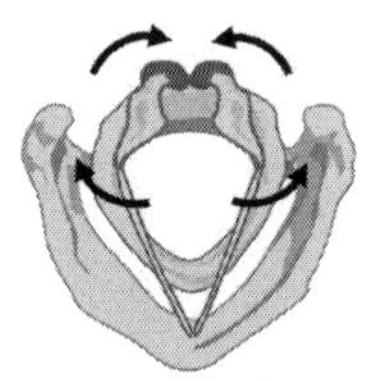

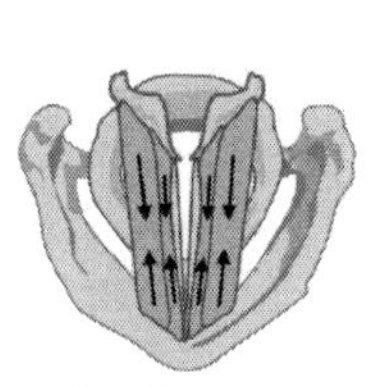

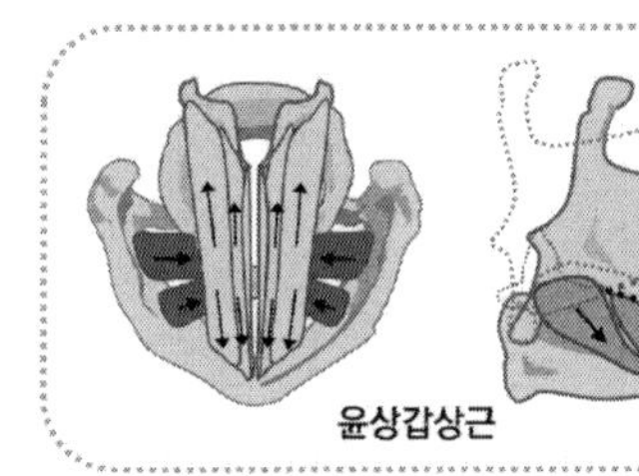

그림 17. 각 후두 내부근육의 긴장에 따른 변화

특별히 이 성대 두께의 조절은 목소리의 피치(pitch)와 직결되어 있다. 성대가 두꺼우면 피치는 내려가고, 반대로 성대가 얇아지면 피치가 상승한다. 그리고 또한 목소리의 세기는 날숨의 세기와 성대접촉율이 비례한다. 결국 가창 목소리에 있어서 가장 중요한 요소 중 하나인 피치(pitch)는 윤상갑상근과 갑상피열근(그리고 성대근) 사이의 적절한 조절, 즉 코디네이션(coordination) 수준에 달려 있다는 것을 알 수 있다. 이 코디네이션이 기민하고 정확하며, 또한 불필요한 외부근육의 간섭 없이도 조절되어야만 자유로운 가창이 가능하다. 한편 맥코이(Scott

McCoy)의 목소리의 피치와 세기를 결정 원리에 대한 표[41]를 살펴보면, 피치상승을 위해서는 우선 윤상갑상근이 1차적으로 피치를 결정하고, 보조적으로는 갑상피열근의 긴장 또한 필요하다는 것을 알 수 있다.

다. 성도에서의 공명

성도(vocal tract)란 성대에서부터 외부까지에 이르는 통로를 말한다. 성도는 구강(oral cavity)과 비강(nasal cavity), 인두(pharynx)로 구성되어 있으며, 인두는 위치에 따라 비인두(nasopharynx), 입인두(oropharynx), 후두인두(laryngopharynx)로 나뉜다.

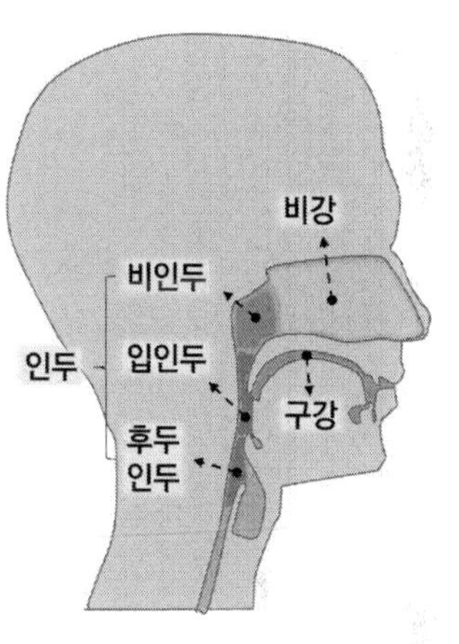

그림 18. 성도의 구조

성대가 진동을 시작함으로써, 압력으로 시작된 공기의 흐름은 소리의 형태로 변환되었다. 그 소리 원음(voice source)는 이제 성도(vocal tract)라는 곳을 지나게 된다. 이 성도는 그 형태가 마치 금관악기와 같은데, 금관 악기의 공명관이 마우스피스에서 생성된 소리를 증폭시키듯이, 성도는 성대원음을 공명시켜 목소리를 더 크고 듣기 좋게 변조시킨다.

이런 프로세스를 '소스-필터이론(source-filter theory)'이라고 하며, 그림 18.와 같이 성대원음은 고음역으로 갈수록 배음들의 세기가 점차 약해지나, 성도를 거치게 되면 특정대역이 부스팅되거나 감쇄되면서 우리가 듣는 목소리가 생성된다. 좋은 목소리란 기본적으로는 성대에서

---

41) Scott McCoy, 『Your Voice: An Inside View(2012)』, Inside View Press; 2nd edition (2012), page.118

피치와 접촉률을 잘 조절해야 하지만, 그 뿐 아니라 공명이 잘 이루어져야만 풍부하고 강한 목소리를 얻을 수 있으며, 이 조절이 잘 이루어지지 않으면 목소리는 오히려 약해지게 된다.

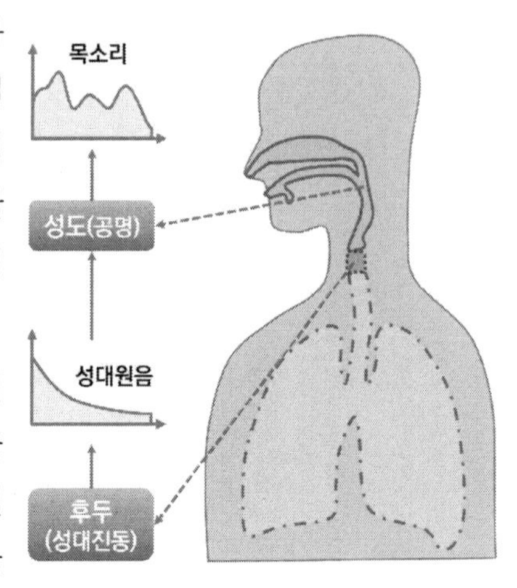

그림 19. 소스필터 이론에 따른 목소리의 생성과 변조

성도형태의 변화는 후두의 위치, 혀(tongue), 인두 조임근(constrictor) 등에 의해 이루어진다. 우선 후두의 위치가 높고 낮음은 전체 성도의 길이에 영향을 줘서 목소리 저음의 풍부함을 결정한다. 후두는 후두현수근(laryngeal suspension)이라 불리는 근육들에 의해 매달려있는 형태인데, 후두의 포지션을 낮추느냐 높이느냐에 따라 후두하강근(laryngeal depressors)과 후두상승근(laryngeal elevators)으로 분류된다. 또한 혀(tongue)도 성도의 모양을 결정하는데 중요한 요소인데, 혀는 기본적으로 구강인두의 모양을 조절함은 물론, 혀뿌리 쪽의 인두는 구강(oral cavity)과 인두강을 나누는 통로인데, 후에 기술할 '연결된 헬름홀츠 공명기 모델(coupled Helmholtz's Resonator model)'[42]에서 잘 나타나듯이, 혀뿌리는 후두개 괄약근(epiglottis spincher)와 함께 후두인두(oropharynx)를 좁히거나 넓혀서 성도전체의 공명특성을 변화시키는데 큰 영향을 미친다. 그리고 기타 수축근들 또한 성도의 형태를 변조시킨다.

---

42) 저자 주 : 성도전체를 헬름홀츠 공명기 두 개가 연결된 형태로 간주하는 모델. 이 모델을 통해 세부적인 음향효과는 다 포괄하지 못하지만, 첫 번째 포먼트와 두 번째 포먼트가 조절되어 형성되는 개략적인 기본원리를 직관적으로 이해하는데는 큰 도움이 된다. 뒤 쪽 '공명'편을 참조하기 바란다.

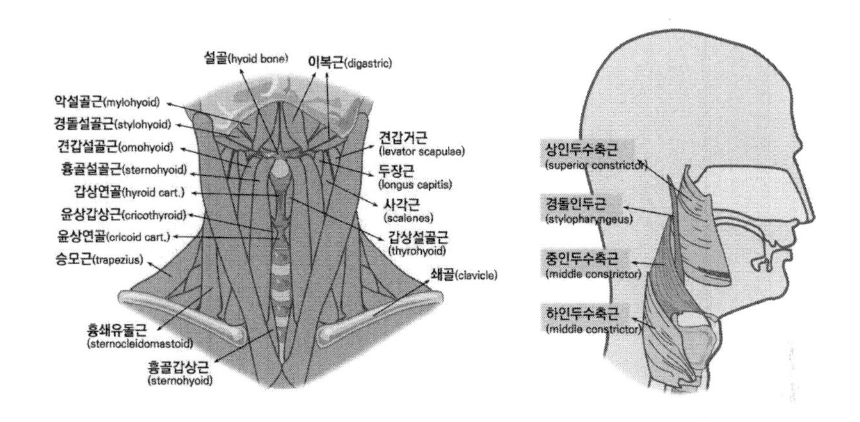

그림 20. 후두위치를 조절하는 목근육들과(좌), 인두의 직경을 조절하는 수축근(우)

이런 원리를 통해 변형된 성도는 목소리의 특정 주파수 대역을 증폭시키는데, 이를 포먼트(formant)라 하며, 보통 사람의 목소리에는 3-5개 정도의 포먼트가 형성된다. 각 포먼트들은 목소리의 깊고 얇음, 어두움과 명료함 등의 음색에 영향을 미치며, 이중 첫 번째와 두 번째 포먼트는 모음을 결정하는 역할을 담당한다. 목소리의 피치가 변하면 배음들이 변화되게 되는데, 그에 따라 포먼트를 조절하는 것을 포먼트 튜닝(formant tuning)이라고 한다. 이런 음향학적 특성은 뒤에서 자세히 알아보도록 하겠다.

더! 깊이 살펴보기!!

후두의 상승과 하강에 대한 논란

가창자가 후두를 하강시켜야 하는지에 대한 문제는 오랫동안 논쟁거리가 되어 왔다. 이에 대한 필자의 결론부터 말하자면, 그것은 결국 스타일의 선호도에 대한 문제이지 어떤 절대 악(惡)이라고 볼 수 없다.

만일 웅장하고 드라마틱한 목소리를 선호한다면, 후두는 반드시 내려가야 한다. 반면에 보다 자연스럽고 부드러운 목소리를 선호한다면, 후두를 하강시키지 않아도 된다. 어떻게 보면, 여기서의 핵심은 오히려 후두의 상승을 장려하는 경우는 거의 없다는 점일지도 모르겠다.

성구조절을 위해서 후두의 상승가 상승하는 경우 그것을 방치하는 경우는 있다. 이것은 굳이 강제로 후두를 내리도록 강요하여 성구조절을 방해할 필요는 없기 때문이다. 후두의 포지션에 대한 문제는 최우선적으로 고려해야 할 요소가 아니다.

하지만 단순히 후두의 포지션에 대한 문제만 떼어놓고 생각할 때, 일반적으로 후두의 상승은 (오히려 스피치보다 더욱) 빈약한 목소리를 야기함으로 그다지 권장할 수 없다. 게다가 후두가 상승하는 경우는 초심자가 불필요하게 외부근육을 많이 개입시키는 상황과 연관되어 있는 경우가 빈번하므로, 후두의 상승은 대체적으로 부정적으로 보는 시각이 더 많다.

그러나 정작 후두의 포지션에서 중요한 것은, 후두의 상승과 하강과 무관하게, 올바른 가창을 위해서 얼마나 후두가 안정적인 포지션을 유지하는지 여부이다. 피치와 조음, 그리고 세기에 따라서 후두의 위치가 제멋대로 움직인다면, 목소리의 음색은 각 노트별로 너무나도 천차만별일 것이다. 좋은 가창의 가장 기본은 일정하고 아름다운 톤이다.

앞에서 누차 언급하였듯이, 후두의 포지션은 F1을 조절한다. 후두가

43) 역설적으로 이러한 경향은 성구에 대한 망각으로 이어졌다. 그 이후 성구가 제 위치를 찾는 데는 참 오랜 시간이 걸렸고, 현재도 진행 중이라고 볼 수 있다.

하강할수록(=성도의 길이가 길어질수록), 인두의 직경이 넓어질수록 첫 번째 포먼트의 주파수는 하강하게 되고, 결국 더욱 저주파수 대역이 풍부한 목소리로 들리게 된다. 반대의 방향은 F1이 상승하는 결과를 초래한다.

따라서 웅장하고 드라마틱한 소리를 추구한다면, 후두의 하강이 필수적이다. 이것은 소위 멜로끼(melocchi) 창법이라 불리는 것으로 많은 성악도들의 동경의 대상이며, 게다가 관객들조차 이런 호소력 짙은 극적인 목소리에 열광하는 경향이 있기 때문에, 많은 가창자들이 이러한 목소리를 추구하고는 한다.

하지만 목소리를 지나치게 열려고 하면 성대의 접촉이 무너지게 되는데, 이때부터 문제가 발생하게 된다. 억지로 외부근육을 끌어쓰게 되고, 호흡과 자세도 엉망이 되어버린다. 이것은 전부 가창자가 성대접촉을 온전히 유지할 수 있는 능력을 넘어서서 성도의 부피를 키웠기(=후두를 내리고 목구멍을 열어서) 때문에 발생한 문제이다.

사실 가창자가 아무리 후두를 내리고 목구멍을 크게 열어도, 성대접촉을 온전히 유지할 수 있다면 전혀 문제될 것이 없다. 이 올바른 성대접촉은 스퀼로(squillo)라 불리는 것으로, 고주파수 대역의 까랑까랑한 배음으로 나타난다. 즉 웅장한 목소리를 추구하는데 있어서 이 스퀼로를 유지할 수 있는지 여부가, 목소리를 망가뜨리느냐 그렇지 않느냐를 결정짓는 중요한 기준 중 하나라고 볼 수 있다.

실제로 많은 드라마틱한 가창자들이 이러한 두 개의 음질을 동시에 가지고 있으며, 이것은 정확하게 키아로스쿠로(chiaroscuro) 공명균형의 원리에도 부합한다. 웅장한 스쿠로(scuro)의 양을 키우고 싶으면, 반대의 키아로(chiaro)음질 또한 상응하는 정도로 키워주면 되는 것이다. 그 결과는 무척이나 커다란 성량과 파워로서 나타나게 된다.

하지만 이렇게 후두를 지나치게 내리고, 또 동시에 강한 성대접촉을 하게 되면, 자연스레 목소리의 유연성은 떨어지게 된다. 결국 이것은 선택의 문제라고 볼 수 있다. 드라마티코 혹은 헬덴 테너의 길을 갈 것인가, 아니면 리리코, 레제로 테너로서의 길을 갈 것인가, 그것은 가창자가 가진 재능과 발전 가능성을 종합적으로 판단하여 결정해야만 한다.

그러나 또한 중요한 것은, 무엇이든지 극단적인 성향의 추구는 화를 초래한다는 점이다. 지나치게 강한 목소리는 언제든지 부러질 수 있다. 즉 유연한 팔세토의 비율을 항상 점검하고, 지나치게 경직되지 않도록 가창자와 교사는 세심한 주의를 기울여야만 한다.

이것은 반대도 마찬가지이다. 리트와 같이 부드럽고 서정적인 노래를 부르는 가수라 할지라도, 힘찬 목소리를 내지 못한다면 반쪽자리 가수에 지나지 못한다. 그리고 그렇게 가벼운 소리만 내다보면, 후두를 굳이 내리지 않은 상황이라 할지라도 그냥 성대접촉이 부족해서 각종 문제를 불러오기 쉽다. 따라서 항상 자신의 성대가 올바로 접촉되고 있는지, 소리를 지나치게 뒤로 돌려서 내지 않는지 점검하여야겠다.

정리하면, 후두를 하강시키는 기법은 새로운 스타일이라는 점(필자 주: 새로운 스타일은 항상 보수적이기 마련인 교사의 거부감을 불러오기 마련이다), 그리고 자칫하면 문제를 야기할 가능성이 높다는 점에서, 여전히 이것을 부정적으로 보는 교사들이 많다. 이것은 여성의 벨팅 스타일의 가창을 바라보는 분위기에서도 비슷하게 나타나는 현상인데, 필자는 이런 스타일을 무조건 부정적으로 볼 필요는 없다고 생각한다.

정작 중요한 것은 목소리의 무게를 결정하는 후두의 포지션이 아니라, 성구조절이 얼마나 적절히 이루어지고 있는지 여부이다. 그것은 발성의 대전제와 같다. 스타일을 위해 호흡과 공명을 변경하더라도 언제나 성구조절은 적절히 이루어져야만 한다(=성대가 적절한 두께로 접촉해야 한다). 이것이 간과되고 주변이 핵심을 대체하려고 할 때, 벌써 목소리의 내구성은 금이 가기 시작한다.

교사나 가창자가 정확한 이해 없이 후두를 하강시키는 목소리를 추구한다면 그 결과는 언제나 파멸일 것이다. 그러나 정확한 이해를 바탕으로 항상 세심한 주의를 기울인다면, 훌륭한 목소리를 반드시 얻을 수 있다. (물론 이때도 언제나 그렇듯이 학생의 재능 또한 고려되어야 할 것이다. 리릭이나 레제로 역할로서 이미 훌륭한 가창자에게 굳이 드라마티코를 훈련시킬 필요는 없다.)

그리고 무엇보다도 드라마틱한 소리에 대한 선호도가 뚜렷이 높아지고 있는 상황에서, 그런 요구를 무시하는 것도 올바르지 않다고 생각한다. 언제나 그랬듯이, 시대에 따라 목소리는 변해왔다. Do di petto의 등장과 팝 뮤직, 뮤지컬에서의 벨팅 창법이 가장 대표적인 예라고 볼 수 있겠다.

19세기 베리즈모 오페라의 등장 이후, 드라마틱한 목소리는 오페라에서 가장 핵심적인 역할을 맡아온지 오래다. 그리고 그 이후로, 어떻게 드라마틱한 목소리를 건강하게 쌓아올릴 것인가에 대한 문제는 이미 2백년에 가까운 시간동안 고민되어졌다. 람페르티 이후 호흡과 공명의 문제가 가창 문제의 핵심으로 떠오른 것이 바로 그 증거가 아니겠는가?[43]

이러한 전통을 무시하지 않은, 전통을 계승하면서 목소리를 발전시키는 것이 모든 교사들의 과제일 것이다. 관객과 가수가 드라마틱한 목소리를 원한다면, 교사는 그 목소리를 안전하게 획득하는 방법을 고민하여 제시할 수 있어야 한다.

제2장 발성의 3요소
: 성구, 공명, 호흡

제2장 발성의 3요소 : 성구, 공명, 호흡

발성을 구성하는 요소는 크게 3가지로 나눌 수 있는데, 그 3요소는 호흡, 성구, 공명이다. 교사나 학자의 경우에 따라 어택(attack = onset), 자세(posture), 비브라토(vibrato) 등을 별도의 항목으로 다루는 경우도 있다. 그러나 어택은 성대의 진동이라는 측면에서 성구와 긴밀한 연관을 가지고 있고, 비브라토는 발성의 기본요소라기 보다 적절한 상호관계에서 발생하는 결과이므로, 3가지 항목을 중점으로 살펴보는 것이 적절하다고 생각하였다.

한편 이 3가지 요소는 독립적이면서 동시에 상호영향을 미친다. 실제적인 예를 들어서, 목소리의 음역 문제는 성구와 관련이 된 것으로서, 호흡이나 공명조절을 통해서는 근본적인 해결이 불가능하다. 반면에, 좋은 호흡-좋은 공명-좋은 성구조절은 서로 불가분의 관계에 있다. 발성의 3요소가 가지는 독립성과 상호관계성은, 각 요소별 특성을 살펴본 다음에, 뒤에서 더욱 자세히 고민해 보도록 할 것이다.

1. 성구(vocal register)

성구란 무엇일까? 일반적으로 우리가 주위에서 성구에 대해 들어본 어휘들은, '두성', '흉성', '팔세토', '반가성', '육성', '진성' 등등이며 그 수가 매우 많고 그리고 저마다 의미하는 바가 각기 다른 경우가 많다. 이런 경향은 실제 교사와 학자들 사이에서도 흔히 일어나는 현상이며, 그 경향은 성구의 정의는 물론 개수, 명칭 등 다양한 항목에 있어 다양한 관점이 제시되고 있다.

성구(register)에 대한 정의로 가장 많이 인용되는 것은 무엇보다도 가르시아(Manuel Garcia II)의 정의이다. 그는 성구에 대해 다음과 같이 정의하였다: "성구는 하나의 메커니즘에 의해 생성되는 일련의 동일한 소리로서, 다른 메커니즘의 의해 생성되는 똑같이 동일한 일련의 소리와 구분된다."[44] 여기에 따르면 중요한 키워드는 '동일한 메커니즘'과 '동일한 소리'이다. 그에 반해 우리나라로 번역된 단어 '성구(聲區)'라는 단어는 '목소리의 구역'이라는 뜻이며, 여기에는 '구역(range)'의 의미가 포함되어 있다. 이렇게 구역에 대한 의미까지 포함시켜 성구를 이해하는 방식은 밀러(Richard Miller), 도셔(Barbara Doscher), 웨어(Clifton Ware) 등 꽤나 많은 교사들이 가지고 있는 개념이다.

한편 성구의 명칭과 개수에 대해서는 언제나 엄청난 논란이 존재해왔고, 현재까지도 여전히 어느 정도는 진행 중이라고 볼 수 있다. 스탁스(James Starks), 듀에이(Philip Duey), 리드(Cornelius Reid), 밀러(Richard Miller) 등 성구에 대한 역사적 탐구를 실시한 저자들에게서 잘 드러나듯이, 성구의 개수에 대한 논란은 1개에서부터 5개 까지 존재했으며, 명칭에 있어서도 흉성/두성을 기본으로, 가벼운/무거운, 두꺼운/얇은, 구강성구, 모달, 휘슬, 보컬 프라이 등 정말 많은 종류의 용어가

---

44) Garcia, Manuel II, 「Hints on Singing(1894)」, London: E. Ascherberg Print, 원문 : "A register is a series of homogeneous sounds produced by one mechanism, differing essentially from another series of equally homogeneous sounds produced by another mechanism"

등장하였다.

허나 그럼에도 불구하고, 그 가운데서도 대체적인 경향은 존재한다. 17-18세기의 벨칸토 시대 교사들은 모두 흉성과 팔세토(혹은 두성)의 2성구 이론을 보여줬으며, 이후 19세기에 들어서면서 '중성구(middle register)'의 개념이 등장하는 등 교사들마다 성구의 개수를 다양하게 간주하기 시작하였다. 그리고 20세기에는 부속 성구로서 보컬프라이(vocal fry)와 휘슬성구(whistle register)가 일반적인 가창 목소리 위 아래로 추가되었다. 참고로 보컬프라이는 스트로바스(Strohbass), 펄스성구(Pulse register) 등의 동의어를 가지고 있고, 휘슬은 프라제올렛(flageolet), 로프트(loft), 피콜로(piccolo), 벨 성구(bell) 등의 동의어가 존재한다.

<table>
<tr><th>아래쪽 부속성구</th><th colspan="12">일반적인 가창 목소리</th><th>위쪽 부속성구</th></tr>
<tr><td rowspan="4">보컬프라이
(vocal fry)
= 스트로바스
(Strohbass)
= 펄스성구
(Pulse register)</td><td colspan="6">흉성</td><td colspan="6">두성(팔세토)</td><td rowspan="4">휘슬(whistle)
=프라제올렛
(flageolet)
=로프트(loft)
=벨(bell) 등</td></tr>
<tr><td colspan="4">흉성</td><td colspan="4">중성</td><td colspan="4">두성</td></tr>
<tr><td colspan="3">흉성</td><td colspan="3">낮은중성</td><td colspan="3">높은중성</td><td colspan="3">두성</td></tr>
<tr><td colspan="12">기 타</td></tr>
</table>

다행히도 현대의 학자들이 성구를 나누는 기준에도 경향성이 존재하는데, 그것은 부속성구인 보컬프라이와 휘슬성구를 양 극단에 배치하여 별도로 다루고, 가운데에는 일반적인 가창 목소리를 배치한다. 다만 교사들마다 성구개수에 있어서 각자 다른 입장을 취하고 있으며, 경우에 따라 팔세토를 두성과 구분시켜 성대접촉이 거의 없는 성구로 분류, 별도의 부속성구로 다루기도 한다. 이러한 경향성은 다음의 표와 같이 정리할 수 있다. 참고로 클래시컬한 가창교수법에서는 람페르티 계열의 개념, 즉 흉성-중성-두성의 3성구 이론을 가장 흔히 사용하고 있다.

가. 최근의 성구개념

허나 이런 다양한 논쟁에도 불구하고, 20세기 후반 ~ 21세기 초에 들어서면서 성구개념에 있어서 어느 정도 공통적으로 통용되는 내용들이 있는데, 그것은 성구를 '후두성구(laryngeal register)'와 '음향적 성구(acoustic register)'로 나눠어 이해하는 것이다.

1) 후두성구(laryngeal register)

후두성구는 후두에서 일어나는 성대조절 메커니즘을 중심으로 성구를 이해하는 접근법이다. 여기서 성구는 첫 번째 모드(mode 1, M1)와 두 번째 모드(mode 2, M2)로 나눠는데, 이것은 후두에서 일어나는 메커니즘만 표현하기 위한 시도로서, 기존의 '흉성'과 '두성'이라는 명칭은 특정부위에서의 진동감각을 중심으로 한 명명법이기 때문이다. 참고로 이 표기방식에 따르면 보컬프라이는 M0, 휘슬성구는 M3로 표기된다. 결국 후두성구의 종류는 M0-M1-M2-M3가 존재하며, 각자 보컬프라이-흉성-두성-휘슬이라고 볼 수 있다.

우선 **첫 번째 모드(M1)**는 성대가 두껍게(thick) 접촉하여 진동하는 상태를 뜻한다. 이 상태의 진동에 있어서 가장 중요한 근육은 바로 갑상피열근(thyroarytenoid, TA)와 성대근(vocalis)이다. 이 근육들은 수축하여 성대를 두껍게 하는 기능을 가지고 있으며, 성대가 두꺼워지면 피치가 떨어지고, 더 많은 배음 세트를 가지게 된다. 흔히들 흉성이라고 일컫는 성구의 음질적 특성을 생각하면 되겠다.

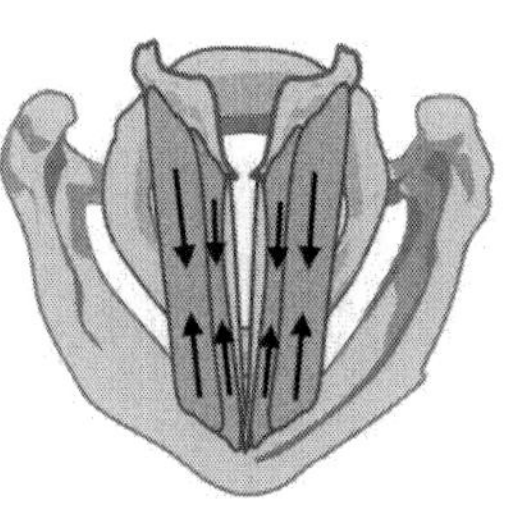

그림 21. 갑상피열근과 성대근의 동작

그에 반해 **두 번째 모드(M2)**는, 성대가 얇게(thin) 접촉하여 진동하는 상태를 뜻한다. 이 모드는 윤상갑상근(cricothyroid, CT)이 성대를 잡아당김으로써 가능하며, 성대가 길어지면서 접촉면도 얇아지게 된다. 이것은 흔히들 두성이라고 부르는 성구의 음질을 말하며, 성대접촉율이 낮기 때문에 목소리의 배음세트도 M1에 비해 덜 풍부하다.

이런 성대접촉 방식의 변화는 남녀 모두 E4~F4근처에서 발생하며, 남성의 경우 미숙한 가창자는 F#4정도까지는 M1의 진동패턴을 유지하여 끌고 올라가다가, G4정도부터는 성문이 닫히지 못하고 벌어지는 경우가 발생하는데, 이것을 가성이라고 부르며, 접촉이 없이 성대가 진동하는 상태이다. 한편 여성의 경우 대부분의 음역이 M2에 속하기 때문에, 벨팅(belting) 가창과 같이 강한 성대접촉을 사용하는 경우가 아니면 남성과 같이 갑자기 성문전체가 벌어지는 경우는 거의 발생하지 않는다.

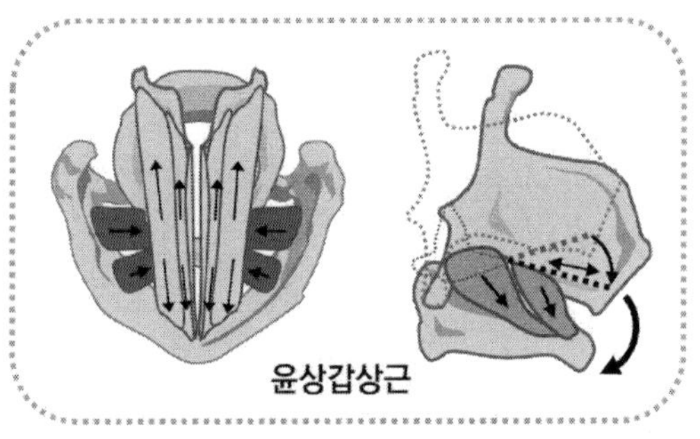

그림 22. 윤상갑상근의 동작

그래서 교사(학자)에 따라 남성은 두성과 팔세토를 구분하여 사용하나, 여성은 두성과 팔세토를 잘 구분하지 않는 경우도 많다. 물론 여성의 경우에 의도적으로 성대접촉을 낮춰서 팔세토 톤을 생성할 수 있으나, 일반적인 경우에는 성문이 완전히 벌어지는 경우가 드물며, 오히려 의도하지 않은 상황에서 성문을 닫는 힘이 약해 성문의 뒤쪽이 벌어지는 경우가 존재한다. 그리고 고음으로 올라갈수록 성대를 잡아당기는 CT근에 대항하는 TA근이 개입함으로써, 성문은 오히려 닫히는 경향을 보여준다.

가창자는 고음으로 진입하면서 첫 번째 모드에서 두 번째 모드로 성대진동 방식이 변경되어야 함을 숙지해야 한다. 그렇지 않고 계속 두꺼운 성대접촉을 유지하게 되면 고음이 아예 올라가지 않거나, 남성가

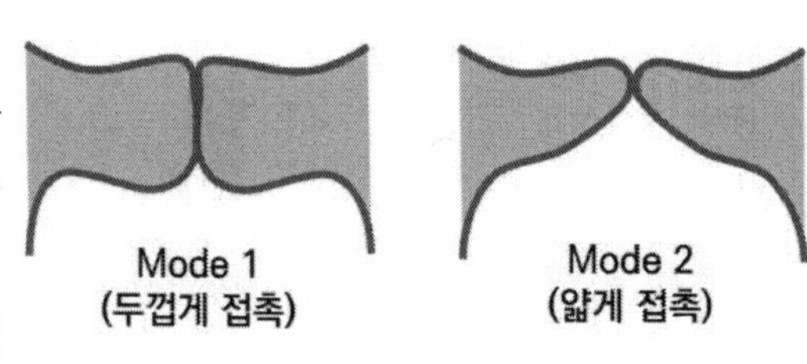

그림 23. 각 성구에 따른 성대접촉 단면도

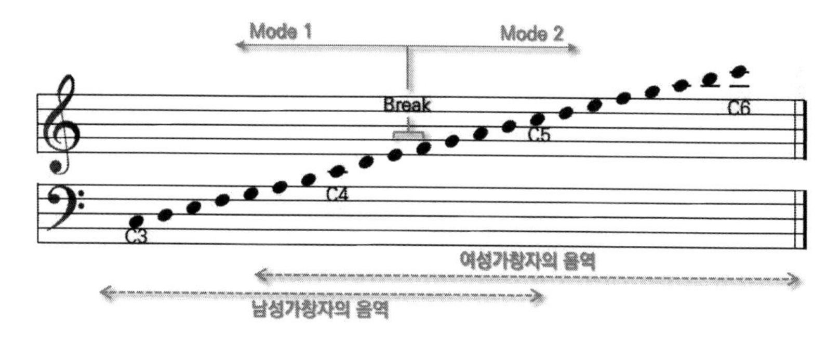

그림 24. 남성 및 여성 가창자의 음역과 후두성구 배치표

창자의 경우에는 성대접촉이 풀려버리는 소위 '삑사리'가 발생하게 된다. 반대로 여성은 저음에서 두꺼운 접촉을 유지해야 할 필요가 있다. 그렇지 않고 두 번째 모드에서의 성대접촉 상태를 저음으로 끌고 내려오면, 바람 빠진 소리, 힘없는 목소리가 나오게 된다.

한편 이런 성구 조절상태는 귀로 구분하여 인지할 수 있다. M1은 M2에 비해 풍부한 배음세트를 가지고 있기 때문에, 강하고 알맹이 있는 소리, 고음역이 살아있는 소리로 청감되며, 그에 반해 M2는 부드럽고 유연한 소리로 들리게 된다. 한편 성대접촉에 실패한 경우(예를 들어 남성의 가성)에는 바람 빠지는 소리, 비어있는 듯한 소리로 들리게 된다. 교사와 학생은 이 성구전환에 따른 음질의 차이를 귀로 듣고 구분할 수 있어야 한다.

더! 깊이 살펴보기!!

부속 성구 : 보컬 프라이(vocal fry)와 휘슬(Whistle)

보컬 프라이는(vocal fry) 그 소리가 마치 음식을 기름에 튀길 때의 소리와 유사하다고 하여 붙여진 명칭이다. 이는 가장 낮은 성구로서 또한 펄스 성구(pulse register), 후두화(laryngealization), 삐걱대는 소리(creak), 꺽꺽대는 소리(croak), 팝콘소리(popcorning), 성문 프라이(glottal fry), 성문 성문 덜컥소리(glottal rattle), 성문 긁는소리(glottal scrape), 혹은 스트로바스(strohbass)라고 불리기도 하며, 이는 매우 낮은 주파수의 덜컥대거나 팝콘같은 소리와 함께 천천히 공기를 버끔거리는 느슨한 성문 폐쇄로 인해 생성된다[45]. 보컬 프라이의 음역은 일반적인 모달(modal) 성구 아래에 위치하며, 기네스 북에 '가장 낮은 목소리의 보유자'로 등재된 스톰스(Tim Storms)의 경우 모달 목소리에 비해 8옥타브나 낮은 G-7(0.189Hz)까지 내려가는데[46], 사람의 저음가청 한계가 보통은 20Hz 정도이므로, 청감할 수 없는 저주파라고 볼 수 있겠다. 기네스북에 등재된 극단적이 경우가 아니더라도 보통 보컬프라이는 50~70Hz 이하(대략적으로 C#2 이하)로 내려간다.

이 목소리는 TA근(thyroarytenoid, 갑상피열근)의 긴장이 높은데 반해 다른 근육들(피열간근interarytenoid, 후윤상피열근posterior cricoarytenoid, 윤상갑상근 cricothyroid)이 거의 활성화 되지 않음으로써 발생하는데[47], 이 보컬프라이의 효

---

45) James McKinney, 「The Diagnosis and Correction of Vocal Faults (1994)」, Genevox Music Group.

46) 「Guinness World Records」, "Lowest vocal note by a male"

47) John Nix, Kate Emerich, Ingo R. Titze, [Application of Vocal Fry to the Training of Singers(2005)], Journal of Singing, September/October 2005 Volume 62, No. 1, pp. 53-59

48) Seth Riggs, 「스타처럼 노래하세요」, 상지원 출판. 원제 「Singing for the stars(1992)」

49) Harry Hollein, 「On Vocal Register(1974)」, Jounal of Phonetics 2:125-43

50) Marilee David, 「The New Voice Pedagogy(2008)」, Scarecrow Press, page 62.

51) Janwillem Van den Berg, [Vocal Ligaments Versus Registers(1960)], Current Problems in Phoniatrics and Logopedics 1: 19-34

52) Lesley Mathieson & Margaret C.L.Greene 「Greene and Mathieson's the voice and its disorders(2001)」, Wiley; 6 edition

53) H.K. Schutte and Donald G. Miller, [Physical Definition of the Flageolet Register(1993)] Journal of Voice 7(3): 206- 12.

과에 대해 여러 교사와 학자들의 분분한 의견들이 존재하며, 어떤 이는 이 보컬프라이를 음성재활의 수단으로 적극 활용하기도 한다.

이 보컬프라이의 활용에 있어서는 'TA근만의 활성화'라는 특성을 잘 인식해야 한다. TA는 성대를 두껍게 해서 '사각모양의 접촉(square contact)'를 유도하는데, 특히 흉성의 동작과 관련이 있다. 세스릭스(Seth Riggs)의 경우에는 보컬프라이와 비슷한 '성대 끝소리(edge sound)'를 사용해서 다른 근육의 불필요한 개입을 막고 고음에서의 성대접촉을 유지하도록 하고 있다[48]. 정리하면, 보컬프라이는 TA의 활성도와 연관이 있기 때문에 목소리의 성대접촉율이라는 측면에서 교수 도구로 활용할 수 있는 것으로 보인다.

휘슬(whistle)은 M2 위쪽에 위치하는 M3성구로서, C6정도 부터 시작된다. 이 휘슬레지스터를 하나의 개별적인 성구로 간주한 사람은 홀레인(Harry Hollein)[49]인데.[50] 이 휘슬성구는 프라제올렛(flageolet), 로프트(loft), 벨(bell) 등의 이름으로 불리기도 한다. 혹자들은 특정한 음질적 차이를 기준으로 프라제올렛과 휘슬목소리를 구분하는 시도를 보여주기도 한다.

휘슬성구의 후두조절 메커니즘에 대해서는 아직도 명확히 밝혀진 것이 없는데, 왜냐하면 휘슬성구에서는 공명을 위해 후두개 부근의 인두가 좁아져서 내시경을 통한 관찰이 힘들기 때문이다. 휘슬성구에 대해 반덴버그(Janwillem Van den Berg)는 성문에서 피열연골 쪽의 '짧은 삼각형(short triangle)'부분만 열려서 진동한다[51]고 말하였고, 한편 혹자는 성문의 앞부분만 열려서 진동한다고 주장[52]하는데, 이것은 모두 성대의 일부분만 진동하여 높은주파수의 생성이 가능하다고 보는 관점이다. 그에 반해 밀러(D.G.Miller)와 슈츠(H.K. Schutte)는 성문 일부분만 진동에 참여하는 것이 아니라, 단지 음향적 특성만 M2와 다르다[53]고 말하였다.

이 음향적 특성에 대해 말하자면, 휘슬성구가 시작되는 C6의 피치에서는 기본주파수 F_0가 1046.5로 워낙 높기 때문에 인간이 중요하게 청감하는 4200Hz의 범위 내에는 고작 4개의 배음성분만 가지게 된다. 결국 이 배음성분에 맞춰 포먼트 튜닝을 해야 하는데, 이것이 가능한 모음은 F1과 F2가 근접한 /o, ɔ, ɑ, a, æ/이다. 결국 휘슬성구는 모든 모음이 /o, ɔ, ɑ, a, æ/처럼 들리게 된다. 이러한 현상 때문에 일부 교사와 학자들은 휘슬성구의 음질적 특성을 단순 후두에서의 조절에 의한 것이 아닌 음향적 특성으로부터 유래한 것이라고 주장한다.

나. 음향성구(acoustic register)

앞의 후두성구가 후두 내의 조절 메커니즘에만 국한해 성구개념을 설명한데 반해, 음향성구는 목소리의 음향적 특성에 초점을 맞춰서 성구개념을 설명한다. 사실 전통적인 성구개념은 후두성구와 음향성구 개념 둘 모두를 포함한다. 그러나 실제 가창현장에서는 가장 기본적인 흉성에서 두성으로의 극적인 변화 외에도, 비교적 변화의 정도가 작기는 하지만, 그럼에도 불구하고 가창자와 청자가 감지하는 전환의 느낌들이 존재한다. 아마도 역사적으로 성구개수에 대한 많은 논란이 있었던 이유 중 하나가, 이 미묘한 변화들에 대한 입장 차이일 것이다.

그래서 현대 음성학에서는 아예 이 개념을 분리해서, 하나는 후두에서의 조절 메커니즘에 의한 '후두성구', 다른 하나는 '음향성구'의 개념으로 성구의 특성을 이해하고 있다. 물론 '브레이크(break)'라고 불리는 극적인 음질변화에 대해서도 음향적인 설명이 가능하다. 그에 반해 조금 더 자주, 그리고 작은 정도로 발생하는 모음과 피치에 따른 '전환(turn over)의 느낌'은 성대조절 메커니즘 보다는, 음향적인 특성으로 인한 것이다.

'전환의 느낌'은 음형대 조율(formant tuning)에서의 변화로 인해 발생한다. 여기서 포먼트 튜닝이란 성도의 포먼트 특성(주파수)를 목소리의 배음성분과 일치시켜 증폭시키는 것을 말한다. 성도를 얼마나 잘 조절해서 포먼트를 배음성분과 잘 일치시키느냐에 따라 최종 목소리의 세기와 음질이 달라진다. 만일 포먼트 튜닝이 잘 되지 않으면, 심한 경우 목소리의 세기가 성대원음보다 오히려 줄어들며, 반대로 튜닝이 잘 되면 목소리가 크게 증폭되게 된다. 그런데 만약 포먼트 튜닝이 된 상태(특정 배음과 포먼트가 결합되어 있는 상태)에서, 기존의 배음이 아닌 다른 배음과 포먼트가 결합하게 되면, 목소리의 증폭된 주파수대역이

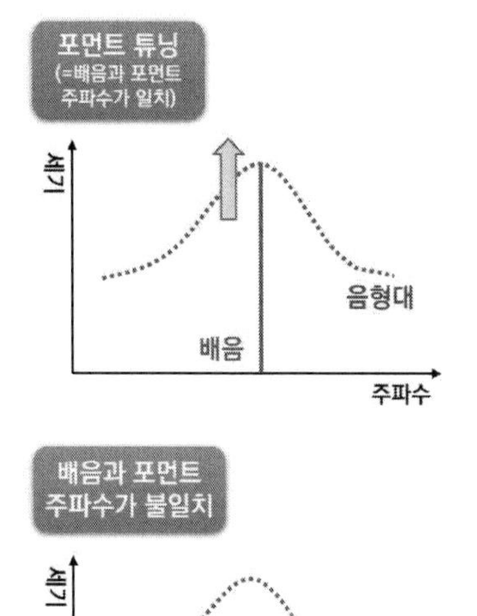

그림 25. 포먼트 튜닝의 상황(위)과 그렇지 못한 상황(아래)의 스펙트럼

급작스럽게 이동하면서 결국 '전환의 느낌'이 발생하게 된다.

예를 들어 실제 가창 시에, 가창자는 성도를 조절함으로써 포먼트를 배음과 결합하는 포먼트 튜닝을 실시하게 되고, 피치가 상승함에 따라 포먼트를 배음에 맞춰 조절하게 되는데[54], 피치가 계속 상승하면서 어느 시점부터 성도를 좁히거나 후두를 올려서 포먼트를 계속 상승시키는 것이 물리적으로 불가능하게 되고, 그래서 가창자는 결국 기존의 결합된 배음성분을 버리고, 바로 아래에 위치한 배음성분에 포먼트를 튜닝하게 된다. 이런 포먼트 튜닝의 변화가 바로 전환의 느낌을 제공하는 것이고, 이것이 음향성구(acoustic register)의 개념이다.

그림 24에서 보듯이 동일한 피치상승의 상황에서, 포먼트 트래킹일 경우에는 성구전환을 하는 경우보다 더욱 높은 주파수가 강조되는 결과를 초래하게 된다. 이 차이로 인해 포먼트 트래킹에서는 에너지의 이동이 고음역대로의 점진적인 변화로 느껴지지만, 반대로 성구전환의 경우에는 에너지가 갑작스럽게 아랫방향으로 이동하는 것을 느낄 수 있다. 결국 상승하던 포먼트가 아래쪽으로 이동방향을 바꾸는 것, 그리고 점진적이던 변동폭 또한 갑자기 큰 폭으로 늘어나는 특성으로 인해 가창자와 청자는 목소리 전환의 느낌을 가지게 되는 것이다.

---

54) 필자 주 : 이를 '음형대 추적(formant tracking)'이라고 한다.

이 포먼트 튜닝에 따른 전환의 느낌 중 가장 크게 변화를 인지하는 것은 바로 'F1-H2 결합 → F1-H1 결합'의 변화인데, 왜냐하면 일반적으로 사람의 목소리에서 가장 큰 에너지를 가지는 대역이 바로 첫 번째 포먼트(F1)이며, 또한 이 전환이 주로 후두성구의 전환이 일어나는 피치 음역대에서 동시에 일어나기 때문이다. 참고로 이 전환(turn over)보다 상대적으로 체감이 적은 전환은 'F1-H3 결합 → F1-H2 결합'으로서 앞의 전환보다 더 낮은 음역대에서 발생하는데, 보즈먼(Kenneth Bozeman)은 이 전환을 '작은-전환(mini-turning)'이라 불렀다.

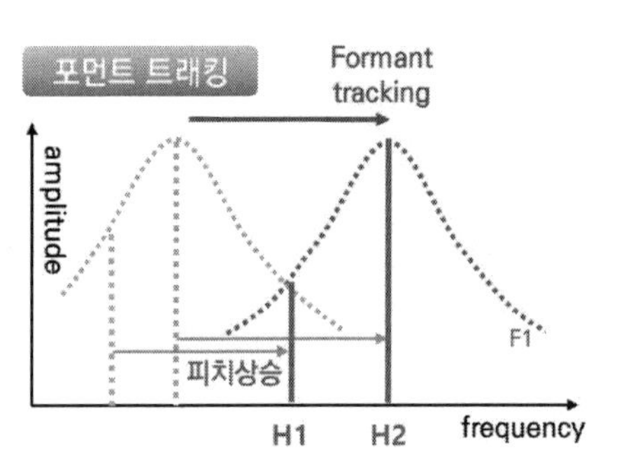

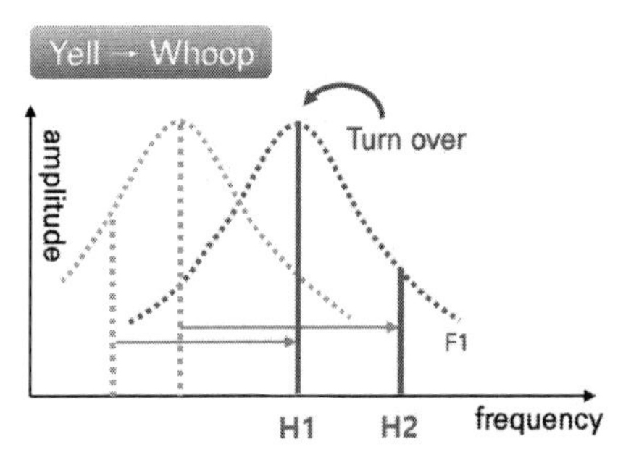

그림 26. 피치상승 시 포먼트 트래킹 상황(위)과 성구전환의 상황(아래)

이런 음향성구에 대한 개념은 보즈먼이 자신의 저서에 매우 구체적으로 잘 기술했는데, 보즈먼은 'F1-H2 결합' 상태의 성구를 '*Yell*', 'F1-H1 결합'을 '*Whoop*'이라고 명명하였다[55]. 이런 음향성구에 대해 도날드 밀러(Donald Miller)는 '*Yell*'과 '*Hoot*'이라 표현하였으며[56], 준트버그(Johan Sundberg)는 소프라노 가수의 전략에 대해 말하면서 이

55) Kenneth Bozeman, 「Practical Vocal Acoustics(2013)」, Pendragon Press Hillsdale

56) Donald Miller, 「Resonance in Singing: Voice Building Through Acoustic Feedback(2008)」, Inside View Press

개념을 언급[57]하기는 했지만 위의 2명과 같이 이름을 따로 붙이지는 않았다.

이 성구개념에 따르면 *Yell*한 소리는 단어의 의미 그대로 외치는 듯한 소리를 가지고 있으며, 일반적인 대화(speech)의 말하기나 모달(modal)성구, 혹은 흉성구(chest register)에서 들리는 목소리 톤이다. 그에 반해 *Whoop*한 소리는 팔세토(falsetto) 성구에서 들리는 음질을 가지고 있으며, *Yell*한 소리는 고음이 강조된 소리인데 반해 *Whoop* 한 소리는 저음의 풍부함을 특징으로 가지고 있다.

이 음향성구에 대해 과연 '성구'라는 이름을 붙이는 것이 맞는지에 따라서는 논란이 존재할 가능성이 충분하다. 그러나 그런 논란과는 별개로 이런 음향적 특성이 하나의 객관적 사실로서 존재하는 것 또한 분명하다. 게다가 이 음향성구를 잘 이해한다면, 모음변조(vowel modification)과 가창자의 음질적 변화 등에 대한 이유를 잘 알 수 있고, 그리고 그 해결책이 무엇인지를 더욱 정확하고 쉽게 설명할 수 있다.

그리고 무엇보다 중요한 것은, 이것이 성구-호흡-공명이 가지는 상호관계성을 아주 명백히 보여준다는 점이다. 그리고 더 나아가 이것은 우리의 목소리를 어떻게 조절할 수 있는지에 데해서도 중요한 단서를 제공한다.

목소리의 음향적 특성들에 대한 세부적인 내용들은 뒤쪽의 '공명' 부분에서 자세히 살펴보도록 하겠다.

다. 성구조절 메커니즘에 대한 기능적(functional) 고찰[58]

57) Johan Sundberg, 「Formant Technique in a Professional Female Singer」, Acta Acustica united with Acustica, Volume 32, Number 2, 1 February 1975, pp. 89-96(8)

1) 기능(function)과 활용(application)

기능(function)이란, "어떤 사람이나 사물의 천연적(natural)인 움직임 혹은 목적[59]"을 말한다. 우리는 발성기관을 이해할 때 반드시 '기능적'으로 이해해야 한다. 다시 말해, 대상이 가진 천연적이고 원래적인 동작을 있는 그대로 이해해야 한다는 뜻이며, 만일 그렇게 하지 않고 누군가 어떤 인위적인 기준으로 대상을 이해하려고 시도하면, 그때부터 문제가 발생하게 된다.

예를 들어 우리가 접힌 우산을 나무 막대기처럼 사용한다고 가정하자. 아니면 책을 냄비받침으로 사용한다고 하자. 그것은 우산과 책의 원래적 기능에 맞지 않게 사용하는 것이다. 그 방식으로는 우산과 책의 기능을 이해할 수 없다. 기능(function)과 활용(application)은 구분되어야 하며, 어떤 사물을 본질적으로 이해하기 위해서는 활용적인 접근이 아닌 기능적인 접근이 필요하다.

이것은 활용보다 기능이 더 우월하다는 것을 의미하지 않는다. 오히려 활용에는 기능보다 더 고도의 테크닉이 필요하다. 여기서 말하고자 하는 바는, '대상의 본질을 이해'하기 위해서는 천연적인 기능에 대한 고찰이 반드시 필요하다는 뜻이다.

2) 발성기관의 기능

그럼 이제 우리의 발성기관의 기능에 대해 생각해 보자. 우리의 발성기관은 말 그대로 '발성을 위한 기관'인 것일까? 그렇지 않다. 발성기관의 본질적 특성은 호흡기관의 일부분이다. 조금 더 정확히 말하면,

---

58) 저자 주 : 이 내용들은 리드(Cornelius Reid)의 논문 "「Voice Science – An Evaluation」, Australian Voice Volume 11, 2005"을 기반으로 하여 발전시킨 내용이다.

59) 「Oxford dictionary」 "function"

후두 안의 성문폐쇄는 입술, 후두개와 같이 음식물의 섭취 중 호흡계 내부로 이물질이 들어가지 않도록 막는 기능이 우선적이다. 생물학에서는 이런 '생명에 필수적(vital)'인 기능을 중심으로 기관을 분류한다. 그리고 한편 CT근은 발생학적-신경학적으로 인두조임근(pharyngeal constrictor)과 같이 연하운동(deglutition)의 기능을 가진 소화기관의 일부라고 볼 수 있다.

이제 무언인가 분명해진다. '발성(phonation)'은 기능적 동작이라기보다 서로 다른 성격의 두 부위가 서로 협응(coordination)함으로써 동작하는, 활용(application)적 특성을 가지고 있는 것이다. 즉 발성은 본능적이라기보다, 고도의 테크닉이 필요한, 그래서 훈련해야 하는 대상이다.

그리고 후두 근육들 각각에 대해서도 기능적인 접근이 필요하다. 일부 책에서는 후두 근육을 일괄적으로 '내전근(adductor)'과 '외전근(abductor)'로 구분하여 분류하고 있는데, 이것은 편의중심적인 접근으로서 결국 오류를 불러올 수밖에 없다.

예를 들어 CT근의 경우 일부 책에는 내전근으로 분류가 되어 있는데, 문제는 상황에 따라 외전근으로 동작할 때도 있다는 것이다. 성문이 열려있는 상태에서는, CT근이 성대를 당기게 되면 그 결과로 성문이 좁아지게 되지만, 반면에 이미 성문이 닫혀있는 경우에는, CT근은 성문을 열리게 하는 결과를 가져온다. 따라서 이미 성문이 닫혀있는 상태인 스피치나 가창의 상태에서는, CT근은 외전근으로서 동작한다. 그러나 정확히 말하면, CT근의 기능은 성대길이를 늘리는 것이지, 내전이나 외전이 아니다.

각종 피열근들의 기능도 마찬가지이다. 피열근 각자는 피열연골을 회전시키거나(측윤상피열근), 가깝게 하거나(횡윤상피열근), 성대의 길이를 짧게 한다(갑상피열근). 이 고유한 기능들로 인해 피열연골은 무척이나 입체적으로 움직일 수 있다. 단순히 피열연골을 성문의 개폐와 연관해서 평면적으로만 사고해서는 안된다. 이런 피열연골의 역동성은 단순히 3차원 축에 대한 직선방향에 국한되지 않고, 회전동작인 롤(roll), 피치(pitch), 요(yaw)로도 표현[60]될 수 있으며, 또한 미끄러지고(sliding) 흔들리기도(rocking)하는[61] 등 매우 다이나믹한 움직임을 보여준다. 그러나 그것을 어떻게 구분할지의 기준보다 더 중요한 것은, 후두조절 메커니즘의 고유한 기능을 인위적-편의적으로 구속해서는 안된다는 것이다. 그런 작위적인 분류의 결과는 반드시 '프로크루스테스의 침대(Procrustean Bed)' 오류의 형태로 나타나게 되어 있다.

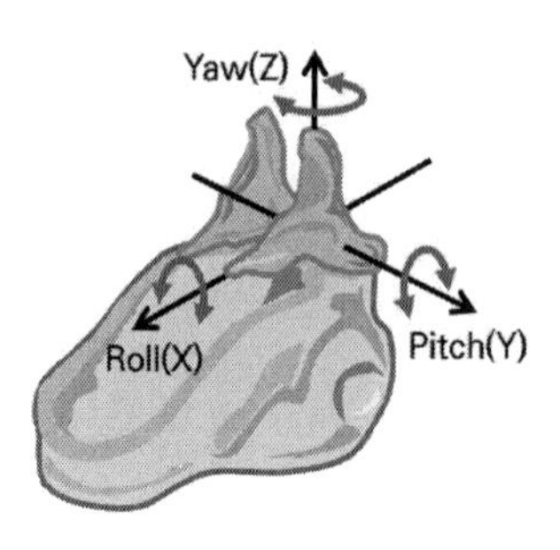

그림 27. 피열연골의 축회전 움직임

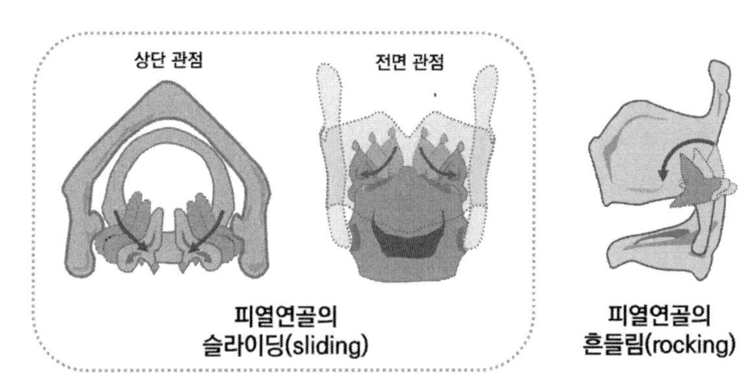

그림 28. 피열연골의 미끄러짐과 흔들림

60) James A. Letson Jr. & Renny Tatchell, "Arytenoid Movement", 「Voice Science(2005)」, Plural Publishing, page 92

61) Kimberly Steinhauer, Mary McDonald Klimek and Jo Estill, 「The Estill Voice Model: Theory & Translation(2017)」, Estill Voice International, page 49.

3) 발생학적(embryological) 그리고 신경학적(neurological) 고찰

이런 오류로부터 벗어나기 위한 것이 기능적 고찰이고, 그리고 그 기능적 고찰을 위한 것이 바로 발생학적, 그리고 신경학적 접근법이다. 사실 생물학에서는 특별히 전통적인 계통분류학에서 이런 오류가 많이 존재했었는데, 최근에는 유전학적, 발생학적 접근 등을 통해 이런 오류들이 많이 수정된 상태이다. 마찬가지로 발성기관에 대해서도 동일한 접근과 사고가 필요하겠다.

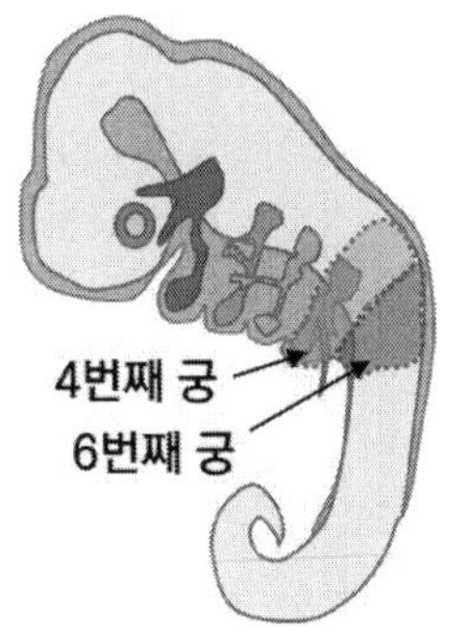

그림 29. 8주차 배아

결론부터 말하자면, 윤상갑상근은 후두내부근이라고 보기 힘들다. 발생학적 그리고 신경학적으로 후두근육의 계통을 살펴보게 되면, 우리는 윤상갑상근(cricothyroid)만이 다른 계통에 속한다는 것을 알 수 있다. 한편 그 이외 후두내부근육은 모두 같은 계통에 속한다.

발생학적으로, 윤상갑상근은 네 번째 궁(4th arch)에 유래한 것이다. 반면에 기타 후두내부근들은 모두 여섯 번째 궁(6th arch)에서부터 유래한다[62]. 신경시스템 상으로도 이 두 그룹은 구분된다. 둘 모두 자율신경, 특히 부교감신경인 미주신경(vagus nerve)으로부터 뻗어져 나왔지만, 윤상갑상근은 상후두신경(superior laryngeal nerve), 반면에 후두내부근들은 반회후두신경(recurrent laryngeal nerve)와 연결되어 있다.

이 발생학적 계통과, 신경시스템을 살펴보면 흥미로운 것이, 보통 후두내부근이라고 포함되던 윤상갑상근이 실제로는 인두조임근

---

62) David H. Henick and Robert Thayer Sataloff, “Laryngeal Embryology and Vocal Development” page 39, [Neurolaryngology(2017)], Plural Publishing, page 25-42

(pharyngeal constrictor)의 일부라는 사실이다. 인두근들은 윤상갑상근과 같이 네 번째 궁에서 유래했으며, 신경시스템 상으로도 윤상갑상근이 연결된 상후두신경은, 반회후두신경보다 더욱 인두신경에 가까운 데서 분기된다. 결국 윤상갑상근은 후두내부근이라고 볼 수 없다. 윤상갑상근은 후두외부근이라고 볼 수 있으며, 그 중에서도 인두조임근과 같은 계통의 근육으로 간주하는 것이 더 합리적이라 생각한다..

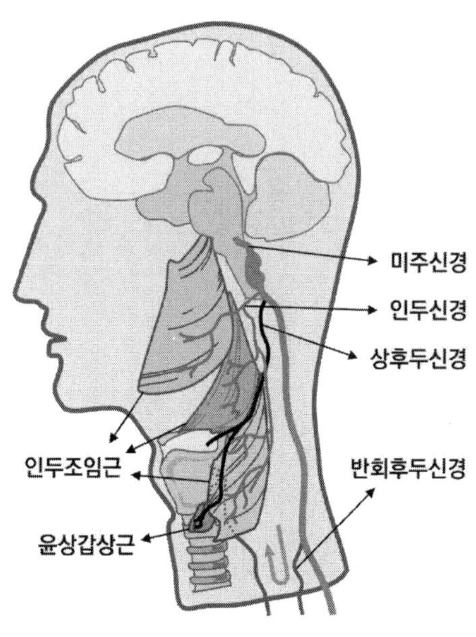

그림 30. 후두근육의 신경시스템

4) 가창 목소리 조절의 실제 메커니즘

그럼 이제 가창 시 우리의 후두는 어떻게 조절되는지를 살펴보자. 가창 목소리의 가장 큰 특징은 바로 넓은 음역이다.[63] 일반적인 대화음성의 음역대는 남성의 경우 85-180Hz, 여성은 165-255Hz라고 한다.[64] 이를 음악적인 높낮이로 표현하면, 남성은 E2~F3 정도, 여성은 E3~C4정도이다. 한편 가창목소리에서 남성은 C5, 여성은 C6 이상까지도 소리내는 것을 고려하면, 대화와 가창 시의 목소리 조절은 음역대에

63) 필자 주 : 여기에 대해 물론 어디에 강조점을 두느냐에 따라 혹자는 호흡, 아니면 공명이라고 말할 수도 있겠지만, 여기서는 후두에서의 조절에 국한하여 고려해보도록 하자.

64) Ingo Titze, 「Principles of Voice Production(1994)」, Prentice Hall

서 큰 차이를 가지고 있다고 볼 수 있다.

결국 음역대의 조절이 가장 큰 차이점이고 동시에 핵심이라 볼 수 있는데, 그 피치는 바로 윤상갑상근에 의해 결정된다. 앞에서 언급하였듯이 윤상갑상근이 피치에 맞게 성대를 잡아당김으로써 목소리의 피치가 결정된다. 결국 윤상갑상근의 원활한 동작이 가창에 있어서 핵심적이라는 결론을 얻을 수 있다.

그런데 문제는 윤상갑상근과 내전근들이 서로의 움직임을 방해할 수 있다는 것이다.

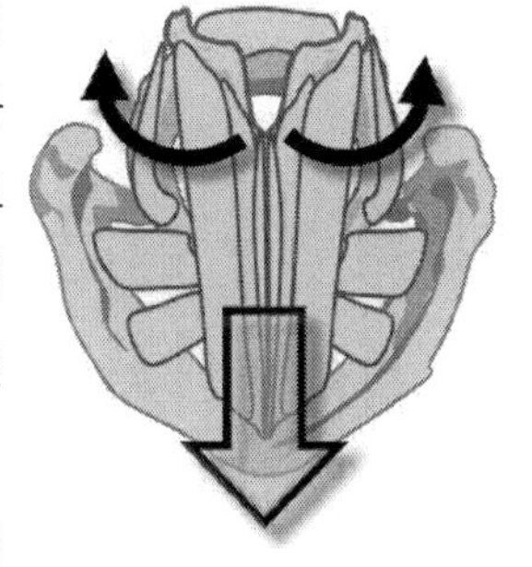
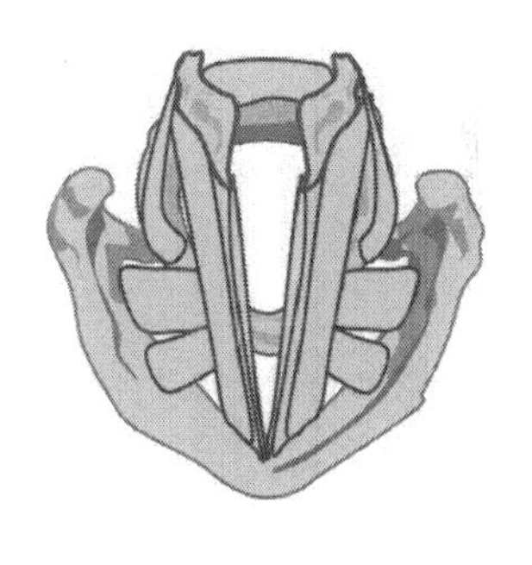
그림 31. 윤상갑상근의 긴장에 따른 성문의 벌어짐

예를 들어 피치가 상승함에 따라 윤상갑상근이 성대를 잡아당기게 되는데, 일정 피치 이상이 되면, 윤상갑상근이 성대의 접촉을 풀어지게 한다.[65] 이 상황에서 숙련된 가창자는 윤상갑상근과 내전근 사이의 균형을 잘 잡아서 성대의 길이와 접촉이라는 두 마리 토끼를 다 잡을 수 있다.

그러나 미숙한 가창자는 윤상갑상근이 긴장함에 따라 내전근이 더욱 더 긴장하게 되고, 어느 한계 이상부터는 피치(성대의 길이)와 음질(접촉) 둘 중 하나만 선택할 수밖에 없는 상황에 직면하게 된다. 이 경

---

65) 필자 주 : CT와 TA의 움직임은 서로 길항적으로 서로 정반대의 동작(CT는 성대길이의 증가와 두께의 감소, TA는 성대길이의 감소와 두께의 증가)을 가지고 있다는 점은 이미 잘 알려져 있다. 하지만 아이러니하게도 CT의 동작은 필연적으로 TA의 긴장을 수반하게 되는데, 이는 CT와 TA의 동작방향성과 배치위치가 마치 줄다리기와 같기 때문이다. (줄다리기에서 한명만 줄을 잡아당길수는 없다.) 이와 관련된 내용은 뒤에서 다시 한번 살펴보겠다.

우 피치를 선택하면 성대접촉이 풀려서 팔세토로 빠지게 되고(필자 주: 소위 말하는 삑사리), 반면 음질을 선택하게 되면 해당 피치가 충족되지 않는 왜곡된 인토네이션(intonation)[66]이라는 결과를 얻게 된다.

그렇다면 결국 가창 시 후두조절의 목표는 무엇인가? '정확하고 기민한 피치(pitch)의 조절이고, 그러면서도 균일한 음질을 유지하는 것'이다. 이것을 생리학적으로 설명하면, 곧 '성대가 피치에 맞게 잘 잡아당겨지고, 그러면서도 잘 접촉하는 것'이라고 표현할 수 있겠다.

이 두 가지 대립되는 요소 중 전자는 윤상갑상근의 동작, 후자는 내전근(adductors)에 그 책임이 있다. 결국 우리의 핵심 타겟은 이 '윤상갑상근'과 '내전근' 사이의 정밀한 조정, 즉 높은 수준의 코디네이션 상태라는 것을 알 수 있다.

이 코디네이션 된 상태의 목소리를 일반적으로 두성(head voice) 혹은 믹스드보이스(mixed voice)라고 부른다. 이 상태는 CT근에 의해 피치가 조절되면서도 피열근들이 코디네이션 되어 성대의 접촉이 지속적으로 이루어지는 상태이다.

라. 성구개념의 재고(再考)

1) 기능적 기준을 중심으로

이제 우리는 성구개념에 대해 다시 살펴볼 필요가 있다. 앞에서 현대의 성구개념을 설명하면서, 후두성구는 M1과 M2로, 동시에 음향적 성구개념은 Yell과 Whoop으로 구분하고 있다는 것을 살펴보았다. 그러

66) 필자 주 : 인토네이션이란 정확한 피치로 노래(연주)하는 것을 뜻하는데, 발성에 있어서 인토네이션이란 가창자의 개념이 얼마나 정확히 바로 서 있는지와 관련되어 있으며, 특별히 평형상태에 대한 개념과 밀접한 관계를 가진다. 생리학적으로는 CT근의 원활한 보장과 관련되어 있다.

나 이러한 성구개념에는 문제가 있는데, 그것은 성구를 '하나의 상태'로서 바라본다는 점이다. 그것은 앞에서 살펴본 후두조절의 원래적 기능(natural function)을 무시한 채 결과로서만 목소리를 분류하는 것이다.

앞에서 살펴본 바와 같이, 목소리는 윤상갑상근과 내전근 사이의 상호작용에 의해 형성된다. 그런데 이것을 이분법적으로 두 가지 상태로만 나누는 것은, 표면적인 현상의 관측으로만 내린 인위적인 결론이다.

그런 방식이 옳지 않다는 것은 여러 측면에서 드러나는데, 우선 그 '두껍다'와 '얇다'의 경계가 분명하지 않다. 도널드 밀러(Donald G. Miller)에 따르면, 남성의 M1은 40%에서 85%의 CQ를 보여주고, M2는 그보다 낮은 CQ값을 가지고 있는데[67], 이 수치의 범위는 어떤 상태의 기준으로 삼기에 너무 넓다. 이 기준대로라면, 35%와 45%의 상태는 다른 성구로 나눠지지만, 40%와 85%의 상태는 같은 성구이다. 그러나 그것이 과연 성구의 정의에 따라 '같은 메커니즘으로 형성된 같은 음질'인가? 그렇지 않다.

그리고 실제 가창현장을 살펴보면, 미숙한 가창자는 보통 목소리에 뚜렷한 2개의 성구를 가지고 있다. 남성의 경우 모달(modal) 성구로서만 노래를 부르다가, 높은 음에서는 성대접촉을 유지하지 못하고 가성으로 빠져버린다. 반면 여성의 경우에는 M2로서만 노래 부르다가 저음에서 갑자기 흉성으로 떨어져버린다. 그러다가 목소리가 어느 정도 발달하게 되면, 중성구(middle register)가 등장하고 그 이후는 3개의 성구를 가지고 있는 것처럼 노래 부른다. 이후 가창자는 자신의 성구감각에 더욱 예민해져 가고, 결국 4개의 성구 혹은 5개의 성구가 있는 것처럼 인식한다.

---

[67] Donald G. Miller, 「Resonance in Singing(2008)」, Inside View Press.

그러다가 가창 테크닉이 최절정에 오르게 되면, 일반적인 청자(listener)는 가창자가 단 하나의 목소리만으로 노래하는 것처럼 인지하게 된다. 저음에서 고음에 이르기까지 누구도 알아채지 못하고 이쪽과 저쪽을 이동한다. 한편 가성을 소리 못 내는 남성들, 흉성을 소리 못 내는 여성들도 있는데, 이들은 자신에게 오직 한가지의 성구만 존재하는 것으로 믿는다. 이처럼 어떤 상태를 성구로 정의하게 되면, 성구의 개수는 상황에 따라 무척 다양하게 구성될 수밖에 없다.

그러한 이유로 역사의 수많은 교사들과 학자들은 모두 서로 다른 성구의 개수를 언급하였는데, 그것을 정리하면 다음의 표와 같다.[68]

교사(학자) 구분	성구 갯수	성구의 명칭
벨칸토 시대 교사들 (카치니, 토지, 만치니, 만프레디니)	2개	흉성(voce di petto)-두성(voce di testa) / 팔세토
Manuel Garcia II	2-3개	흉성-가성 혹은 두성(1841) 흉성-가성-두성(1856) 흉성-중성voix mixte-가성-두성(1894)
Emma Seiler	3개	흉성-가성-두성
Francesco Lamperti	3개	흉성-믹스보이스(mixed voice)-두성
G. B. Lamperti	3개	흉성-중성-두성
Julius Stockhausen	2개	흉성-팔세토(*여성은 두성)
Mathilde Marchesi	3개	흉성-중성-두성
William Shakespeare	3개	흉성-중성-두성
Emil Behnke, Lennox Browne	3개	탁한-약한-작은
Morell McKenzie	2개	긴 리드-짧은 리드
Herbert Witherspoon	1개	1개이나 3가지 음질(흉성-입-머리)
Raoul Husson	3개	첫번째(흉성)-두번째(팔세토/두성)-세번째(프라제올렛)
William Vennard	2개	무거운(heavy) 성구-가벼운(light) 성구
James McKinney	4개	흉성-모달(modal)-팔세토-프라제올렛(flageolet)
Harry Hollien	4개	보컬프라이-모달-로프트(loft)
Johann Sundberg	2-3개	남성(모달-팔세토), 여성(흉성-중성-두성)

68) 필자 주 : 상기 내용은 웨어(Clifton Ware)가 자신의 책 「Basics of Vocal Pedagogy: The Foundations and Process of Singing」(국내 번역본 : 성악교수법, 경희대학교 출판문화원, 박순복.남궁희옥 역, p.138-139)에서 팀버레이크(Craig Timberlake)의 연구를 소개한 것을 정리한 것이다.

그럼 결론은 무엇인가? 우리는 어떤 상태를 성구로 정의해서는 안 된다. 오히려 목소리의 구성원리 2가지, 즉 윤상갑상근과 내전근의 동작 그 자체를 각자의 성구로 보아야 한다. 우리의 목소리는 무수한 성구의 조합을 통해 형성되는 것이다. 이 성구들 중 하나는 CT중심의 메커니즘으로서, 전통적으로 팔세토(falsetto)라고 불렸으며, 남은 하나는 내전근인 피열근(arytenoids)중심의 메커니즘으로서, 흉성(chest voice)이라 불렸다.

그럼 이런 성구개념은 어떻게 우리가 인지할 수 있는가? 간단하다. 피열근이 더 개입할수록 성대접촉은 더 강해지고, 결국 더 강하고 힘찬 소리로서 청감된다. 반면 CT근이 우세해지면, 성대접촉이 떨어지고 결국 부드럽고 유연한 소리로 인지되게 된다. 이것은 실제 고음배음 세트의 양으로 나타나는데, 필드(Jeffrey Fields)에 따르면, 모달 성구는 12dB/octave의 고음감쇠율을 가진데 반해 팔세토는 15dB/octave의 감쇠율을 보인다[69]고 한다. 이는 결국 흉성은 더 강한 고음배음 세트를 가지고 있고, 반면에 팔세토는 저음의 풍부함이 두드러진다는 뜻이다.

2) 성구조절의 목표 : 이음새 없는 목소리

이렇게 성구개념을 정리하고 나면, 우리의 목표는 분명해진다. 그것은 궁극적으로 "이음새 없는 목소리(seamless voice)"이다. 그 목표는 흉성(=내전근)과 팔세토(=CT근) 사이의 미세한 코디네이션 수준을 향상시킴으로써 가능하다.

미숙한 가창자의 성구조절 상태를 설명하자면, 그것은 마치 어린 아이들에게 처음 계란을 쥐어줄 때, 아예 놓쳐버리거나 혹은 힘을 과도

69) Leon & Welch, Graham Editors Thurman, 「Bodymind & Voice: Foundations of Voice Education, Revised Edition(2000)」, The Voicecare Network

하게 줘서 계란을 깨버리는 것과 같다. 그들은 출생 후 오랜 시간에 걸쳐 흉성-지배적인 상태(보통은 남성) 아니면 팔세토-지배적인 상태(보통은 여성)에 익숙해져 있다. 그래서 반대 성향의 목소리에 대해 매우 생소한 상태이며, 양성구 사이의 미세한 조절 능력 또한 부족한 것이다.

그에 반해 능숙한 가창자는 이 미묘한 조절을 솜씨 있게 처리해 낸다. 그는 최저음에서도 팔세토가 적극적으로 톤 생성에 참여하여 부드럽고 달콤한 소리를 만들어 내며, 반면에 최고음에서도 흉성의 강력한 펀치를 가지고 있다. 또한 어떤 노트이던지 피아니시모의 팔세토로 시작하여, 강력한 흉성으로 소리를 부풀렸다가, 곧 이내 다시 사라질듯한 피아노로 소리를 끝낼 수 있는 능력을 가졌다. 이것이 가능한 이유는 내전근과 CT근 사이의 조절 능력이 극한에 달했기 때문이다.

3) 분절적 사고의 한계

만일 기존의 통념과 같이 성구가 '어떤 상태'를 정의하는데 그친다면, 필연적으로 몇 가지 교수법적인 문제를 야기하는데, 그 중 하나는 성구조절의 목표가 '성구전환'에만 그치게 된다는 점이다. 만일 성구를 음역으로 나뉘는 어떤 상태라고 보게 되면, 그저 파사지오(passaggio) 구간에서의 원활한 전환에만 목적을 가지게 된다. 그러나 우리가 추구해야 할 것은 점진적인 변화이다. 즉, 온전한 하나의 목소리이다.

예를 들어, 고음으로 진입하면서 일반적인 가창자는 늘어나는 CT근에 대항하는 TA근의 비율을 점차 늘려간다. 그래서 M1의 구간 내에서도 목소리가 점점 커지는 경향이 있는데, 그러다가 파사지오 구간에 진입하게 되면 소리가 갑자기 줄어든다. 성구전환을 위해 무언가 인위적인 조작이 개입한 것이다. 물론 이 정도의 테크닉도 이미 썩 훌륭한 수준의 실력이다.

그러나 한편 흉성과 팔세토의 비율이라는 성구개념을 대입하면, 이 성구는 목소리 생성의 비율로서 의미를 가진다. 즉 가장 저음에서 최고음에 이르기 까지 흉성과 팔세토의 비율이 점진적으로 교차되어야 한다. 가장 저음에서도 팔세토가 적극적으로 개입해야 하고, 가장 고음에서도 흉성이 적극적으로 개입해야 한다.

사실 이러한 개념은 무엇인가 새로운 것이 아니다. 오히려 성구전환의 원활한 처리를 위해, '흉성의 위쪽에서 두성을 섞어주어라' 혹은 '흉성의 위쪽에서 성대접촉을 얇게 해줘라' 등의 조언은 이미 벨칸토 시대의 교사에서부터, 가르시아, 람페르티의 19세기를 걸쳐 최신의 교사인 티체와 준트버그에 이르기까지 널리 제시되고 있던 내용들이다. 그리고 비교적 최신의 연구인, 음향적 성구와 관련된 연구들에서 제시하는 방법도 동일한 맥락을 가지고 있다. 이 내용은 뒤쪽의 공명 편에서 자세히 살펴보겠다.

그리고 이런 성구를 구역으로 간주할 때 발생하는 문제점 중 또 하나는 성구가 겹치는 현상에 대해 설명이 어렵다는 점이다. 분명히 가창자는 하나의 피치에서 흉성으로도, 팔세토로도 소리를 낼 수 있다. 가창자의 실력이 더 향상될수록 비례해서 이 중복의 범위는 증가한다. 기존의 구역적 개념으로는 이 현상이 설명이 되지 않지만, 실제로는 CT근과 내전근의 조절 정도에 따라 얼마든지 팔세토와 흉성을 오고가고 할 수 있는 것이다.

한편 이 흉성과 팔세토라는 성구개념에서는 성구융합의 목표가 단순히 원활한 전환에만 그치지 않는다. 즉 더 나아가 '완전한 목소리 톤의 완성'이라는 목표를 가지게 된다. 다시 말해, 단 하나의 노트에서조차 흉성과 팔세토의 밸런스를 고민하고, 각 노트 하나하나가 온전한 평형상태(equilibrium)에 도달하도록 교사와 학생은 끊임없이 노력해야 한다.

4) 결론 : 하나의 목소리를 위하여

가) 성구 개념 명확히 하기 : 순수한 팔세토와 흉성

결론에 앞서 리드(Cornelius L. Reid)가 제시한 벨칸토 시대의 성구 개념을 보다 분명히 할 필요가 있겠다. 팔세토와 흉성구의 순수한 소리는 과연 어떤 소리일까? 이 순수한 소리를 이해하면, 목소리가 흉성과 팔세토의 비율에 의해 결정된다는 개념을 보다 명확하게 이해할 수 있을 것이다.

앞에서 언급하였듯이, 팔세토는 CT근 중심의 목소리이며 흉성은 성문을 닫고 성대접촉을 늘리는 피열근(arytenoids = TA, IA, LCA) 중심의 목소리이다. 그렇다면 순수한 팔세토란 CT근 만이 활성화되고 피열근들(arytenoids)은 비활성화된 상태일 것이고, 반면에 순수한 흉성이란 피열근들(arytenoids)만이 활성화되고 CT근육은 비활성화 된 상태일 것이라고 예상해 볼 수 있다.

따라서 이 순수한 팔세토는 성대접촉이 아예 이루어지지 않은 목소리를 뜻한다. 즉 성문은 완전히 열린 상태에서 오직 CT근 만이 동작하는 반면에 성대를 접촉시키는 피열근들(arytenoids)은 완전히 비활성화 되어 있는 상태로서, 그 결과로 생성되는 목소리는 극도의 숨소리에 가깝지만, CT근에 의해 피치는 조절되는 상태의 목소리이다.

그리고 이 상태는 흔히들 '진성 위에 가성이 존재한다'라고 생각하는 일반적인 통념과 달리, 목소리의 가장 위쪽에 위치하지 않는다. 왜냐하면, 일정수준 이상의 피치는 CT근의 긴장 뿐 아니라 TA근이 반대쪽에서 버티어줘야만 충족될 수 있으며, 이 TA근의 긴장은 필연적으로 성대의 접촉(=흉성의 개입)을 야기하기 때문이다.

결국 순수한 상태의 팔세토는 흉성과 두성 사이에 중복되어 존재할 수 밖에 없으며, 이것이 마뉴엘 가르시아 2세가 왜 자신의 책에 팔세토를 목소리의 가운데에 배치하였는지에 대한 이유가 된다. 혹자의 비평처럼, 그는 성구개념을 혼동한 것이 아니다.

반면에 순수한 흉성은 보컬 프라이(vocal fry)의 상태에 가깝다. 보컬 프라이에서는 TA근은 높은 활성을 가지지만, CT, IA, PCA 근육들의 활동 수준은 낮다[70]. 결국 모달성구에 비해 더 짧은 길이의 성대[71]와 더 많은 성대접촉을 보여주는데, 이것이 순수한 흉성에 가까운 상태라고 추측할 수 있겠다[72].

한편 이 순수한(pure) 성구의 목소리를 들어본다면, 누구라도 이것들이 가창에 부적합한 목소리임을 알 수 있을 것이다. 이는 성구를 가창에 사용하기 위해서는 반드시 어느 정도 코디네이션 되어야만 한다는 것을 의미한다. 즉 다시 말해, 모든 가창 목소리는 단 하나의 성구에만 속해 있는 것이 아니라, 흉성과 팔세토라는 두 개의 성구가 고유한 비율로 구성되어 생성된 결과물이다. 즉 훌륭한 가창일수록, 모든 가창 목소리는 양 성구가 균형있게 적극적으로 개입하고 있는 상황이며, 결국 모든 목소리는 뒤에서 언급할 믹스드 보이스(mixed voice)라고 간주할 수 있다.

정리하자면, 여기서 이 순수한 성구를 확인하는 것은 무엇 때문인가? 그것은 각 성구의 음질적 특성을 보다 명확히 이해하기 위해서이다. 교사와 학생은 올바른 성구비율의 조절을 위해 각 성구의 음질을 분명히 이해할 필요가 있다. 그래서 어떤 목소리의 톤을 듣고 그것이

70) R.E.McGlone and T.Schipp, "Some Physiologic Correlates of Vocal Fry Phonation," Journal of Speech and Hearing Research 14(1971): 769-775.

71) Harry Hollien, Helbert Damste, and Thomas Murry, "Vocal Fold Length During Vocal Fry Phonation," Folia Phoniatrica 21(1969): 264.

72) 필자 주 : 물론 CT근의 개입도 가능하고, 흉성과 관련된 IA근의 활동수준은 낮다는 점에서 이것이 순수한 흉성이라 불리기는 애매한 감이 있다. 다만 흉성의 순수한 음질을 가정하고 인지하기에는 충분하다고 판단하였기에, 필자는 순수한 흉성의 매개체로 보컬 프라이를 지목하였다.

흉성 지배적(chest-dominated)인지 혹은 두성 지배적(head-dominated)인지 그 상태를 구분할 수 있어야 한다. 그것이 목소리의 기능을 듣고 판별하는 '기능적 귀(functional ear)'이다.

그 음질을 글로 표현하자면, 팔세토는 부드럽고 풍부한 저음성분을 많이 가지고 있는 반면에 흉성은 강하고 경질의 고주파수 대역 배음을 많이 가지고 있다고 설명할 수 있다. 좋은 목소리는 이 두 개의 밸런스가 적절해야 하며, 필요에 의해 그 비율이 기민하게 조절될 수 있어야 한다.

나) 능숙한 가창자 vs. 미숙한 가창자

결론적으로, 우리의 이상인 하나의 목소리는 흉성과 팔세토의 완전한 코디네이션 상태에 의해 이루어진다. 이 완전한 코디네이션이란 흉성과 팔세토 사이에 경계가 존재하지 않는 상태를 뜻한다.

훈련되지 않은 가창자는 흉성과 두성 사이에 명백한 경계점이 존재한다. 앞에서 언급하였듯이, 미숙한 남성 가창자(그리고 벨팅 창법 여성 가창자)는 모달(modal) 성구로만 노래 부르다 고음에서 갑자기 가성으로 소리가 빠지게 된다. 심지어 파사지오 구간에서 중간의 목소리를 유지하지 못하고, 흉성을 두성의 초입부인 G4 정도까지 억지로 끌어올리다가, 완연한 두성의 음역 A4에 들어서면서 갑자기 흉성이 풀리면서 가성으로 소리가 빠지게 되는 것이다. 이것은 CT근에 대응하는 TA의 긴장이 오히려 더 필요하기 때문이다.

반면에 능숙한 남성 가창자는 이미 G3 정도부터 팔세토가 꽤나 많은 비율로 참여하는 상태이다. 그래서 능숙하지 못한 가창자의 목소리가 오직 흉성의 딱딱하고 경직된 소리에 치우친 반면에서, 팔세토의 부드럽고 풍부한 음질이 목소리의 최저음까지 스며들어 있는 상태이다. 그러면서도 흉성의 강인한 음질은 여전히 유지하고 있다, 이것은, 후에 기술하겠지만, 음질적으로 어두움과 밝음이 잘 배합된 키아로스쿠로 (chiaroscuro) 균형과도 맥락을 같이한다.

파사지오에 본격적으로 진입하면서, 능숙한 가창자와 미숙한 가창자의 괴리는 점점 커지게 된다. 능숙한 가창자는 이미 가지고 있던 팔세토의 비율을 점차적으로 늘리며, 흉성의 비율을 줄여나간다. 그래서 아주 부드럽게 두성의 필요한 성구비율로 진입하는, 미숙한 가창자는 오히려 흉성의 가장 상단에서 오히려 흉성의 비율이 더 높이는 경향이 있다.

왜냐하면 신체 구조상 피치를 상승시키기 위해 CT근이 긴장하는 만큼 TA근이 더 긴장하여 버티어줘야 하는데, 이 상황에서 능숙한 가창자는 이 CT와 TA근 사이의 균형을 미묘하게 조절할 수 있지만, 미숙한 가창자는 애초에 흉성과 팔세토의 코디네이션하지 못해, 이 미묘한 조절을 성취할 수 없기 때문이다.

미숙한 가창자의 후두 근육조절은 극단적으로 동작하는 경향이 있다. 때문에 미숙한 가창자는 언제나 항상 CT근과 TA근 둘 중에 하나만을 선택하여 그것으로 목소리를 생성하도록 강요받는다. 대부분의 남성 가창자(그리고 벨팅 창법 여성가창자)는 이 둘 중에서 더 익숙한 TA근, 즉 흉성을 선택한다. 그래서 고음으로 올라갈수록 오히려 더 강한 흉성의 비율을 유지해야만 하고, 그 상태에서 두성에 진입하게 되면, 너무 많은 흉성의 비율이 없어지게 되는 것이다. 그 결과 양 성구 간의 음질적 괴리는 너무 커지게 된다.

다) 양 성구가 같이 사용되는 목소리

그럼 이 문제는 어떻게 해결 가능한가? 그것은 팔세토와 흉성을 섞는 방법을 배우면 된다. 이것은 역사적으로 믹스드 보이스(mixed voice)를 의미하는 이태리어인 보체 미스타(voce mista)와 프랑스어인 보와 믹스테(voix mixte) 혹은 보와 미크스투(voix mikst)라고 불렸으며, 또한 절반의 흉성과 팔세토를 의미하는 메조 팔소(mezzo falso), 메조 페토(mezzo petto)라고 언급되기도 하고, 또한 팔세토로부터 유래한 보체 디 핀테(voce di finte) 등으로 불려왔다. 그리고 이 목소리를 제3의 성구로 구분하려는 노력으로서 중성구(middle or medium)로서 불리기도 했다.

위의 어휘들이 관점에 따라 표현하는 방법은 다르지만, 이 모든 용어들은 결국 제각기 '흉성과 팔세토가 모두 쓰이는 목소리'를 의미한다.

이 목소리는 어떻게 경험해 볼 수 있는가? 간단히는 절반의 흉성과 팔세토를 소리내면 된다. 메조 팔소(mezzo falso)는 팔세토에 힘을 붙이면 되는데, 가성으로 시작하여 흉성의 참여를 독려하기 위해 [아] 모음으로 소리의 세기를 점차 키워보면 된다. 반대로 메조 페토(mezzo petto)는 흉성에서 팔세토의 참여를 독려하기 위해 [우] 모음으로 소리의 세기를 여리게 하면 된다. 두 방식 모두 흉성도, 팔세토도 아닌 중간의 목소리를 획득하는 것을 목표로 하며, 이 두 성구 사이는 서로 평형을 이루어서 비브라토가 자연스레 나오는 것이 좋다. 이 '좋은' 비브라토는 양 성구의 올바른 코디네이션 상태를 나타내는 지표(barometer)로 활용가능하다.

한편 교사가 여기에서 주의해야 할 것은, 성구조절의 이상적인 상태와 그것에 도달하기 위한 중간적인 단계를 구분해야 한다는 것이다. 우리의 궁극적인 이상은 완전한 팔세토와 완전한 흉성을 자유자재로 왕복하는 것이지만, 대부분의 가창자의 성구조절 상태는 그 이상과의 괴리가 너무 멀다. 그래서 교사는 학생에게 바로 이상적인 상태를 요구하기보다는, 그 중간단계를 설정하여 훈련을 해 나가는 것이 좋다.

이것은 마치 야구선수가 타격 자세교정을 할 때, 구분 동작을 설정하여 단계적으로 자세를 익힌 후에, 최종적으로 하나의 동작으로 승화시키는 것과 같다. 가창의 이상은 팔세토로 시작하여 소리를 키워서 흉성과 소리를 이어주는 것이지만, 초심자는 그것을 성취하는 일이 너무 요원하다.

그림 32. 야구 배팅 타격 자세의 단계. 운동 자세는 연결된 자세이지만 훈련단계에서의 임의적 구분을 통해 더 정교하게 다듬어진다

오히려 음역을 세분화해서, *C3-G3(흉성:팔세토=90:10), G#3-C#4(흉성:팔세토=70:30), D4-E4(흉성:팔세토=60:40), F4-G#4(흉성:팔세토=40:60), A4-Bb4(흉성:팔세토=30:70), B4-C5(흉성:팔세토=20:80)* 이런 식으로 단계별로 성구비율을 조절하도록 하는 것이 좋다. 위의 구간은 남성 가창자의 성구비율을 필자가 임의로 설정한 것으로, 이것은 학생의 가창에 대한 개념을 보조하기 위한 임의의 수치이지, 결코 보편적으로 통용될 수 없는 내용이다. 성종과 같이 가창자 개인의 특성과 가지고 있는 개념에 따라 얼마든지 변화가 있을 수 있다. 우리의 신체기관은 절대로 수치적으로 나뉘듯이 규정할 수 없으며, 남에게 똑같이 적용할 수는 더더욱 없다. 그리고 위에서는 6개의 구간으로 전체 음역을 나누었는데, 초심자의 경우는 3개 정도의 구간이면 충분하다.

중요한 것은 흉성과 팔세토가 코디네이션 된 '두성(head voice)'을 처음 획득하기 위해, 아예 가성으로 시작하는 것은 너무 무모한 행동이라는 점이다. 교사는 두성의 성구비율이 학생의 반사반응에 의해서 자발적으로 생성되도록 하고[73], 학생이 그 감각을 익히고 기억하게 함으

---

[73] 필자 주 : 가창자의 자발적인 반사반응이 출현하도록 적절한 환경을 조성하는 것은 교사의

로써, 흉성과 연결되는 두성에 대한 개념을 정립하도록 해야 한다. 물론 가성에 힘을 붙이는 훈련이 도움은 되나 그 훈련만으로는 발전의 속도가 너무 늦을 가능성이 크다. 세부적인 훈련절차는 뒤에서 다시 살펴보도록 하자.

마. 정리

사실 필자가 기술하였듯이 CT근과 내전근을 각기 성구로서 인정하는 것은, 아직까지 학계의 보편적인 담론이라고 말하기에는 어렵다. 이런 개념은 스탠리(Douglas Stanley)가 20세기 초 최초로 제시한 이후, 리드(Cornelius L. Reid)가 잃어버린 벨칸토의 방식과 결부시켜 정밀하게 다듬어 온 이론이다. 책에서 이 이론을 굳이 제시한 것은, 단순한 성구개념을 넘어 본질적인 기능, 그리고 목소리의 궁극적 이상에 대한 고찰을 담고 있기 때문이다. 또한 필자가 생각하는 좋은 이론의 조건(①현상의 설명 ②현상의 예측 ③ 간단한 것)에 잘 부합하기도 한다.

하지만 그럼에도 불구하고 리드의 이론과는 별개로, **'성구 융합이 CT근과 TA근 사이의 정밀한 조절에 의해 가능하다'는 사실은, 학계에서 하나의 객관적인 사실로서 받아들여지고 있다.** 티체는 여기에 대해 다음과 같이 설명하고 있다 : *"성구 브레이크를 없애는 효과적인 방법은* ***TA근을 점진적으로 무력화 시켜서*** *증가된 CT근의 동작과 코디네이션 되도록 하는 것이다. 후두 컨트롤에 대한 근전도검사 연구에서, Hirano, Vennard, 그리고 Ohala(1970)는 참으로 이것이 잘 훈련된 가창자가 사용하는 전략이라는 것을 보여주었다. 피치가 상승하면, CT근 동작에 비해서 TA근의 동작은 감소하며, 갑작스러운 TA근 동작의 이완은 존재하지 않는다. 두 가지 후두 내부 근육에 대한 이 다른 조절은 목소리 훈련에서 가장 어려*

중요한 능력이다.

운 일들 중 하나이다."[74]

티체는 또한 성대접촉면의 정도를 조절하는 방식을 *'소리크기(loudness), 피치(pitch), 모음(vowel)'*이라고 제시[75]하고 있는데, 이것은 리드의 *'피치-모음-세기 조합(pitch-vowel-intensity combination)'*과 정확히 일치하고 있다. 즉 결국 본질적으로 같은 현상에 대한 동일한 접근이라고 볼 수 있다.

그리고 에스틸(Jo Estill)을 비롯한 많은 교사들은 모두 동일하게 저음과 고음에 걸쳐 점진적으로 성대 접촉의 정도를 부드럽게 조절할 것을 권장하고 있다. 그래서 이러한 관점에서 흉성을 'TA 지배적인 목소리', 두성을 'CT 지배적인 목소리'로 부르는 학자, 교사의 관점이 점점 더 많아지는 추세인데, 아주 긍정적인 방향성이라 필자는 생각한다.

결국 필자가 제시하고 싶은 것은 다음과 같다 : 1)흉성과 팔세토를 각기 내전근(곧 피열근들)과 CT근에 대입하여 이해하는 성구개념은 굳이 받아들일 필요가 없으며, 독자의 판단에 맡기도록 하겠다. 그럼에도 불구하고 2) '보편적인 성구개념의 원리'를 이해하고 받아들여야 한다.

그럼 그 '보편적인 성구개념의 원리'란 무엇인가? 그것은 1) 분명히 구분되는 성구가 존재한다는 것과 2) 이 성구들 사이의 전환이 '점진적'으로 매끄럽게 이루어져야 하고, 3) 그 성구조절은 CT근과 피열근들 사이의 코디네이션 수준에 의해 이루어진다는 것이다. 만일 교사와 학생이 이러한 성구개념에 대한 기본적인 이해가 없다면 목소리는 필연적으로 파괴되고 만다.

앞의 소스-필터 이론(source-filter theory)에서 잘 드러나듯이, 우리

---

74) Ingo Titze, 「Principles of Voice Production(1994)」, Prentice Hall, page. 273

75) Ingo Titze, "Bi-stable vocal fold adduction: A mechanism of modal-falsetto register shifts and mixed registration", The Journal of the Acoustical Society of America 135, 2091 (2014)

목소리의 원음은 후두에서 생성된다. 그리고 그 성대원음에는 피치를 의미하는 기본주파수(fundamental frequency)가 포함되어 있다. 이것은 무엇을 의미하는가? 그것은 바로 고음이 안 올라가는(혹은 저음이 안내려가는) 것은 성구의 문제라는 것이다. 그것은 호흡이나 공명의 문제가 아니다.

많은 이들이 이런 기본적인 오류를 범함으로써 자신의 목소리를, 그리고 학생들의 목소리를 파괴시켰다. 물론 발성의 3가지 요소인 호흡, 성구, 그리고 공명은 서로 영향을 미치기 때문에, 좋은 호흡과 좋은 공명은 좋은 성구조절을 도와준다. 그러나 그것은 필요조건이지 충분조건이 아니다.

물론 후두는 불수의적으로 동작하기 때문에, 좋은 성구조절을 이끌어내는 방법이 무척이나 난망한 것이 사실이다. 그래서 많은 교사들은 호흡과 공명을 통해 간접적인 접근을 시도한다.

물론 필자가 이 접근방법에 대해 더욱 구체적으로 기술할 예정이지만, 그런 간접적인 접근이라도 좋다. 가장 중요한 것은 간접적이든 직접적이든(가능하다면), 아니면 그 어떤 방법이라도, 교사와 학생은 그 문제의 핵심이 성구조절에 있다는 것을 알아야 한다. 그리고 동시에, 공명과 호흡의 문제를 성구의 문제로부터 분리시켜 인식할 수 있어야 한다.

더! 깊이 살펴보기!!

성대 조절 메커니즘 다시 살펴보기

가창 시 우리의 후두는 어떻게 조절되는지를 조금 더 자세히 살펴보자. 우선 소리의 시작(onset)은 앞의 '생리학적 기본구조' 편에서 살펴본 바와 같이, 성문이 닫힌상태에서 날숨으로 인해 성문이 개방되면서 시작된다. 그리고 목소리 톤이 유지되면서, 공기역학, 근탄력, 신경학적 동력에 의해 성대진동이 유지되는데, 이 때 중요한 것은 성대의 긴장정도를 유지하고 있는 후두근들의 코디네이션 상태이다.

피치가 상승함에 따라, 성대가 얇아지면서 피치에 필요한 주파수를 충족시키게 된다. 성대가 얇아지면 얇아질수록 높은 고음을 소리낼 수 있게 된다. 조금 더 정확히 말하면, 성대의 진동하는 면적의 질량의 크기와 목소리 피치는 반비례 관계에 있다. 즉 진동하는 부분의 질량이 작아질수록 목소리는 더 고속으로 진동한다,

이와 같이 성대를 얇게 만드는 방법은 성대를 쭉 잡아당기는 것이다. 성대를 잡아당기는 동작은 윤상갑상근의 기능이다. 윤상갑상근이 긴장하면 갑상연골이 앞으로 기울어지면서, 성대의 길이가 늘어나게 되고, 결국 접촉부분이 줄어들면서 더 높은 주파수의 목소리가 생성되게 된다. 한편 이 윤상갑상근의 긴장에 대한 길항근(antagonist)은 갑상피열근이다. 갑상피열근은 성대를 오히려 짧아지게 한다. 이 갑상피열근의 동작이 우세해질수록, 성대의 접촉부분은 늘어나게 되고, 결국 피치는 하강하게 된다.

이 피치 조절에서의 또 주목해야 할 사항은 윤상갑상근과 갑상피열근이 함께 긴장해야한다는 것이다. 성대의 진동유지를 위해서는 양쪽에서 성대가 팽팽하게 당겨져 있어야 한다. 바꿔 말하면, 그런 팽팽한 상태를 유지하기 위해서는 '양쪽에서 당기는 힘'이 있어야 하는데, 즉 윤상갑상근 한쪽이 잡아당기는 만큼, 갑상피열근이 반대방향에서 당기면서 버티어주어

야 이 팽팽한 상태가 유지가 된다.

이 상태는 마치 줄다리기 상태와 같은데, 역설적으로도 피치가 상승하면서 CT근이 긴장하면 긴장할수록 TA근이 더욱 세게 버티어줘야 한다. 그래서 Scott McCoy는 본인의 저서에서 목소리의 피치를 조절하는 근육이 1차 조절자인 윤상갑상근만이 아닌, 갑상피열근 또한 2차 조절자로 분류하여 지목하고 있다[76]. 다음의 표를 살펴보라.

역할	근 육	동 작
피치 하강	갑상피열근	성대주름을 줄이고 두껍게 하기 위해 근육이 수축, 유닛 길이 당 질량을 증가시키는 동안에는 그들의 긴장을 감소시킨다.
피치 상승	윤상갑상근(1차), 갑상피열근과 내부조임근(2차), 호기근	성대주름은 길어지고, 얇아지고, 단단해지며, 진동을 유지시키기 위해 증가된 성문하압을 필요로 한다. TA는 피치 변화를 조절하는 증폭을 유지하기 위해 CT에 길항적으로 동작한다.
세기 조절	호기근, 내전근(LCA와 IA), 갑상피열근	내전근이 성문저항을 증가시키기 위해 타이트해지고, 성대주름의 진동폭을 확대시키기고 유닛 길이 당 질량을 증가시키기 위해 TA가 수축하는 동안, 허파 시스템은 성문하압을 증가시킨다.

그리고 이때 한번 살펴봐야 할 것이 바로 윤상연골의 기울어짐이다. 위에서 언급하였듯이, 성대가 CT근에 의해 앞으로 잡아당겨지면서 TA근이 버티기도 하지만, 조금 더 능동적으로는 성대가 뒤쪽으로도 당겨질 수 있다. 이동작은 윤상연골(그리고 거기에 부착된 피열연골들)이 뒤로 기울어짐으로써 가능한데, 이것은 에스틸(Jo Estill)이 벨팅창법에서의 강력한 성대접촉을 설명하면서 제시된 내용[77]이다.

이 윤상연골의 기울어짐은 인두조임근 중에 가장 아래에 위치해 있는 윤상인두근(cricoparyngeal muscle)에 의해 이루어지는데, 한편 이 윤상인두근의 신경계통이 윤상갑상근과 가깝다는 점에서 성대의 길이신장(lengthen)동작에 관련이 있을 가능성이 높다. 아마도 강한 성대접촉을 위해 TA근이 개입하면서 길항근인 CT근의 동작이 무력화되는 경향이 발생하는데, 이때 CT근의 동작을 보조하기 위해 윤상연골이 뒤로 기울어지면서 성대를 잡아당길 수도 있을 것으로 보인다.

특히 성문폐쇄 상황(=가창상황)에서의 CT근의 긴장은 피열연골을 외전시키려는(=성대접촉을 떨어뜨리는) 경향이 있는데, 이와 달리 윤상연골이 뒤로 기울어지면서 피열연골 자체가 뒤로 잡아당겨지면, 성대의 접촉을 강하게 유지하면서도 성대의 길이를 늘릴 수 있을 것으로 추측할 수 있다. 이런 동작은 강한 성대접촉과 성대길이의 신장 둘 모두를 만족시켜야 하는 남성테너나 여성벨팅 가창자에게 더 두드러지게 나타나고, 또 필요한 동작으로 추측된다.

여기서 필자가 언급하는 윤상연골의 기울어짐(cricoid tilt)는 조 에스틸이 언급한 내용과 다소 다르며, 자세한 내용은 뒤의 벨팅 여성 가창자를 위한 전략 부분에서 조금 더 자세히 언급해 놓았다.

한편 노트의 피치가 계속 상승하게 되면서, 남성 가창자의 경우 문제가 발생한다. CT근의 긴장에 길항적으로 점점 더 강하게 버티던 TA근을 비롯한 내전근들이 어느 순간 한계에 도달하게 되는 것이다. 이 시점부터는 오히려 TA근육의 긴장이 풀어져야 하는 기존 대비 역방향으로의 조절이 필요하게 된다. 대부분의 미숙한 가창자들은 이 반대방향으로의 조절을 솜씨있게 처리하지 못하는데, 결국 CT에 대응하는 피열근이 순간적으로 풀려버리면서 성문이 열리게 된다.

결국 그렇게 되면 결국 목소리는 계속 접촉되고 있는 상태인 '두성(head voice)'이 아니라 '팔세토(falsetto)'로 빠져버리게 된다. 이런 현상은 브레이크(break)라고 부르는 E4~F4 부근에서 발생하게 된다. 미숙한 가창자의 경우에는 이런 상황에서 억지로 성문을 닫으려고 노력하지만, 잘 조절되지 않아 해당 피치를 충족시키지 못하기도 한다. 결국 미숙한 가창자는 해당 고음을 팔세토롤 소리내거나 아니면 아예 소리내지 못하게 되는 것이다.

반면에 능숙한 가창자의 경우에는 여전히 솜씨있게 성대 내전근을 사용한다. 고음에 올라가지만 윤상갑상근의 동작을 방해하지 않고, 동시에 필요한 만큼 피열근(arytenoids)들이 버티어준다. 그 결과로 성대는 피치를 충족시킬 만큼 잡아당겨지지만, 성대의 접촉은 지속적으로 유지된다. 이것이 연결된 소리라고 불리는 '두성(head voice)'이다. 결국 윤상갑상근과 피열근들 사이의 코디네이션이 연결된 소리와 그렇지 못한 소리를 결정하는 것이다.

한편 이 코디네이션 동작에 있어서 주목해야 할 요소가 바로 LCA의 동작이다. 티체(Ingo Titze)에 따르면 LCA의 긴장은, TA와 달리 성대의 위쪽부분만 얇게 접촉하는 '수렴하는 성문(convergent glottis)'를 형성하는데 있어서 핵심적인 역할을 수행한다[78]고 한다. 이것은 두성에서의 성대접촉과 직결되는 것으로서, 즉 숙련된 가창자는 고음으로 진입하며 TA는 무력화시키고 반면에 LCA의 동작을 더욱 활성화시킴으로써 CT근의 긴장과 성대접촉이라는 두 마리 토끼를 다 잡을 수 있는 것으로 보인다.

여성의 경우에는 어떠할까? 여성의 경우에도 이 CT와 피열근들 사이의 코디네이션이 잘 이루어지지 않아 고음을 소리내지 못한다. 그런데 남성의 경우와 조금은 다른데, 남성가창자의 일반적인 문제는 M1 → M2 전환과정에서 성문이 갑자기 벌어지는게 이유인데 반해, 여성은 성대의 접촉이 전반적으로 잘 이루어지지 않는 것이 큰 문제이다.

여성의 경우에는 보통 이미 M2의 성대진동에 익숙해져 있는 상태이다. 그래서 일반적으로 적은 접촉상태를 유지하면서 CT근 중심의 성대조절을 하고 있다. 그런데 문제는, CT중심의 성대조절이 이루어지다 보니, 피열근들의 동작이 충분히 활성화되지 않은 상태라는 점이다. 결국 성문의 뒤쪽 일부분(피열연골 부분)이 벌어진 상태로 목소리를 생성하는 경우가 많다.

이 상태가 지속되면, 성대의 특정 부위에 피로가 누적되게 되고, 결국 성대결절과 같은 문제가 발생하게 된다. 그러나 그런 병리학적인 문제뿐 아니라, 성대가 제대로 접촉되지 못한 소리는 목소리의 배음이 부족한 백성(white voice)으로서, 결국 알맹이 없는 톤이 생성되게 된다.

한편 여성 벨팅 가창자의 경우에는 남성 가창자(특히 테너)와 비슷한 행태(behavior)를 보여준다. 즉 일정 피치 이상에서 윤상갑상근에게 지배적인 위치를 내어주지 못함으로써 연결된 소리를 소리내지 못하게 되는 문제가 여성 벨팅가창자(belter)가 처음 직면하게 되는 문제이다.

76) Scott McCoy, 「Your Voice: An Inside View(2012)」, Inside View Press; 2nd edition (2012), page 118

77) Estill, J. (1988). Belting and Classical Voice Quality: Some Physiological Differences. Medical Problems of Performing Artists, 3, page 37-43.

78) Ingo Titze, "Bi-stable vocal fold adduction: A mechanism of modal-falsetto register shifts and mixed registration", The Journal of the Acoustical Society of America 135, 2091 (2014)

더! 깊이 살펴보기!!

비강 공명에 대한 논란

비강공명에 대한 논란은 19세기 가르시아의 시대로 거슬러 올라간다. 가르시아 2세는 'Coupe de la glotte(이하 CDLG)'를 강조했는데, 이 용어를 영어로 번역하면 'strike the glottis'로서 '성문을 강타하다'라는 뜻이다. 당시 시대상이 베리즈모 오페라의 등장으로 드라마틱 테크닉에 대한 요구가 증가하던 때라, 많은 사람들이 이 CDLG를 잘못된 눌린발성(pressed phonation_으로 오해했다. 한편 이런 오해를 가졌던 당시의 인물이 바로 Holbrook Curtis와 Jean de Reszke였다. 그들은 CDLG를 목소리 파괴의 주범으로 지목하면서, 그 대안으로 목소리의 부담을 비강공명으로 분담할 것을 주장하였다.

기타 오랜시간 동안 소위 말하는 마스께라 공명resonance of masque과 톤 플레이스먼트placement등을 옹호하는 수단으로서 비강공명은 중요한 것으로 여겨졌다.

하지만 20세기 들어서 Willam Vennard(1964)는 비강과 부비동을 거즈와 식염수로 막는 실험을 통해 비강과 부비동이 목소리의 증폭에 도움을 주지 못한다고 실험하였고, Sundberg(1977)는 가슴과 머리, 그리고 비강의 공명을 주요한 음향적 결정요인이 아니라고 말하는 등 과학적인 실험을 통해 비강공명을 통해 목소리의 증폭을 얻을 수 없다는 것이 확인되었다.

그러나 음향적인 증폭은 얻을 수 없을지라도, 특정 질감을 더하거나, 혹은 올바른 공명상태에서의 진동감각을 통한 기준점 잡기, 그리고 비음의 질감을 더할 때 발생하는 인두의 좁아짐을 통한 증폭 등 여전히 코와 관련된 적절한 메소드들은 가창 훈련에 도움이 되는 것으로 보인다.

따라서 가창교사는 비강공명과 관련된 테크닉과 훈련을 절대적인 것으로 간주하기보다는 다양한 메소드 중 하나로 분류하고, 필요에 따라 적절히 활용할 수 있어야 할 것이다.

더! 깊이 살펴보기!!

성구용어에 대한 정리 : 흉성, 팔세토, 두성, 모달, 육성, 믹스드보이스

성구와 관련한 논란 중 용어가 차지하는 비중은 적지 않다. 여기서는 많이 사용되는 용어들을 하나씩 살펴보도록 하자.

흉성(chest voice)과 **두성**(head voice)은 이탈리아에서 각각 '보체 디 페토(*voce di petto*)'와 '보체 디 테스타(*voce di testa*)'라고 불린 성구로서, 가창자의 공명감각에 기반한 명칭이다. 간단히 말해 '가슴을 울리는 느낌'과 '머리를 울리는 느낌'을 명칭에 적용한 것이다. 하지만 이 명칭은 일종의 관용어로서 자리 잡았고, 이제는 이 명칭은 각자 고유의 음질과 음역대 등을 포함한 용어로서 사용되고 있다.

팔세토(*falsetto*)는 가짜 목소리란 뜻이다. 국내에서는 흔히들 '가성'이라고 통용되며, 성대접촉이 없는 숨소리가 섞인(breathy) 소리를 뜻한다. 이 팔세토는 두성과 혼용되기도 하고, 일부는 두성을 성대접촉이 유지된 목소리로 간주하여 팔세토와는 별개의 성구로 다루기도 한다. 살로마와 준트버그는 이와 관련된 관찰에서, 두성이라는 목소리가 팔세토에 비해 더 많은 성대접촉을 가지고 있다는 사실을 관찰하였다[79]. 하지만 두성과 팔세토 모두는 CT근이 지배적인 상태의 목소리라고 볼 수 있으며 **mode 2** 성구에 속한다.

모달(modal)이라는 용어는 통계학에서 유래했다고 볼 수 있다. 통계학 용어 '최빈값(**最頻**-, mode)'와 관련이 있는 이 용어는, 일상적인 대화(speech)에서 가장 많이 사용하는 목소리를 뜻한다. 한편 **육성**(natural voice)는 천연적이고 타고난 목소리를 뜻하며, 팔세토와 대비되

---

79) Glaucia Lais Saloma & Johan Sundberg "What do male singers mean by modal and falsetto register? An investigation of the glottal voice source", Logopedics Phoniatrics Vocology Vol 34, 2009

80) Ingo Titze, "Bi-stable vocal fold adduction: A mechanism of modal-falsetto register shifts and mixed registration", The Journal of the Acoustical Society of America 135, 2091 (2014)

는 의미를 가지고 있다. 이 육성과 모달은 일종의 가공되지 않은 목소리라는 뉘앙스를 다소 가지고 있기도 하나, 일반적으로는 흉성 혹은 mode 1 성구와 혼용되어 사용된다.

믹스드보이스(mixed voice)는 이탈리아어로 보체 미스타(voce mista)라고 불리던 것으로서, 흉성과 팔세토가 섞인 목소리를 뜻하며, 우리나라에는 SLS를 통해 널리 알려졌다. 티체에 따르면 믹스드 성구전환(mixed registration)에 의해 생성되는 이 목소리는 팔세토와 흉성의 중간적인 특성을 지니고 있고, 또 주위 환경에 쉽게 영향을 받아서 모달과 팔세토 대비 불안한(=평형을 유지하기 힘든) 상태[80]라고 하였다. 이 목소리는 두성과 혼용되어 사용될 수 있다.

2. 공명(resonance)

가. 공명조절의 소개 및 개요

후두에서 생성된 원음(voice source)은 성도(vocal tract)를 거쳐 공명되게 된다. 이 공명된 소리는 결국 우리가 듣게 되는 최종 목소리를 형성하는데, 가창자는 성도를 조절함으로써 공명특성을 변화시킬 수 있다. 그렇다면 과연 좋은 공명조절은 무엇일까? 우리는 무엇을 위해 어떻게 공명조절을 해야 하는가?

간단하게 실제적인 예를 들면, 똑같은 사람이 똑같은 피치에서 똑같은 세기로 노래를 한다고 가정하자. 이 때 목구멍을 어떻게 조절하느냐, 입 모양을 어떻게 하느냐, 모음의 종류에 따라 어떤 소리는 잘 공명되어 힘찬 소리가 나는데 반해 어떤 소리는 잘 공명되지 않아 오히려 음색을 잃게 된다. 즉 공명은 목소리 원음을 변형시키는 것을 말하는데, 이 공명을 어떻게 하느냐에 따라 목소리 음질의 수준이 달라진다는 것이다.

결국 공명에 대해 살펴본다면, 이런 현상의 원인이 무엇인지? 그리고 그것을 어떻게 극복할 수 있는지? 등에 대한 탐구가 필요하다. 보다 이해하기 쉽게 말하자면 "어떻게 하면 잘 공명된 소리가 나는지"를 알아보는 것이 본문에서 얻고자 하는 우리의 목표다.

전통적으로 이상적인 공명조절의 상태는 **'키아로스쿠로(chiaroscuro)'**라고 불려왔다. 이 단어는 이탈리아어로 '밝음과 어두움(light-dark)'라는 뜻인데, 의미하는 바는 '좋은 목소리는 밝음과 어두움의 균형이 있어야 한다는 뜻이다. 즉 저음의 풍부한 배음과, 스퀼로(squillo)라 불리는 고음의 울리는(ring)소리 둘 모두가 목소리에 묻어있어야 한다는 뜻이다.

이 키아로스쿠로 공명균형은 벨칸토 시대 만치니(Giambattista Mancini)에 의해 처음 제시[81]되었는데, 이후 아들 람페르티(Giovanni Battista Lamperti)의 가르침에서 이상적인 목소리 톤으로서 설명[82]되어 유명해졌으며, 20세기 들어서 현대 가창교수법의 대부인 리차드 밀러(Richard Miller)가 이를 인용하여 소개[83]하였다.

이 공명균형의 두 가지 요소들의 성취는 다음과 같이 이루어진다. 어두움은 낮은 주파수 대역으로 후두를 낮춰서 첫 번째 음형대(formant, 포먼트)를 낮게 가져감으로써 성취되고, 밝음은 가수음형대(singer's formant)라 불리는 3kHz 근처의 세 번째 포먼트의 공명(아니면 1~2kHz 대역의 두 번째 포먼트 튜닝)을 통해 이루어진다.

단일 노트가 아닌 목소리 전체 음역이라는 관점에서는, 앞에서 잠시 언급한 **음향적 성구(acoustic register)**가 또한 중요하다. 가창자가 느끼는 전환(turn-over)의 느낌은 후두의 조절 뿐 아니라 음향적 상태의 변화에 의해서도 발생한다. 그것은 배음과 포먼트를 일치시키는 포먼트 튜닝의 상태가 특정노트에서 급격하게 변함에 따라 발생하는 감각이다.

그리고 공명에 있어서 또 중요한 것이 바로 **모음(vowel)**인데, 왜냐하면 모음은 성도의 모양에 의해 결정되기 때문이다. 특별히 첫 번째와 두 번째 포먼트가 모음정의와 직접적인 관련이 있다. 가창자가 좋은 공명을 위해 노력하다 보면, 모음이 일그러지는(=듣기에도 좋지 않고, 발음도 뭉게지는) 경우가 발생하는데, 이 사이의 균형점을 제시하는 것을 바로 모음변조(vowel modification)라고 부른다.

---

81) Giambattista Mancini, 「Practical Reflections on Figured Singing(1774)」

82) William Earl Brown, 「Vocal Wisdom: Maxims of Giovanni Battista Lamperti(1957)」 Enlarged edition. New York: Arno Press.

83) Richard Miller, 「The Structure of Singing: System and Art in Vocal Technique(1986)」, Schirmer Books

마지막으로 최근의 연구에서, 성도의 음향적 상태가 역으로 성대의 진동특성에 영향을 미칠 수 있다는 것을 발견하였는데, 이를 **'비선형 소스-필터 이론(nonlinear source-filter theory)'**라고 한다. 기존의 '소스-필터 이론(source-filter theory)'이 후두→성도의 방향을 기준으로, '성대원음을 어떻게 변조시키는지'에 대한 선형적(linear) 효과만 설명했다면, 이 이론은 그것의 역방향인 성도→후두라는 비선형적(nonlinear)인 효과에 초점을 맞추고 있다. 쉽게 말해, '성도(공명)조절을 잘 하면 성대진동이 잘 되도록 도움을 줄 수 있다'는 것이 이론의 핵심이다.

나. 목소리 음향학 : 소스필터 이론의 소개

1) 성대원음의 음향학적 특성

성대원음은 피치에 맞춰서 진동함으로써 피치를 충족시킨다. 예를 들어, 피치의 기준이 되는 A440[84]을 가정해 보자. 이 때 성대는 440Hz 즉 1초에 440번 진동하게 되고, 청자는 이 소리를 A4로 인식하게 된다. 그리고 이를 스펙트럼으로 나타내면 다음의 그림과 같을 것이다.

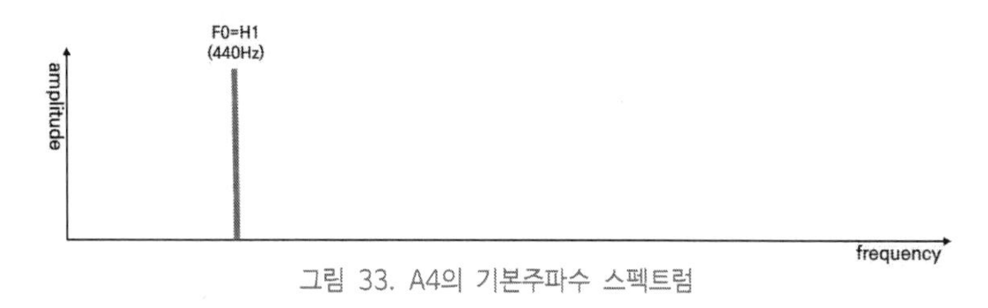

그림 33. A4의 기본주파수 스펙트럼

[84] 필자 주 : A440이란, 피아노 등을 조율할 때 사용하는 소리굽쇠가 가진 피치를 뜻한다. 즉 440hz의 주파수를 말하며, 피아노에서의 4번째 A인 A4를 의미한다.

이 때, 440Hz를 기본주파수(fundamental frequency)라고 부르며, 간단하게 F0라고 표시한다. 한편 첫 번째 배음성분이라는 뜻의 H1이라고 표시를 하기도 한다.

하지만 이 상태로 끝이 나지 않는다. 사인파 생성기로 단일파동을 생성하지 않는 이상, 자연상태의 모든 소리는 배음(harmonics)성분을 가진다. 이 배음들은 기본주파수의 정수배로 생성이 된다. 그 배음성분들을 스펙트럼에 표시하게 되면 다음과 같다.

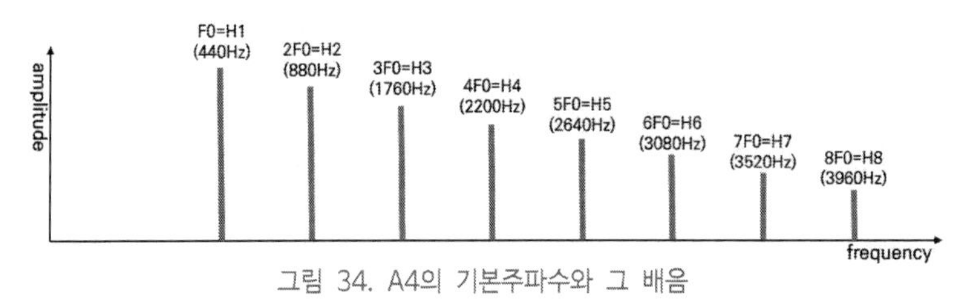

그림 34. A4의 기본주파수와 그 배음

배음을 표시하는 방식은, 간단하게 n번째 배음이라는 뜻에서 Hn이라고 표현해서 'H1, H2, H3, … ' 이렇게 표현하기도 하고, 배음은 기본적으로 기본주파수의 정수배이므로, F0의 n배라는 뜻에서 nF0라고 표현하여 'F0, 2F0, 3F0, … '라고 표현하기도 한다. 후자 표기방법의 경우 포먼트를 표기하는 방식인 Fn(F1, F2, F3, …) 와 혼동하지 않도록 하라.

그리고 위 스펙트럼에서 보듯이 배음은 고음으로 올라갈수록 점점 에너지가 감쇄하게 된다. 또한 목소리의 스펙트럼 주파수는 보통 4200Hz까지만 표시하여 분석하는데, 그 이유는 피아노의 최고음인 C8이 4186Hz이기 때문이며, 또한 그 이상의 주파수는 귀에 쏘는 느낌 정도로 인지될 뿐 '목소리' 음질의 형성에 크게 영향을 미치지 않기 때문이다.

한편 이 성대원음은 성대가 강하게 접촉할수록 고음감쇄율이 더 적어지게 되는데, 즉 성대가 강하게 접촉할수록 더 강한 고음 배음성분을 가지게 된다는 뜻이다. 이런 경향은 실제 가창 현장에서, 높은 흉성비율을 가져갈수록, 눌린 발성(pressed phonation)일수록, 그리고 강하게 소리 낼수록 더 잘 나타난다. 이 차이를 스펙트럼에 나타내면 그림 35.과 같다.

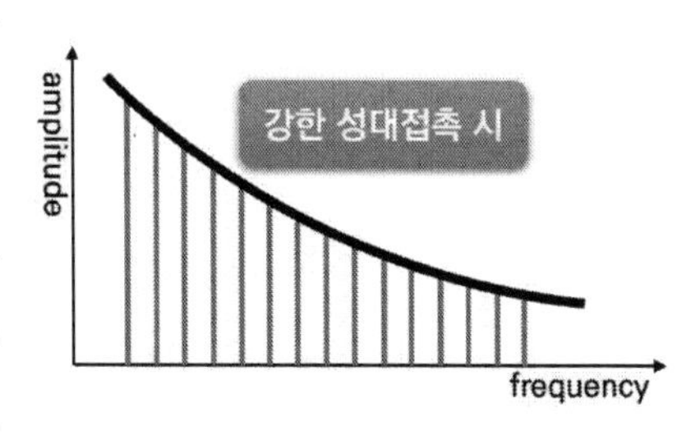

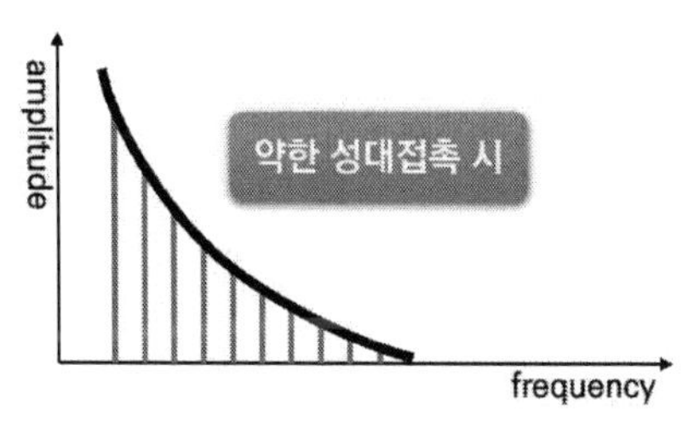

그림 35. 성대접촉 정도에 따른 고음감쇄율 경사도 변화

한편 성대원음의 기본주파수가 높아지면 배음성분의 개수가 적어지게 된다. 왜냐하면 배음은 기본주파수의 정수배로 이루어지는데, 기본주파수가 높아지면 배음 사이의 간격이 넓어지게 되고, 결국 특정 음역 내에서의 배음성분의 개수가 적어지게 되는 결과를 초래한다. 글로만 쓰면 어려우니 스펙트럼을 그려보면서 살펴보자.

위 그림은 중앙 C인 C4의 배음성분을 표시한 스펙트럼이다. 각

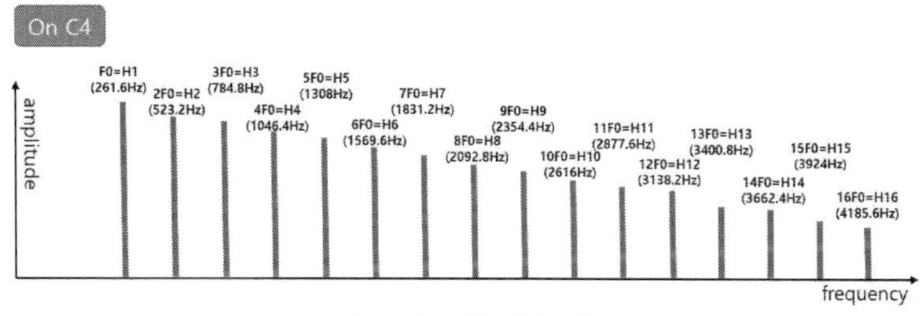

그림 36. C4의 배음구조

배음이 F0인 261.6Hz의 정수배로 이루어져 있는 것을 볼 수 있다. 참

고로 사람이 피치를 인식할 때는 가장 센 주파수로 인식하는 것이 아니라, 이 배음성분의 구조(간격)로 피치를 인식한다. 심지어 기본주파수가 없어진다고 하더라도 청자는 해당 피치를 인식할 수 있다[85]고 하는데, 이를 '상실 기본주파수 효과(missing fundamental effect)'라고 한다.

이제 한 옥타브 높은 노트인 C5를 스펙트럼에 나타내어보자(그림 33.). 애초에 기본주파수가 523.2Hz부터 시작하므로, 정수배로 형성되는 배음들의 간격이 두 배로 넓어지게 된다. 그래서 4200Hz이내에서 배음의 개수가 C4의 경우에는 16개였으나, C5에서는 8개로 줄어든다.

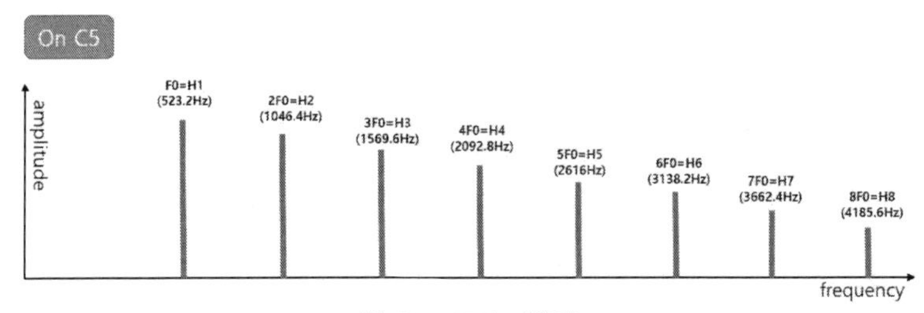

그림 37. C5의 배음구조

한 옥타브 더 높은 C6는 그런 경향이 더 강해진다. 기본주파수가 이미 1046.4Hz에 달하기 때문에, 배음 간의 간격이 훨씬 넓어지게 된다. 결국 스펙트럼 상 배음의 개수는 4개로 확 줄어들게 된다.

이렇게 배음의 개수가 많고 적은 것은 어떤 영향을 미치게 되는가? 첫 번째로, 보다 많은 배음성분을 가질수록 소리는 풍부하게 들리고, 반면에 적은 배음성분을 가질수록 소리가 단조롭고 깔끔하게 들린다. 물론 풍부한 소리는 기본적으로 성대가 두껍게 접촉해서 고음역대 배음이 더 강하게 생성되기 때문이기도 하다.

---

85) Brian Moore, "Some experiments relating to the perception of complex tones", Quarterly Journal of Experimental Psychology, Volume 25, 1973 - Issue 4 Pages 451-475

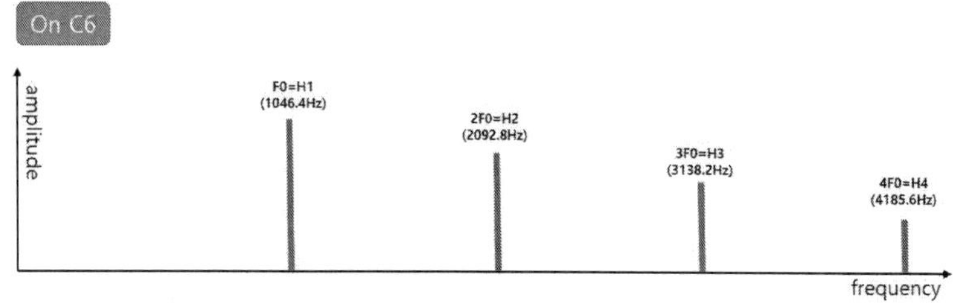

그림 38. C6의 배음구조

두 번째로, 보다 많은 배음성분을 가질수록 공명이 이루어지기 쉽다. 이를 거꾸로 말하자면, 배음성분이 적을수록 공명, 즉 포먼트 튜닝이 어렵다는 뜻이다. 뒤에서 자세히 설명하겠지만, 포먼트 튜닝이란 배음성분과 포먼트 대역을 일치시킴으로써 소리를 공명시키는 것을 말한다. 그런데 문제는 포먼트 튜닝을 하기 위해서는, 먼저 재료가 되는 배음성분이 있어야 한다는 것이다. 배음성분 자체가 존재하지 않으면, 소리의 공명이 애초에 불가능한 것이 되어 버린다.

이런 음향학적 특성이 바로 *'왜 고음에서 특정 모음으로 소리내는 것이 어려운 것인가'* 에 대한 이유가 된다. 저음에서는 기본적으로 배음성분이 많기 때문에 포먼트 대역을 아무데나 형성시키더라도 해당 대역에 배음성분이 걸리게 된다. 이것은 즉, 어떤 모음으로 발음을 하더라도, 공명이 잘 이루어질 수 있다는 뜻이기도 하다.

그에 반해 고음으로 진입하게 되면, 성대원음 자체의 하모닉스 성분이 적어서 해당 하모닉스에 포먼트를 가진 특정한 모음만이 해당 피치를 공명시킬 수 있게 된다. 이와 관련된 내용은 추후 포먼트 튜닝에 대해 설명하면서 더 살펴보도록 하겠다.

2) 포먼트의 정의

포먼트(formant)는 우리말로 음형대라고 하는데, 여기서는 편의상 포먼트라는 원어 그대로를 사용한다. 이 포먼트란, '소리가 공명되는 특정 주파수 대역'을 일컫는 말이다. 이 포먼트의 공명 특성은 성도(vocal tract)에 의해 결정된다. 즉, 성도의 형태를 어떻게 조절하느냐에 따라 포먼트가 형성되는 대역이 달라진다.

보통 사람의 포먼트는 3개에서 5개 정도까지 형성되며, 저음부터 순서를 붙여 첫 번째, 두 번째라 이름붙이며, 간단하게 기호로는 F1, …, F5등으로 나타낸다.

이 중에서 F1과 F2는 '모음 포먼트(vowel formant)'라고 불리는데, 왜냐하면 F1과 F2가 어느 주파수 대역에 형성되는지에 따라 청자가 모음을 다르게 인식하기 때문이다. 표 12.은 웰즈가 주요 모음에 따른 포먼트 주파수를 정리한 표[86]이다. F3에 비해 F1과 F2가 모음에 따라 크게 바뀌면서 모음의 특성을 정의함을 알 수 있다. 한편 F3이후의 포먼트들은 가수음형대(singer's formant)와 같이 목소리의 음질적 특성에 더 큰 영향을 미친다. 잘 훈련된 가창자는 노래하는 동안 이 가수음형대를 일정하게 유지시키는 능력을 가지고 있다.

모 음	F1(Hz)	F2(Hz)	F3(Hz)
iː	280	2620	3380
ɪ	360	2220	2960
e	600	2060	2840
æ	800	1760	2500
ʌ	760	1320	2500
ɑː	740	1180	2640
ɒ	560	920	2560
ɔː	480	760	2620
ʊ	380	940	2300
uː	320	920	2200
ɜː	560	1480	2520

표 14. 웰즈(J.C. Wells)의 모음포먼트 차트

원활한 이해를 위하여 실제적인 예를 들어보자. 가창자가 C4를 소리낸다고 가정하면 성대원음은 다음 그림과 같을 것이다.

이 노트를 /uː/ 모음으로 발음한다고 가정하면, 표 13.에서 /uː/모

86) J. C. Wells, "A study of the formants of the pure vowels of British English(1962)", MA dissertation University College London

음은 F1이 320Hz, F2가 920Hz, F3가 2200Hz로서, 이에 따라 각 포먼트 대역의 배음성분들이 부스팅되게 될 것이다. 그것을 스펙트럼에 나타내면 다음 그림과 같다.

물론 그림 40.의 점선은 포먼트 형성을 알아보기 쉽게 임의로 그린 가이드 선이고, 실제 스펙트럼 상에는 배음성분만 들쑥날쑥하게 보일 것이다.

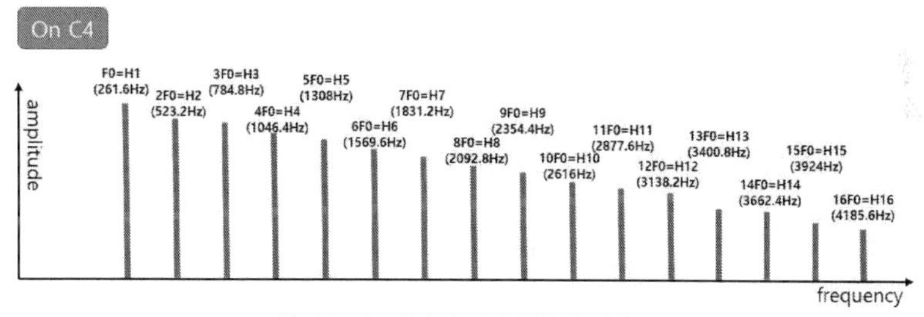

그림 39. C4에서의 성대원음의 배음구조

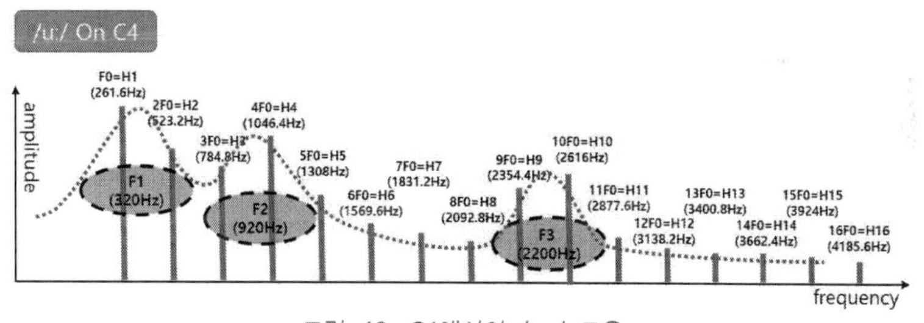

그림 40. C4에서의 /u:/ 모음

정리하자면, 이 포먼트는 성도의 형태에 의해 결정되고, 결국 포먼트가 잘 조절되어서 배음성분과 주파수가 일치하면 소리가 큰 공명을 얻고, 반면에 일치하지 않으면 소리는 빛을 잃게 된다. 따라서 이 포먼트가 배음성분과 잘 일치할 수 있도록 성도를 조절하는 것, 그리고 그 방법을 아는 것이 음성음향학에 있어 주요한 내용 중에 하나이고, 이를 포먼트 튜닝(formant tuning)이라고 한다.

3) 포먼트의 음역대 : 반폐쇄관 공명기 모델

사람의 성도는 기본적으로 한쪽은 열리고 한쪽은 닫힌 관이다. 즉 닫힌 쪽은 성대고, 열린 쪽은 구강 쪽이라고 볼 수 있다. 이렇게 한쪽만 개방된 튜브 형태를 반폐쇄관이라고 명명하는데, 이 반폐쇄관은 관악기류의 일반적인 형태이다. 색소폰, 트럼본, 플루트 등 관악기 모두 한쪽은 막혀있고 한쪽은 뚫려있는 형태의 반폐쇄관을 가지고 있다.

한편, 이러한 튜브모양의 공명기에서는 정재파(standing wave)가 발생한다. 막힌 쪽에서 시작된 소리는 한쪽으로 진행할 뿐 아니라, 관의 반대 쪽에서 일부 반사되어 되돌아온다. 이 양쪽의 소리가 서로 중첩되면 음파가 진행하지 않고 마치 정지된 것처럼 보이는데, 이 때의 파형을 멈춰있다는 뜻의 '정재파(standing wave)'라고 부른다.

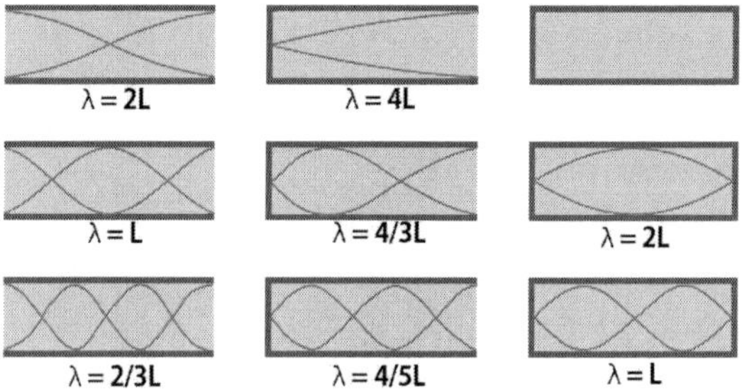

λ = 2L λ = 4L
λ = L λ = 4/3L λ = 2L
λ = 2/3L λ = 4/5L λ = L

그림 41. 튜브의 형태에 따른 정재파의 형성

한편 이 정재파는 공명기의 형태에 따라 그 형성되는 모양이 달라진다. 그림에서 보는 바와 같이, 좌측의 '양쪽이 개방된 관'에서는 양 끝쪽이 모두 최대의 에너지를 가진 배(背, antinode)가 되며, 가운데 한쪽이 닫힌 반폐쇄관에서는 개구부에서는 배(背, antinode), 폐쇄부에서는 마디(node)를 형성한다. 마지막으로 그림의 오른쪽과 같이 양쪽이 모두 닫힌 폐쇄관에서는 양극단 모두 마디(node)인 형태가 된다.

이를 신체에 적용하면, 사람의 성도는 성문 쪽이 닫히고 입 쪽이 열린 '반폐쇄관'으로 볼 수 있다. 이 형태에서의 정재파는 1차, 2차, 3차, …의 각 정재파에 해당하는 주파수를 공명시키는데, 그 주파수는 폐쇄관 길이의 4, 4/3, 5/4에 해당하는 파장을 가진다. 결국 준트버그(Johan Sundberg)의 설명[87]과 같이, 사람 성도의 평균적인 길이인 17.5cm를 가정한다면 다음과 같은 주파수가 공명된다는 것을 알 수 있다.

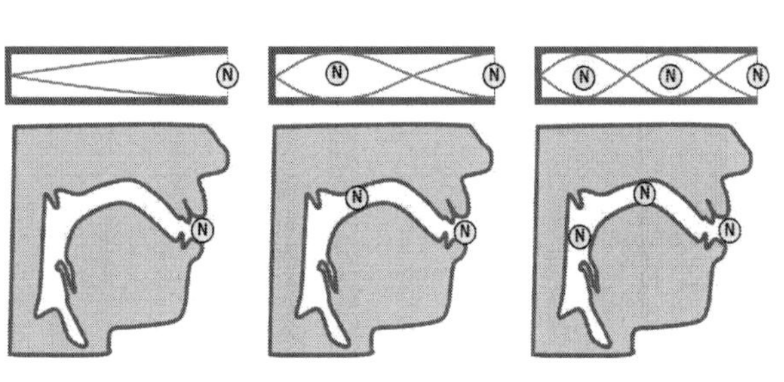

그림 42. 성도에 반폐쇄관 모델을 적용

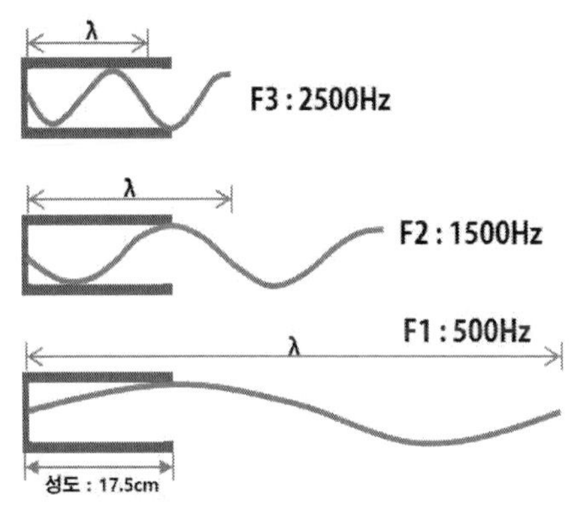

그림 43. 성도 반폐쇄관 공명기에서의 공명주파수

그림41.의 가장 아래쪽은 성도의 길이 17.5cm의 4배의 파장을 가지는 주파수가 500Hz임을, 중간은 4/3인 1500Hz, 상단은 5/4인 2500Hz임을 보여준다. 즉, 17.5cm의 성도는 기본적으로 500 / 1500 / 2500Hz의 주파수를 공명시키게 되고 이것이 음성의 포먼트가 된다. 만일 성도가 짧은 사람이라면 이 공명주파수는 높아질 것이고, 반대로 성도가 긴 사람이라면 이 공명주파수는 낮아질 것이다.

물론 사람의 성도는 이 모델과 같이 단순하지 않다. 음성의 포먼

87) Johan Sundberg, 「The Science of the Singing Voice(1989)」

트 특성을 이해하는데 있어서 이 모델은 여기서 한계를 가질 수밖에 없다. 다만 이 모델이 가지는 의의는 그림의 스펙트럼과 같이 사람의

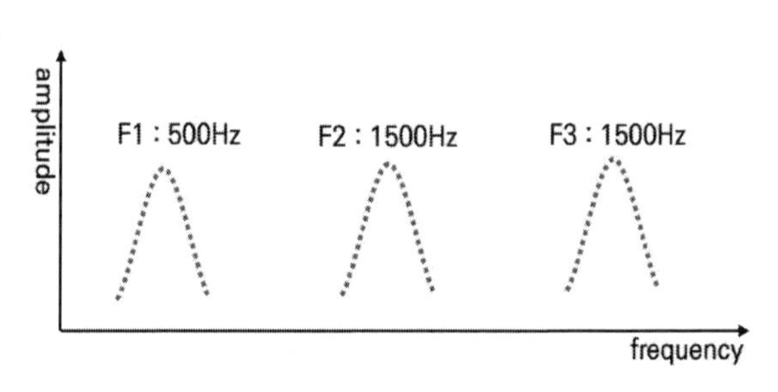

그림 44. 반폐쇄관 공명기 모델에 따른 F1-F3의 대략적인 주파수영역

포먼트는 순서대로 500 / 1500 / 2500Hz 근처의 대역에서 형성된다는데 있다. 이 모델을 이해함으로써, 이제 만일 누군가 음성스펙트럼을 본다고 가정하면, 만약 1500Hz 근처에서 포먼트가 형성되었을 때 그는 그 포먼트가 두 번째 포먼트 F2임을 이제 알 수 있게 되었다. 포먼트의 특성과 조절에 대한 더 자세한 내용은 뒤에서 살펴보도록 하겠다.

4) 포먼트의 역할

가) F1의 역할

F1은 목소리 톤의 깊이 혹은 가득찬 느낌을 결정한다. 목소리의 F1이 낮으면 낮을수록 더 깊은 느낌, 그리고 묵직한 느낌이 들게 된다. 그에 반해 F1이 높으면 소리가 가벼운 느낌이 난다. 예를 들어 /u/모음의 경우 모음차트(표 13.)를 보면 F1이 320Hz에 위치하고 있다. 반면에 /a/모음은 F1이 740Hz에 위치하고 있는 것을 볼 수 있다. 결국 이로 인해 /a/모음이 /u/모음보다 훨씬 밝게 들리게 된다.

이 음질적 차이는 닫힌 모음과 열린 모음이라고 표현되기도 한다. F1이 낮을수록 닫힌 모음이라고 표현하고, F1이 높을수록 열린 모음이

라고 표현한다. 닫힌 모음에는 /i/, /u/가 대표적이고, 반면에 열린 모음은 /ɛ/, /ɔ/, /ɑ/가 대표적이다. 이 닫힌 모음과 열린 모음은 각기 이탈리아 전통에서 '보체 키우사(*voce chiusa*)'와 '보체 아페르타(*voce aperta*)'라고 불리어 왔다.

그리고 이 모음은 후두의 높낮이와 가장 밀접한 관계가 있다. 고음으로 올라가면서 후두를 같이 올려버리면 열린 모음이 되는데 반해, 후두의 낮은 상태를 유지하면 닫힌 모음을 계속 유지할 수 있다. 이탈리아 전통에서는 보체 키우사로 고음을 소리낼 것을 적극 권하고 있다. 물론 후두를 너무 내리면 포먼트와 배음이 너무 떨어져버려 소리가 '먹은듯하게' 들리므로, 후두가 지나치게 올라가는 것을 버텨서 살짝 아래로 내리는 정도로만 유지하는 것이 좋다.

또한 앞의 성구 챕터에서 설명한 바와 같이, F1은 음향적 성구전환에 대한 음질적 인식의 직접적 원인제공자이다. 피치가 상승하게 되면 배음성분들이 상승하게 되는데, 그러던 중 H2가 F1을 넘어가 버리면 포먼트와 배음과의 관계가 'F1-H2결합 상태' 에서 'F1-H1 결합상태'로 변하게 된다. 그러면 목소리가 yell한 소리에서 whoop한 소리로 바뀌게 되면서 성구전환이라고 불리는 음질의 변화가 인지된다. 이런 내용들은 포먼트 튜닝과 관련되는 내용이므로, 후에 더 자세히 기술토록 하겠다.

나) F2의 역할

F2는 소리의 명료함을 결정짓는다. 즉 F2가 높으면 높을 수록 더 소리가 명료해지게 느껴지게 된다. 예를 들어 /u/ 모음은 F1을 320Hz에 가지고 있고 한편 /i/ 모음은 F1을 280Hz에 가지고 있다(표 13.). 단순히 소리의 깊이만 놓고 보면 당연히 /i/ 모음의 F1이 더 낮기에

/i/의 음질이 더 깊고 풍부하게 들려야 한다.

그러나 실제로는 /i/ 모음이 /u/ 모음보다 더 밝고 명료하게 들리는데, 이는 F2 때문에 발생하는 현상이다. /i/ 모음은 2620Hz에서 F2를 가지고 있는데 반해 /u/ 모음은 고작 920Hz에 F2가 위치하고 있다. 결국 F2가 훨씬 높은 /i/ 모음이 훨씬 명료하게 들리게 된다.

이런 소리의 명료함은 모음의 앞쪽 혹은 뒤쪽이라고 표현된다. F2가 낮으면 소리가 목구멍 뒤쪽에서 소리나는 듯하게 들리고, 반대로 F2가 높으면 소리가 앞쪽에서 나는듯하게 들린다. 위의 /u/ 모음과 /i/ 모음을 직접 소리내어 비교해보면 그 차이를 바로 알아챌 수 있을 것이다.

한편 이 F2는 남성의 고음과 여성 벨팅창법에서의 중요한 공명 전략과 관련이 있다. 이는 흔히 '세컨드 포먼트 튜닝(F2 tuning)'이라고 부르는 내용으로서, F2를 H4와 일치시켜 소리의 명료함을 크게 더하는 전략이다. 키아로스쿠로 공명균형에서 밝은 소리에 해당하는 음질은, 전통적으로 F3-F5와 H4를 결합시키는 가수음형대(singer's formant) 튜닝을 통해, 2400-3200kHz대역의 공명을 강화시키는 방법으로 획득되는데 반해, 이 세컨드 포먼트 튜닝은 1500Hz근처의 2번째 포먼트를 이용하여 보다 강력하고 찌를 듯한 소리를 강조한다.

이 F2의 조절은 주로 구강(oral cavity)와 입(mouth)를 통해 결정되는데, 위의 세컨드 포먼트 튜닝은 결국 H4와 결합되기 위해 F2가 끌어올려져야 하는 상황이고, 이것은 입을 좌우로 크게 벌려서 구강의 길이를 짧게 하는 방식으로 이루어진다. 한편 F2는 끌어올리되 F1은(후두는) 여전히 낮은 상태를 유지해서 풍부한 소리는 어느 정도 일관되게 유지되어야 한다.

다) F1 & F2의 역할

F1과 F2는 모음정의(vowel definition)를 결정한다. 청자는 목소리의 F1과 F2 중 하나만으로는 모음을 인식할 수 없고, F1과 F2 모두를 듣고 모음을 인식할 수 있다.

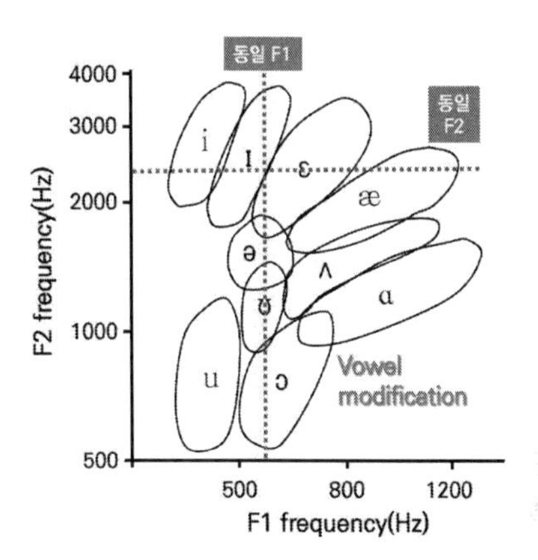

그림 45. 동일한 F1/F2를 가졌지만 다른 모음으로 인식되는 모음들

페터슨과 바니(Gordon E. Peterson & Harold L. Barny)의 모음차트[88]를 살펴보자. 페터슨과 바니는 각 모음이 인식되는 F1과 F2의 주파수 범위를 2차원 그래프로 표시해 놓았다. 이 그래프에서 필자가 세로 점선으로 표시한 부분을 살펴보자.이 점선위에 놓인 모음영역은 모두 동일 F1을 가지고 있는 것으로서, 분명히 동일한 F1(약 580Hz정도)을 가짐에도 불구하고 F2의 값이 달라짐에 따라 각기 [ɪ], [ɛ], [ə], [ʊ], [ɔ]로 다르게 인식됨을 알 수 있다. 그리고 가로 점선은 동일 F2로서, 청자는 F1에 따라 각기 [i], [ɪ], [ɛ], [æ]와 같이 다른 모음으로 인식한다는 뜻이다.

물론 이 모음인지의 주파수 범위는 각 연구자에 따라 약간씩 상이한 범위를 가지고 있다. 그것은 연구대상인 실험군 각 개인의 고유한 차이에 의해 결정되는 것이다. 하지만 대체적인 범위 내에서 각 모음의 특성은 모두 유사하다. 한편 여기서 또 주목해야 할 것은 기본적으로 공명은 모음과 아주 긴밀한 관계를 가지고 있다는 점이다. 가창자에게

---

[88] Gordon E. Peterson & Harold L. Barny "Control Methods Used in a Study of the Vowels(1952)", The Journal of the Acoustical Society of America, Vol24. #2, Mar-1952

중요한 공명전략인 음향성구 전환, F2 튜닝은 각기 모음의 열림과 닫힘, 앞쪽과 뒤쪽에 직결되어 있는 전략들이다.

라) F3-F5의 역할

F3-F5는 가수음형대(singer's formant)를 형성한다. 사람 목소리의 음형대는 보통 3~4개 정도만 형성되고 5번째 음형대는 존재하지 않는 경우도 많이 있다. 여성의 경우는 대부분 5번째 음형대를 가지고 있지 않으며, 고음으로 올라가면 3개의 음형대만 가지게 되는 경우가 대부분이다. 이것은 기본적으로 여성의 발성기관이 남성의 그것에 비해 약 30% 정도 크기가 작기 때문이다.

이 가수음형대는 F3-F5에 의해 형성되며, 1930년대 스웨덴 음성학자인 바톨로뮤(Wilmer T. Bartholomew)등에 의해 "ring" 한 음질의 소리로 언급[89]되었고 이후 같은 스웨덴 음성학자인 준트버그(Johan Sundberg)가 유명한 스웨덴 테너인 유시 비욜링(Jussi Bjorling)의 목소리 스펙트럼을 분석[90]하면서 유명해졌다.

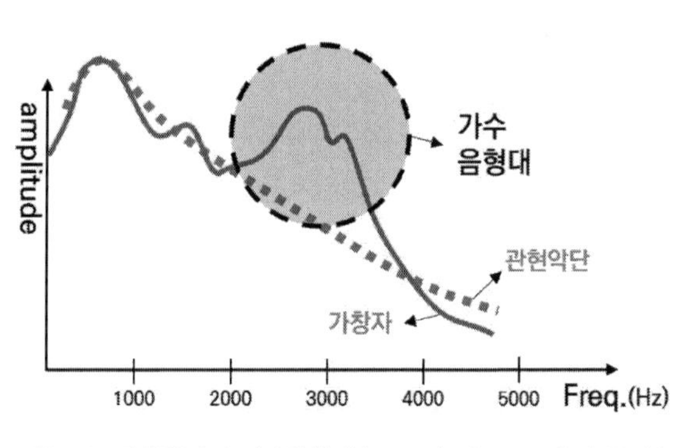

그림 46. 관현악단과 가수음형대(singer's formant)의 주파수 스펙트럼

89) Wilmer T. Bartholomew, "A physical definition of good voice quality in the male voice(1934)", The Journal of the Acoustical Society of America 6, 25 (1934);, 25-33.

이 가수 음형대는 위에서 잠시 언급하였듯이, 고음역대 성분(3kHz 대역)에 에너지를 가지게 함으로써 목소리가 오케스트라의 큰 소리를 뚫고 나올수 있도록 하는 원동력이 된다. 이탈리아 전통에서는 이 소리를 스퀼로(*squillo*)라고 표현해왔다.

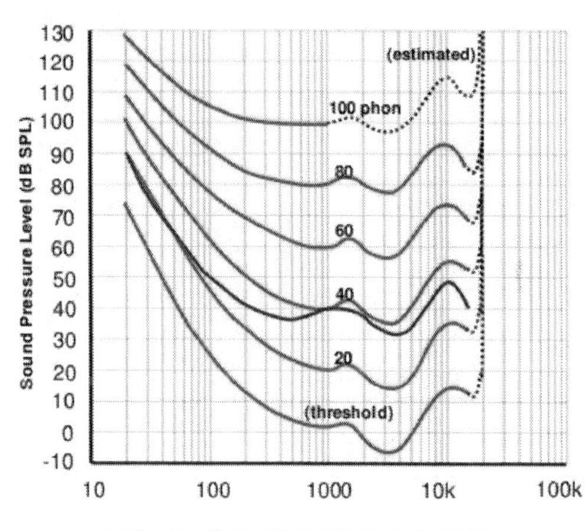

그림 47. 국제표준화기구의 등청감곡선

이 가수음형대의 특성은, 사람의 귀가 특별히 이 주파수 대역에 민감하기 때문이기도 하다. 귓바퀴와 머리 모양 등에 의해 변형된 소리를 고막에서 받아들이기 때문에 모든 주파수대역의 에너지를 동일하게 인지하지 않는다. 이것은 인간이 각 주파수별로 인지가능한 역치값을 표시한 국제표준화기구의 등청감곡선(equal loudness contour)[91]에 잘 나타난다.

준트버그(Johan Sundberg)에 따르면, 이 가수음형대가 형성되는 조건은 전체 성도의 단면적과 길이가 상후두관의 6배 이상이어야 한다는 것[92]이다. 이것은 후두가 편안히 내려간 상태여야 하고, 후두인두가 이완되어 열려 있어야 하며, 그리고 피열후두개 조임근(aryepiglottic

90) Johan Sundberg, "A perceptual function of the singing formant(1972)", STL-QPSR, 13, #2-3, 1972, page.61-63.

91) 국제표준화기구 ISO 226:2003

92) Johan Sundberg, "Articulatory interpretation of the singing formant(1974)", The Journal of the Acoustical Society of America 55, 838. ; Ingo R. Titze & Brad H. Story, "Acoustic interactions of the voice source with the lower vocal tract(1997)", The Journal of the Acoustical Society of America 101, 2234.

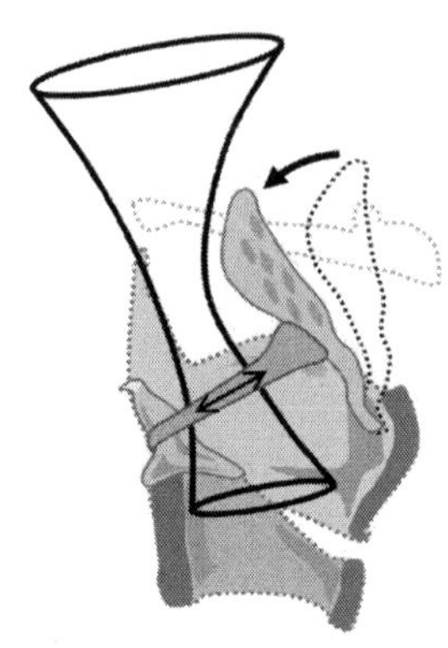

그림 48. 피열후두개 조임근의 동작

sphincter)이 수축하여 상후두관이 좁아져야 한다. 이것은 결과적으로 낮은 후두와 수렴하는(convergent) 모양의 성도를 형성하고, 상대적으로 낮은 주파수의 F1을 가지게 된다. 한편 이것은 결국 낮은 F1과 가수음형대로 인해 키아로스쿠로 공명균형을 동시에 만족시키게 한다.

참고로 피열후두개 조임근의 동작은 결과적으로 상후두관(epilaryngeal tube)의 좁아짐을 가져오는데 이것은 강한 목소리에 있어서 필수적인 요소 중 하나이고[93], 벨팅 가창과 그것의 트왱(twang)음질과도 깊은 관련이 있다[94].

5) 포먼트 조절의 이해 : 연결된 헬름홀츠 공명기(coupled Helmholtz resonator) 모델

이번에는 목소리 음향학의 이론적 모델을 살펴보겠다. 이 이론적 모델이라 함은 목소리의 음향적 특성이 나타나는 현상의 원리를 해석-적용하기 위한 모델을 뜻한다. 이렇게 말하면 어려우니, 조금 더 실제적으로 이 모델들을 여기서 살펴보는 이유에 대해 표현하자면, 그것은 **'각 포먼트를 어떻게 실제로 조절할 수 있는지'**를 이해하기 위해서이다. 다시 말해 '후두를 내리면', '입을 크게 벌리면', 혹은 '혀를 뒤로 당기면', 어떻게 포먼트가 조절되는지를 이해하기 위해서이다.

---

93) Ingo R. Titze, "What Makes A Voice Acoustically Strong?", Journal of Singing, Sep/Oct 2004 Vol61, No.1, p.63-64

94) Ejji Yanagisawa, Jo Esill, "The contribution of aryepiglottic constriction to "ringing voice" quality" Jounal of Voice. 1989;3:342-350.

이 이론적 모델 중에 포먼트의 조절을 가장 직관적으로 이해하기 쉬운 것이 바로 '연결된 헬름홀츠 공명기(coupled Helmholtz resonator)'이다. 이것은 말 그대로 헬름홀츠 공명기가 연결된 상태를 뜻하며, 헬름홀츠 공명기는 독일의 헤르만 폰 헬름홀츠(Hermann Ludwig Ferdinand von Helmholtz, 1821-1894)가 이론적으로 확립한 공명기의 모델을 뜻한다. 헬름홀츠는 독일의 생리학자, 철학자, 물리학자로서 사실 음성음향학적인 분야는 그의 업적 중 일부에 지나지 않는데, 참고로 그의 제자 Emma Seiler(1821-1887)는 여성 교사로서, 목소리 공명과 관련된 내용의 확립에 크게 기여하였다.

헬름홀츠 공명기의 기본 방정식은 그림 49.와 같다. 그림에서와 같이, 일정 볼륨을 가진 통에 포트가 달려있는 모양이 헬름홀츠 공명기의 기본 형태이다. 이 상태에서, 공명기의 공명 주파수는 그림 우측의 공식과 같이 결정된다. 공식을 보시면 알 수 있듯이, 부피 V가 커지면 커질수록 공명주파수는 낮아진다. 한편 덕트의 직경 A가 커질수록 공명주파수는 높아지고, 덕트의 길이 L이 커질수록 공명주파수는 낮아지는 특성을 보여준다. 간단히 정리하면 공명통이 클수록, 덕트가 가늘고 길수록 공명 주파수는 낮아진다.

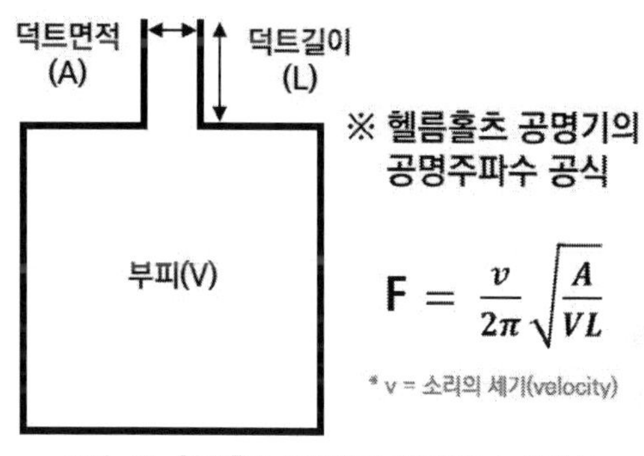

그림 49. 헬름홀츠 공명기의 공명주파수 방정식

여기서 연결된 헬름홀츠 공명기란, 그림 43.과 같이 이 헬름홀츠 공명기 두 개가 연속되어 연결된 상태를 뜻한다.

이 모델을 설명하는데 있어 핵심은 사람의 성도 모양이 이 연결된

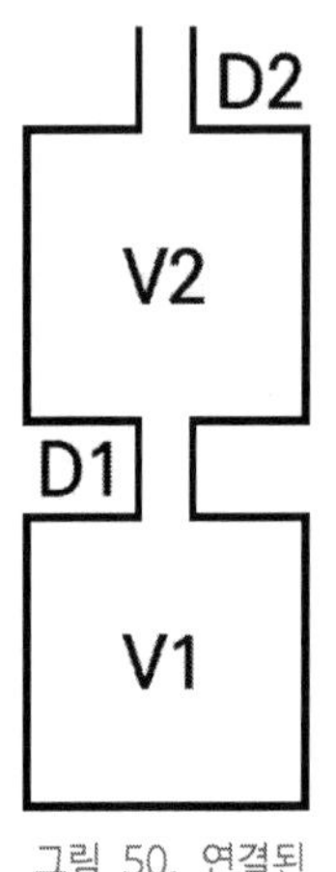

그림 50. 연결된 헬름홀츠 공명기

헬름홀츠 공명기 형태라는 것이다. 즉, 후두인두 쪽의 공간을 V1, 혀 뒤쪽 통로를 D1으로 간주해서 첫 번째 헬름홀츠 공명기로, 구강 공간을 V2, 입술 쪽을 D2로 간주해서 두 번째 헬름홀츠 공명기로 간주한다.

한편 이 두개의 공명기 중 첫 번째 공명기가 두 번째 공명기에 비해 대체적으로 더 크고, 그리고 무엇보다 덕트 D1의 길이가 D2에 비해 훨씬 길다. 따라서 첫 번째 공명기가 더 낮은 공명 주파수를 가지게 돼서, F1은 첫 번째 공명기에 의해, F2는 두 번째 공명기에 의해 형성된다.

이제 가창자가 어떻게 F1과 F2를 변화시킬 수 있는지가 명확해진다. 첫 번째 공명기의 공진주파수를 낮추거나 높히면 F1이 낮아지거나 높아지고, 두 번째 공명기의 공진주파수를 낮추거나 높히면 F2가 낮아지거나 높아지게 된다.

조금 자세히 말하자면, 풍부한 목소리를 위해 F1을 낮추고 싶다면 가창자는 다음과 같이 하면 된다 : 첫 번째 공명기의 ①V1을 증가시키거나, ②D1의 직경을 좁히거나, ③D1의 길이를 늘려주면 된다.

또한 이것을 신체부위로 설명하면, ①V1을 증가 = 후두를 낮추고 목을 연다. ②D1의 직경을 좁힘 & ③길이를 늘림 = 후두개를 닫는다 + 혀를 뒤로 깔아준다. 이런 내용들이 됨을 예상할 수 있다.

이것은 F2도 마찬가지이다. 입술은 D2, 혀의 높이(구강의 부피)는 V2에 해당하게 된다. 즉 F2를 낮추고 싶으면 구강을 얇아지게 하고, 입을 크게 벌리던지 하면 된다.

그러나 실제적인 측면에서, 이 연결된 헬름홀츠 공명기 모델이 가지는 한계는 명확하다. 그것은 사람의 성도는 저렇게 단순하지 않기 때문에 실제로는 저 모델을 통해 설명하지 못하는 현상도 다수 발생하는 것이다. 하지만 그럼에도 불구하고 연결된 헬름홀츠 공명기 모델은, 포먼트 중에 가장 중요한(=모음을 정의하는) F1과 F2의 형성에 대한 큰 프레임을 해석-적용할 수 있다는 점에서, 매우 큰 의의를 가지고 있다. 그리고 기타 이 모델로 이해되지 않는 현상들은 또 그것대로 이 기본 이론 위에 별도로 추가하면 된다. 실제 대부분의 가창현장에서는 F1과 F2를 조절하는데 있어서, 이 연결된 헬름홀츠 공명기 모델이면 충분하다.

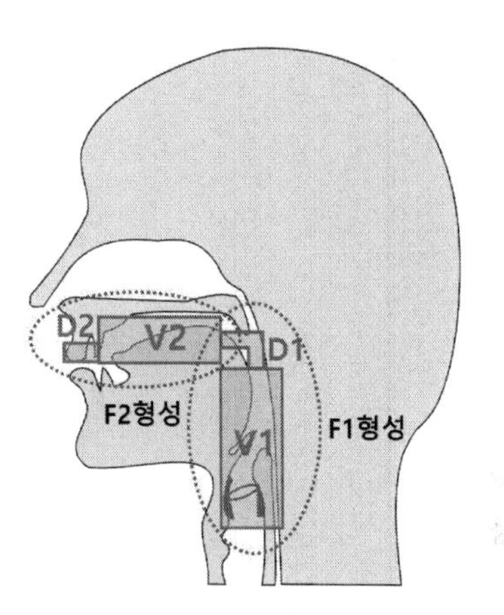

그림 51. 연결된 헬름홀츠 공명기의 적용

한편 많은 음성학자들은, 사람 성도의 공명특성을 더욱 더 정확하게 분석하고 이해하기 위해 10개가 넘는 개수의 공명기가 결합된 모델을 고안하기도 하고, 또 모델을 바탕으로 방정식을 만들기도 한다. 그래서 그것을 통해 인공적으로 목소리를 합성할 수도 있다.

6) 포먼트 튜닝

포먼트 튜닝이란 무엇인가? 앞에서 언급하였듯이 포먼트는 특정 주파수 대역에 형성되는 에너지군을 의미한다. 이 에너지군에 있는 소리는 공명되어 증폭되게 된다. 포먼트 튜닝이란, 그런 포먼트의 주파수를 변형시키는 것을 의미한다. 튜닝을 번역하면 '조율'이라고 하는데 기타 줄의 조율을 생각하면 쉬울 것 같다.

한편 공간의 부피를 조절해서 피치를 조율한다는 측면에서는 컵실로폰 연주가 더 비유하기에 적합할 것 같다. 컵실로폰은 각 컵에 담긴 물의 양을 조절해서 공명주파수를 다르게 한다. 사람의 성도도 마찬가지이다. 성도의 형태를 달리하면 성도의 공명주파수가 달라지게 되는데, 이 성도의 공명주파수가 결국 포먼트인 것이고, 포먼트를 변화시키는 것이 포먼트 튜닝이다.

그렇다면 **왜 포먼트 튜닝을 해야 하는가?** 그 이유는, 성대원음의 주파수와 포먼트의 주파수가 일치해야 목소리가 증폭되기 때문이다. 원음의 배음이 아예 존재하지 않는 곳에서 아무리 포먼트를 맞춰봤자, 소리의 증폭은 일어나지 않는다. 쉬운 이해를 위해 스펙트럼을 그려보자.

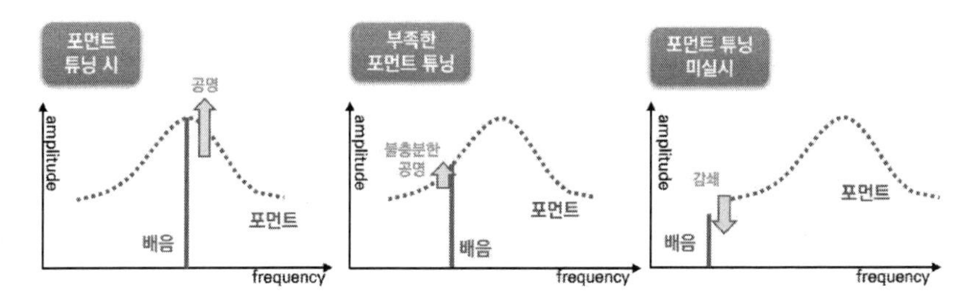

그림 52. 포먼트 튜닝 정도에 따른 배음의 공명

그림 52.의 왼쪽과 같이 배음과 포먼트의 주파수가 완전히 일치하면 원음(배음)은 가장 많이 증폭되게 된다. 그에 반해 가운데처럼 중심주파수가 일치하지 않으면 공명의 효과는 줄어들고, 오른쪽처럼 너무 멀리 떨어지게 되면 오히려 배음이 줄어드는 결과가 나타나게 된다.

이것을 실제 목소리에서 생각해 보면, 포먼트 튜닝이 잘 되면 목소리의 크기가 힘차지고, 반면에 포먼트 튜닝이 되지 않은 목소리는 답답한 목소리로 변질된다.

한편 앞에서도 잠시 언급하였듯이, 고음으로 올라갈수록 포먼트 튜닝은 훨씬 어려워진다. 왜냐하면 피치가 낮을수록 기본주파수 F0가 낮아지게 되고, 결국 중요음역대(~4200Hz)에서 배음의 개수가 적어지기 때문이다. 이 배음의 개수가 줄어든다는 것은 포먼트를 통해 부스팅시킬 '재료'가 확 줄어들게 된다는 뜻이다.

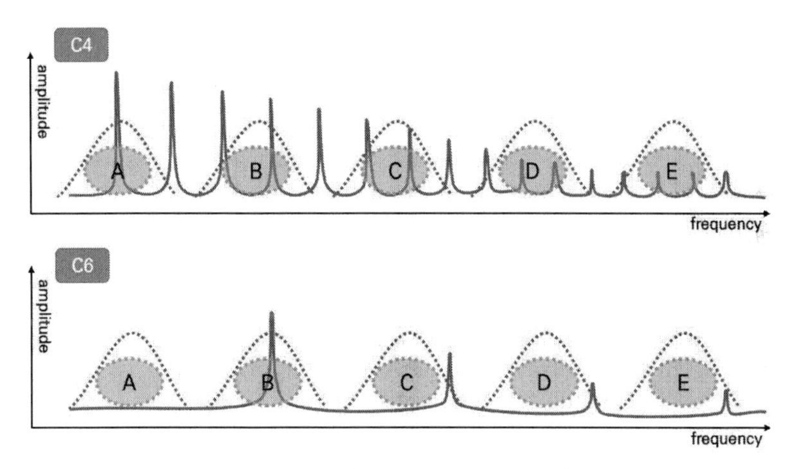

그림 53. C4와 C6에서 임의의 포먼트(A-E)를 적용시켰을 경우

그림 53.은 C4와 C6에 임의의 포먼트 A-E가 적용된 상태를 나타낸 스펙트럼이다. 우선 위쪽과 아래쪽의 배음의 개수가 C4는 16개나 되지만, C6에서는 4개로 확 줄어든 것을 알 수 있다. 이런 상태에서 임의의 포먼트 A-E를 적용시켜보면, C4의 경우에는 모든 포먼트에서 수 개의 배음이 증폭될 수 있지만, 그에 반해 C6는 오직 B 포먼트에서만이 공명을 기대할 수 있다는 것을 볼 수 있다.

따라서 저음에서는 어떤 주파수에나 포먼트를 형성해도(=성도 모양을 아무렇게나 조절해도 = 아무 모음으로 소리내도) 소리의 공명이 일어난다는 것과, 반면에 고음에서는 더욱 정밀하게 포먼트 튜닝을 해야만 함을 이해할 수 있다. 물론 기본적으로 가창자가 고음을 더 소리내기 힘든 이유는, 대부분 후두성구 M2(팔세토)의 조절능력이 떨어지는 것이 더욱 근본적인 이유이다. 하지만 위에서 이런 음향학적인 이유도 고음을 소리내기 힘든 상당한 사유가 될 수 있다.

7) 음향적 성구의 전환 : Yell vs. Whoop[95)]

가) Yell 목소리, Whoop 목소리

"Yell" 음질이란, 말 그대로 외치는 듯한 소리를 뜻한다. 이 외치는 듯한 소리는 이탈리아 전통적 관점에서는 '열린' 소리라는 뜻의 보체 아페르타(voce aperta)라고 불렸다. whoop 목소리에 비해 소리의 깊이가 얇고 고음의 배음성분이 두드러지는 소리이다. 일반적으로 흉성(M1)의 음질과 관련이 깊다. 또한 이 소리는 성도(vocal tract)가 확산(divergent)형태일 때 잘 생성된다. 이 성도의 확산형태는 후두가 상승되어 있고, 인두가 좁으며, 입은 크게 벌린 상태이다.

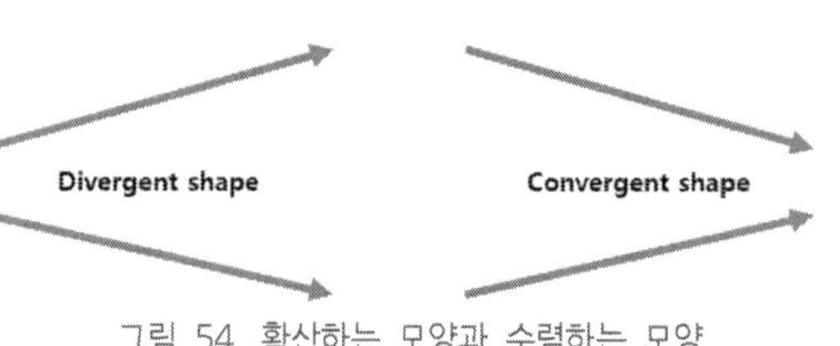

그림 54. 확산하는 모양과 수렴하는 모양

이 음질은 보통 서양 클래식 음악에서 거의 대부분 항상 부정적으로 사용되는 음질로서, 심지어 '보체 아페르타(voce aperta)'라는 용어는 약간의 경멸적인 느낌까지 가지고 사용되어 왔다. 서약 클래식 가창에서는 깊고 풍부한 소리를 훨씬 선호한다.

이 Yell 목소리는 F1이 최소 H2 이싱의 배음성분과 결합될 때 청각적으로 감지가 된다. 다시 말하면, F1 아래에 배음성분이 1개 이상

95) 필자 주 : Yell과 Whoop이라는 용어는 Kenneth Bozeman이 사용한 용어로서, 학계에서 보편적으로 사용되는 용어는 아니다. 다만 특정 음향적 상태를 지칭하기 위해 용어를 설정하는 것이 간편하기에 이 책에서는 해당 용어를 그대로 사용하였다.

존재할 때를 말하며, 아래에 배음성분이 많이 존재할수록, 더욱 Yell 느낌이 강해진다. 이런 상태의 주파수 스펙트럼을 그리면 그림 55.과 같다. 그림에는 F1과 H2가 결합(커플링)되게 표시했는데, 이 상태가 가장 일반적인 Yell 톤의 상태이기 때문이다. 일반적인 대화 목소리의 H1은 대부분의 모음이 가진 F1에 비해 낮기 때문에, 보통 모음의 F1은 H2와 결합한다. 결국 일반 대화 목소리는 기본적으로 'F1-H2 결합'이 이루어진 Yell 목소리에 해당한다.

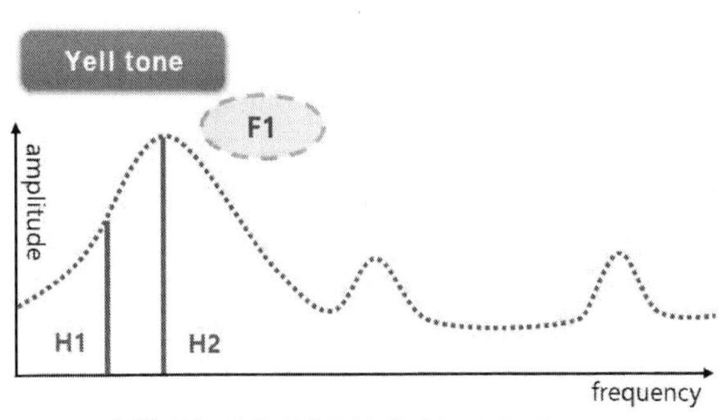

그림 55. Yell 목소리의 주파수 스펙트럼 구조

Yell 목소리와 달리 "Whoop" 목소리는 'F1-H1 커플링'이 발생할 때 일어난다. 이를 주파수 스펙트럼 상에 표시하면 그림 49.와 같다. 보는 바와 같이 H1과 F1이 결합하면, F1 아래쪽은 아무런 배음도 없는 상태가 되고, 청자는 이를 "Whoop"한 소리로 인식하게 된다. 이 "Whoop" 목소리는 전통적인 이탈리아 발성법에서 '닫힌 소리'라는 뜻의 '보체 키우사(*voce chiusa*)'라고 표현되어 왔다. 이것은 클래식에서 전통적으로 많이 사용

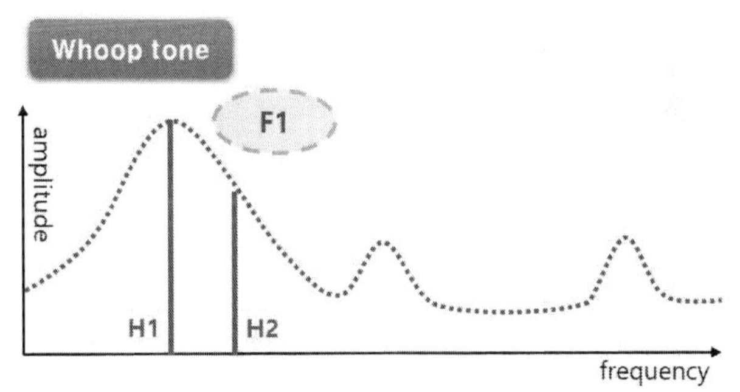

그림 56. Whoop 목소리의 주파수 스펙트럼

하는 목소리인 감싸져 있는 듯하고 풍부한 목소리를 의미하는데, 후두 성구 M2이 우세한 상태와 관련이 깊다. 또한 성도 모양이 수렴(convergent) 형태일 때 Whoop 목소리가 잘 생성되는데, 이 형태는 입을 모으고 인두를 확장시키며, 후두를 아래로 내린 상태이다.

나) 음향적 성구 전환

이제 성구전환의 상황을 한번 생각해 보자. 성구전환이란, 흉성에서 팔세토(혹은 두성)으로의 전환을 일컫는 말이다. 위에서 사용한 용어를 사용하면, Yell → Whoop으로의 전환을 말하는 것이다.

낮은음에서의 배음-포먼트 구조는 그림 55.와 같이 Yell 목소리일 것이다. 그런데 높은 음으로 점차 진입하게 되면, 그림 57.과 같이 배음 성분들이 우측으로 상승하게 된다.

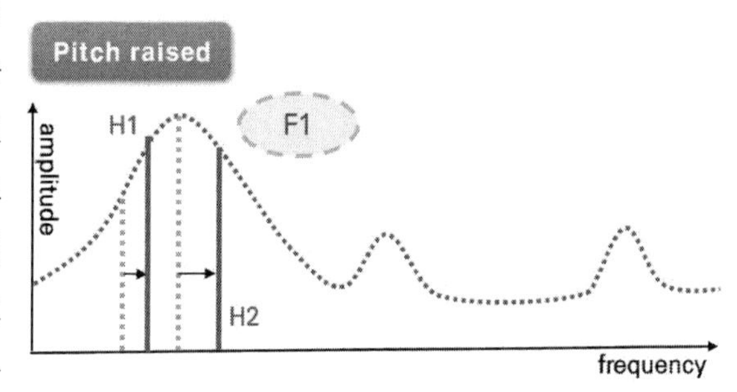

그림 57. 피치 상승에 따른 배음의 상승

이렇게 피치가 상승하면서 배음성분들이 우측으로 진행하게 되면 어떤 일이 일어날까? 언젠가는 H1 성분이 F1과 만나게 될 것이고, 결국 소리는 Whoop 목소리로 변하게 된다. 즉 성구전환이 이루어지는 것이다.

한편 모음의 F1 주파수는 모두 다르기 때문에 결국 H1이 F1과 만나는 시점 피치는 달라지게 된다. 이 말은 즉 성구전환의 지점이 모음별로 다르다는 것을 의미한다. 보즈먼(Kenneth Bozeman)은 이 전환

지점을 다음과 같이 그림 58.과 같이 정리[96]하였다.

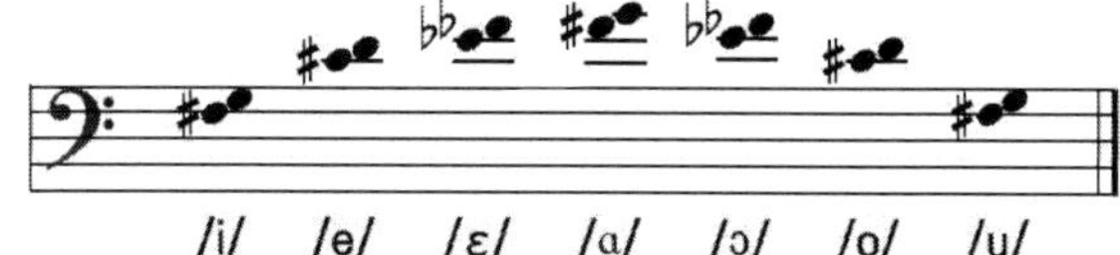

그림 58. 리릭테너의 각 모음별 (음향)성구전환 지점

결국 각 모음에 따라 파사지오(passaggio)의 진입구간이 달라지게 되는데, 한편 /i/와 /u/의 성구전환은 일반적인 파사지오 구간보다 한참 아래인 F#3-G3에서 이루어짐을 볼 수 있다. 이것은 곧 '/i/와 /u/같이 닫힌 모음으로 고음에 진입하기가 쉬운 이유'가 된다. 왜냐하면, 후두성구에서의 M1→M2 전환(='Thick→Thin' 성대접촉)이 이루어지기 훨씬 이전에 이미 음향적으로는 전환이 이루졌기 때문에, 이미 Whoop한 소리로 후두성구 조절만 하면 되기 때문이다. 그리고 게다가, 좋은 공명조절은 성구조절을 도와준다.

한편 같은 닫힌 모음이라도 /i/모음이 /u/모음보다 고음을 소리내기 쉬운 이유는, /i/모음의 경우 F2가 /u/모음보다 훨씬 높은 2500kHz 근처에 존재하므로 가수음형대(singer's formant) 형성에 유리하기 때문이다.

모 음	F1(Hz)	F2(Hz)	F3(Hz)
iː	280	2620	3380
ɪ	360	2220	2960
e	600	2060	2840
æ	800	1760	2500
ʌ	760	1320	2500
ɑː	740	1180	2640
ɒ	560	920	2560
ɔː	480	760	2620
ʊ	380	940	2300
uː	320	920	2200
ɜː	560	1480	2520

표 15. 웰즈(J.C. Wells)의 모음포먼트

96) Kenneth Bozeman, [The Role of the First Formant in Training the Male Singing Voice(2010)], Journal of Singing, Jan/Feb 2010 Volume 66, No.3, page 291-297

다) 음향적 성구전환의 일반적 전략

위와 같은 음향적 성구전환에서 흔히들 직면하게 되는 문제가 있다. 그것은 소리가 yell에서 whoop한 소리로 바뀔 때, 너무 급작스럽게 음질이 변한다는 것이다.

좀 쉽게 실제적인 상황을 예로 들어 설명하자면, 남성의 일반적인 가창 목소리는 대부분 F1-H2 결합 상태의 yell 목소리이다. 그에 반해 F1-H1 결합 상태의 whoop 목소리는 흔히들 말하는 가성의 목소리이다. 이것은 즉 진성에서 가성으로 목소리가 바뀐다는 뜻인데, 남성이 고음을 가성으로 소리내는 경우는 카운터 테너이거나 혹은 특수한 효과를 위해서가 아니라면 그 어느 가창자도 원하지 않는 상황이다. 이런 상황에서 능숙하지 않은 가창자는 본인의 yell 목소리를 유지하기 위해 F1을 끌어올리는 전략을 사용한다. 그런 상황은 그림 59. 과 같이 나타낼 수 있다.

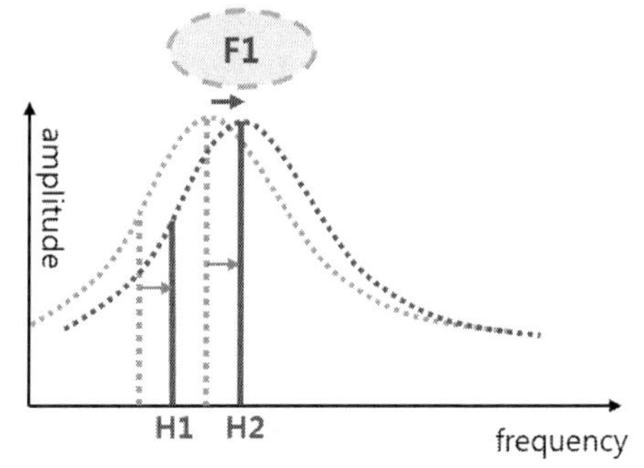

그림 59. 피치상승 시 Yell 목소리를 계속 유지

다시 말해, 피치가 상승되는 만큼 F1을 계속 끌어올림으로써, Yell 목소리를 계속 유지하는 것이다. 그런데 문제는 모음의 왜곡이 발생할 수 있다는 점이다. 특정 모음의 경우 F1을 너무 끌어올리게 되면, 청자가 그 모음을 인식할 수 있는 범위를 넘어서 버리게 된다. 가창에 있어서 가장 중요한 '가사의 전달'을 잃게 되는 것이다.

예를 들어 /u/모음의 F1은 280Hz 근처인데, 이 F1이 600Hz를 넘는 순간, 청자는 해당모음을 /u/라기 보다 /ɔ/로 인식하게 되고,

800Hz가 넘는 순간 /ɑ/모음으로 인식함으로써, 결국 기존의 /u/모음과는 완전히 다른 발음으로 인식하게 된다. 이러한 상황을 페터슨과 바니(Gordon E. Peterson & Harold L. Barny)의 모음차트[97]에 표시하면 다음 그림과 같다.

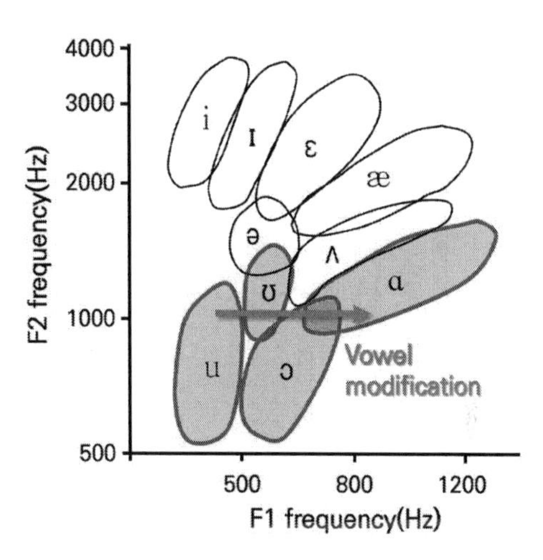

그림 60. 포먼트 트래킹 상황 시의 모음변조

게다가 더 큰 문제는 모음의 변형도 한계가 있다는 것이다. 보통 후두를 올리고 목구멍을 조임으로써 F1을 상승시키는데, 인체가 후두를 올리고 목구멍을 조일 수 있는 구조적 한계가 분명히 존재한다. 이 한계는 남성의 경우 일반적으로 G#4 정도이다. 이 노트 이상으로는 보통 F1을 더 끌어올리기 힘들다. 결국 억지로 yell 목소리를 유지하다 순간적으로 갑자기 whoop 목소리로 변하는 소위 말하는 '삑사리'가 발생하고야 만다.

혹시나, 설령, 정말 만약에, 필요한 만큼 F1을 끌어올리는 것이 가능하다고 하더라도, 그 목소리는 더 이상 들어줄만한 소리가 아니게 된다. 예를 들어 A4를 소리내는 경우, A4의 기본주파수 440Hz이고 H2는 그 두배인 880Hz가 된다. 이때 이 H2에 F1을 맞추게 되면, 소리의 에너지가 모이는 곳이 880Hz부터 시작한다는 뜻이다. 이 소리는 저음성분이 너무 없는 소리로서, 키아로스쿠로 공명균형의 이상에 어긋난다.

---

97) Gordon E. Peterson & Harold L. Barny "Control Methods Used in a Study of the Vowels(1952)", The Journal of the Acoustical Society of America, Vol24. #2, Mar-1952

그럼 결론은 무엇인가? 그것은 "성구전환의 문제를 해결하기 위한 방안으로 'F1을 끌어올리는 것'은 문제해결이 될 수 없다"는 것이다. 다시 말해 "흉성을 끌어올림으로써" 혹은 "후두를 끌어당기고 목구멍을 조임으로써" 고음을 소리 내는 것은 올바른 방법이 아니라는 뜻이다.

그래서 가창자는 저음에서 미리 whoop한 음질을 가져가서(=F1을 어느정도 낮추어줘서) 낮은 주파수의 풍부한 소리(=스쿠로scuro)를 만들어주고, 그러는 한편 높은주파수 성분(=키아로chiaro)인 스퀼로(squillo)는 가수음형대(singer's formant)나 F2 튜닝[98]을 통해 확보하는 것이다. 그리고 공명조절보다 더욱 근본적으로 더 많은 성대접촉(=흉성)을 가져가도 고음성분을 더 확보할 수 있다. 결국 가창자는 키아로스쿠로 공명균형을 달성할 수 있게 된다.

이를 다소 전통적인 방법으로 말하면, "저음에서도 팔세토(두성)를 미리 섞어줘서 갑작스러운 성구전환을 막고 풍부한 소리를 가져가되, 마스께 공명과 더 많은 흉성의 개입 등을 이용해서 전체적으로 스퀼로(squillo)한 음질을 유지한다"라고 표현할 수 있겠다.

그 외에도 가창자의 성별, 음역, 모음별로 세부적인 전략이 더 존재하나, 그것은 음향(공명)적인 요소 뿐 아니라 성구와 호흡 모두 함께 다루어야 하므로, 후에 별도로 살펴보도록 하겠다.

98) 필자 주 : 전통적으로 키아로스쿠로 공명균형의 밝은 부분은 F3-F5 튜닝에 의한 가수음형대(singer's formant)를 통해 확보하는데 반해, 비교적 최근의 연구결과에서는 F3-F5뿐 아니라 F2를 배음성분(H4)과 결합함으로써 밝은 울리는(ring) 소리를 충족시킬 수도 있다는 것을 밝혀내었다(D.G.Miller, 2008). 이 전략은 남성의 고음과 여성 벨팅창법에서 특히 중요하다. 세부적인 내용은 별도로 다루도록 하겠다.

다. 비선형 소스-필터 이론[99]

1) 소개

'비선형 소스-필터 이론(nonlinear source-filter theory)'란 말 그대로 비선형적인(nonlinear)한 소스필터이론을 뜻한다. 앞에서 이미 언급했듯이, 소스필터 이론이란 목소리 생성의 원리를 담고 있는 이론으로서, 소스(source)인 성대원음이 필터(filter)인 성도(vocal tract)를 거쳐 우리의 목소리가 생성된다는 내용이다.

이 기존의 이론은 선형적(linear)인 방향성을 가지고 있다. 즉 '성대원음 → 성도'의 방향성을 가진 영향력에만 국한된 내용이다. 그에 반해 비선형이라는 말은 그것의 역방향인 '성도 → 성대진동' 방향의 영향력을 설명한다. 쉽게 말해, '성도의 음향상태가 성대진동의 특성에 영향을 미친다'라는 것이다.

이 이론은 티체(Ingo Titze)가 소개한 내용[100]으로, 기존의 음성음향학의 패러다임(paradigm)을 크게 바꾸어 놓은 이론으로서 그 의의가 매우 크다. 티체에 따르면 공명상태는 배음 왜곡 주파수와 서브하모닉스 노이즈의 생성, 30-40Hz 정도의 기본주파수 도약, 성대원음의 세기 변화 등의 성대 진동특성에 영향을 준다고 하였다[101]. 이 중 가창 훈련에서 활용도가 가장 높은 것 중 하나는 바로 음향 임피던스이다.

티체는 성도의 음향상태를 '음향 임피던스(acoustic impedance)'로 나타내고, 그 음향임피던스가 성대진동을 도와주는지, 방해하는지를 설

99) 필자 주 : 이 내용들은 티체의 [vocology]의 내용을 바탕으로 하여 기술하였다

100) Ingo R. Titze, 「Vocology : The Science and Practice of Voice Habilitation(2012)」, National Center for Voice and Speech

101) "Nonlinear source-filter coupling in phonation : Theory)", J. Acoust. Soc. Am. 123 5, May 2008, p.2733-2749 ; "Nonlinear source-filter coupling in phonation : Vocal exercises", J. Acoust. Soc. Am. 123 4, April 2008, p.1902-1915

명하였다. 결론부터 말하면, ‘성도의 음향임피던스는 상황에 따라 컴플리언트(compliant)할 수도, 이너티브(inertive)할 수도 있는데, 성도의 이너티턴스(inertance) 성대의 ‘자기유지 진동(self-sustained oscillation)’에 도움을 주고, 반대로 컴플라이언스(compliance)는 방해가 된다‘라는 내용이다. 따라서 ’가창자가 성도의 이너턴스를 잘 유지하면 목소리가 잘 나온다‘라는 결론에 도달한다.

한편 이 이너턴스는 성문 위쪽 공기의 유동성이 낮을 때 높아지는데, ‘성문상압(supraglottal pressure)’이 높고 반면에 ‘성문하압(subglottal pressure)’가 상대적으로 낮을 때 그러한 상황이 조성된다. 결국 성도의 공기를 빽빽하게 함으로써 이너턴스를 높일 수 있다.

이것을 이용한 대표적인 훈련방법이 바로 ‘반폐쇄성도훈련(semi-occluded vocal tract exercise, SOVTE)’으로서 최근에 음성치료 및 발성교정 분야에서 매우 폭넓게 사용되고 있다. 이 SOVTE는 빨대를 물고 발성하기, 허밍, 입술 트릴, 혀 트릴, 입을 막고 발성하기 등 다양한 방법이 존재한다. 사실 성도의 공기를 빽빽하게 만들어줘서 성대진동의 안정성을 높인다는 핵심원리만 알면 훨씬 다양한 응용이 가능할 것이다.

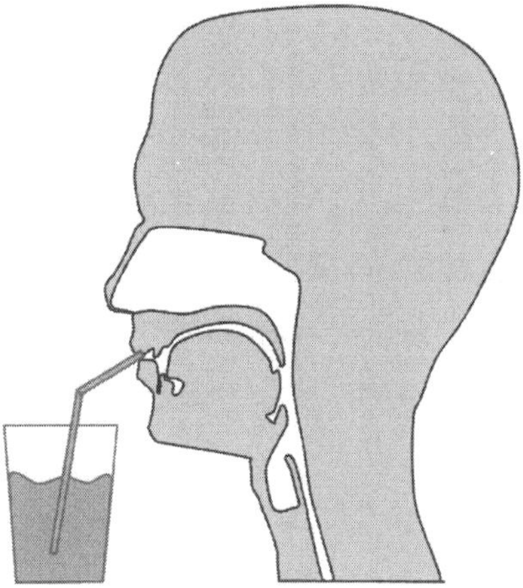

그림 61. SOVTE 중 하나. 이 훈련은 단순히 빨대를 활용하는데 추가해서, 물컵을 이용함으로써 이너턴스를 더욱 크게 높일 수 있도록 고안된 훈련법이다. 게다가 훈련 중 발생하는 타액을 처리하기 용이하다.

사실 실제적인 측면만 고려한다면, 가창자와 교사는 음향 임피던스와 비선형 소스필터 이론에 대해서 여기 정도까지만 알고 활용하면 되겠다. 다만 관련 내용이 음성음향학에 있어서 최신의 중요한 내용이고 그 실제적 효용성이 무척 높으므로, 필자는 여기서 그치지 않고 더 자세한 내용을 소개할 필요가 있다고 생각을 하였다. 따라서 각 용어의 정의와 내용에 대해 비교적 간략히 살펴보도록 하겠다. 혹 필자가 기술한 내용보다 더 세밀한 부분을 알고 싶은 독자는 티체의 책과 논문을 참고하기 바란다.

2) 음향임피던스(acoustic impedance)

가) 용어의 개념과 정의

임피던스(impedance)는 방해하다(impede)의 명사형이다. 물리학에서 사용될 경우 임피던스는 '특정 신호(혹은 자극)에 대한 결과를 억제하는 정도'를 나타내는 용어이다. 예를 들어 빛을 어둡게 하던지, 전압이 가해졌을 때 전류가 덜 흐르게 하던지, 기차를 밀거나 당길 때 가속력을 억제하는 것 등의 정도를 일컫는 말이 바로 임피던스이다. 이것이 음향학, 즉 공기유체의 물리학에 접목되면, 음향 임피던스(acoustic impedance)라고 불리게 된다.

한편 이 임피던스는 레지스턴스(resistance) 성분과 리액턴스(reactance) 성분으로 나뉜다. 그리고 리액턴스 성분은 이너턴스(inertance)[102]와 컴플라이언스(compliance)로 구성되어 있다. 이 구성을 간단히 표시하면 다음과 같을 것이다.

Impedance = Resistance + Reactance
= Resistance + (Inertanace + compliance)

이제 레지스턴스, 이너턴스, 컴플라이언스가 각기 무엇을 의미하는

102) 이너턴스(inertance)는 관성(inertia)이라는 단어에서 유래한 용어로서, 관성적 저항이라고 이해하면 된다. 정지 혹은 움직이는 상태를 유지하려는 저항을 의미한다.

지 살펴보자.

레지스턴스는 가장 기본적인 임피던스이다. 자극과 반응 사이에 시간적 지연이나 선행이 없는 것을 의미한다. 즉, 신호가 도착하면서 바로 발생하는 임피던스를 뜻한다. 이 레지스턴스는 수학적으로 실수부이거나 상수로 표현되며, 상황의 변화와 상관없이 항상 일정한 값을 갖는다.

반면에 리액턴스reactance는 반응하다라는 영어단어인 react를 그 어원으로 가진다. 이 어원에서 알수 있듯이, 리액턴스는 고정된 값이 아니라 특정 상황에 맞게 값이 변화하는 특성을 가진다. 따라서 수학적으로는 허수부 혹은 삼각함수로서 표현된다.

리액턴스 중 이너턴스inertance는 관성을 의미하는 영어단어인 inertia가 그것의 어원이다. 즉 이너턴스를 다른말로 표현하면 관성적 저항이라고 말할 수도 있을 것이다. 이너턴스는 보통 양의 값을 가진다.

직관적인 이해를 위해 이너턴스는 뭔가 좀 뻑뻑하고 더딘 상태를 의미한다고 볼 수 있다. 일반적으로 그냥 공기보다는 물 같은 액체류가 보통 더 뻑뻑하고, 액체중에서도 점성이 높을수록 외부에서 가해지는 힘에 대한 반응성이 더뎌지게 되는데, 이것이 관성적인 반응을 의미한다. 즉 점도가 높은 액체를 건드렸을 때, 점도가 낮은 액체라면 바로 반응이 나타나지만 반대로 점도가 높은 액체는 그 힘의 전달과 반응이 한 템포 늦게 일어난다. 이때 그 액체는 이너턴스가 높은 상태라고 말할 수 있다. 이너턴스가 높은 유체는 원래의 상태를 유지하려는 성질이 있다. 즉 움직이지 않을 때 움직이게 하려면 더 많은 힘이 들고, 반대로 움직이기 시작하면 계속 움직이려는 특성을 보인다.

한편 컴플라이언스는 따르다, 순응하다라는 의미를 지닌 단어 comply를 어원으로 가진다. 이는 유체의 이동과 관련된 외부 입력값이 증폭되어 나타나는 형태가 된다. 즉 조금만 건드렸는데 이미 과하게 반응해서 더 많이 움직이거나, 더 움직임이 과하게 줄어들거나 하는 방식으로 나타난다.

일반적으로 공기의 밀도가 높을수록, 그 공기의 이너턴스가 높은 경향이 있으며, 반대로 공기가 성긴상태일수록 해당 공기의 컴플라이언스 값이 높은 경향이 있다.

나) 실제적 적용

위와 같은 각 임피던스 성분에 대한 이해를 가지게 되면 이너턴스는 저항 반응에 시간적 지연이 일어나게 되고, 반대로 컴플라이언스한 상태에서는 저항 반응에 시간적 선행이 일어난다는 것을 이해할 수 있다.

이를 바탕으로 성도에서의 공기가 이너티브inertive한 상태와 컴플라이언트compliant한 상태일 때 각각 어떻게 성대진동에 영향을 미치는지 살펴보자.

성도 입력부에서의 압력과 공기흐름을 그래프로 나타내면, 일반적인 **레지스턴스** 상황에서는 아래 그림과 같을 것이다. 그림에서 화살표로 표시하였듯이 입력된 에너지(압력)에 비해 흐름의 세기는 감소할 것이다. 한편 시간 축의 변화는 없다.

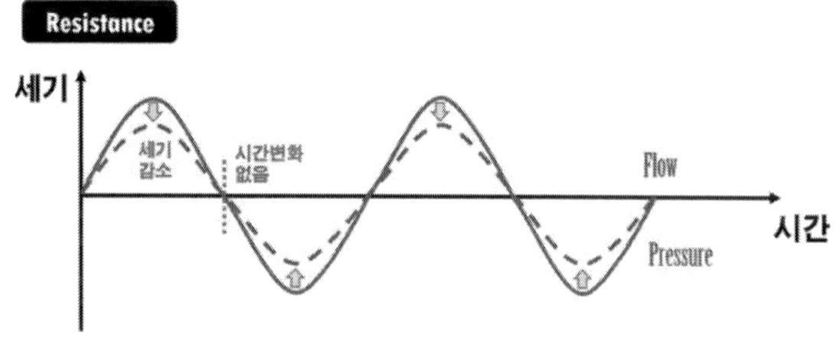

그림 63. 레지스티브 상황에서의 압력과 공기흐름 그래프

이제 **이너턴스**를 살펴보자. 이너턴스 그래프에서 보듯이, 이너턴스의 특성은 시간 축에서의 지연이 발생한다는 것이다. 그래프에서는 90

도의 지연이 발생한 것을 나타내었다. 한편, 이 그래프에서 성문의 열림과 닫힘의 국면을 이해하기 위해 표시하여 구분해 보면, 다음 그림과 같다.

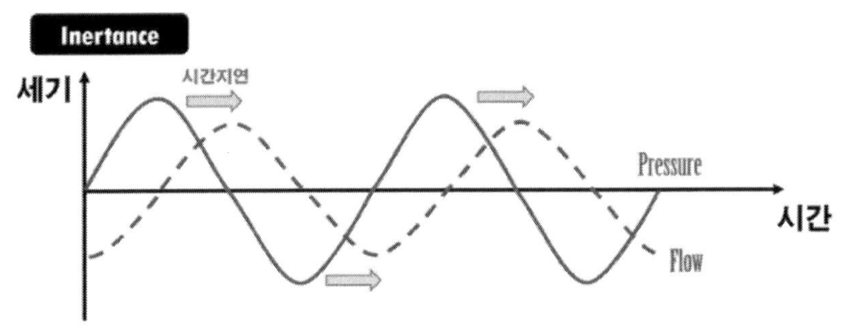

그림 64. 이너턴스 상황에서의 압력과 공기흐름 그래프

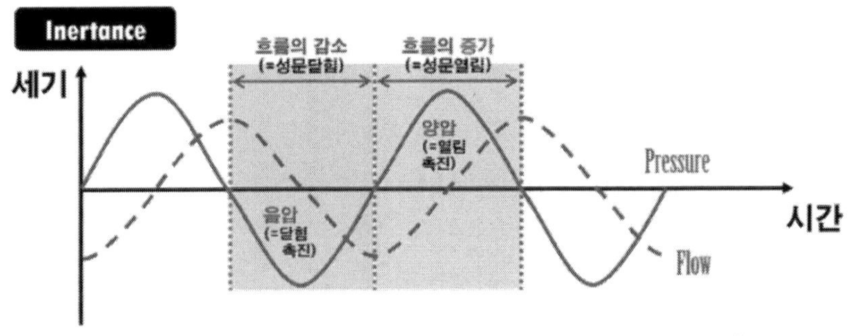

그림 65. 이너턴스 상황에서의 성문개폐에 미치는 효과

그림의 그래프에서 좌측표시 영역은 공기흐름을 나타낸 점선이 점차 감소하고 있는 부분이다. 흐름이 감소한다는 것은, 다시 말해, 성문이 닫히는 국면이라는 뜻이다. 그런데 해당 순간의 압력을 보면(실선), 세기가 음(-)의 값을 가지고 있음을 볼 수 있다. 성문에서의 입력이 음의 값이면, 성대주름(folds)은 서로 좁아지게 된다. 결국 폐쇄국면에서 압력이 성대의 폐쇄를 더 촉진하게 된다. 한편 성문 열림 국면에서는 압력이 양압을 형성하여 성문의 열림을 촉진한다.

즉, 이너티브한 상황에서는 압력이 성대의 진동(열림과 닫힘)을 도와주는 상황이라는 것을 이해할 수 있다. 결론적으로, **이너턴스는 성대의 진동을 도와준다.**

컴플라이언스는 이너턴스와 반대의 상황이라고 이해하면 쉽다. 컴플라이언스는, 신호(압력)에 따른 결과(흐름)이 선행하는 상황이다. 그것을 그래프로 나타내면 다음 그림과 같다.

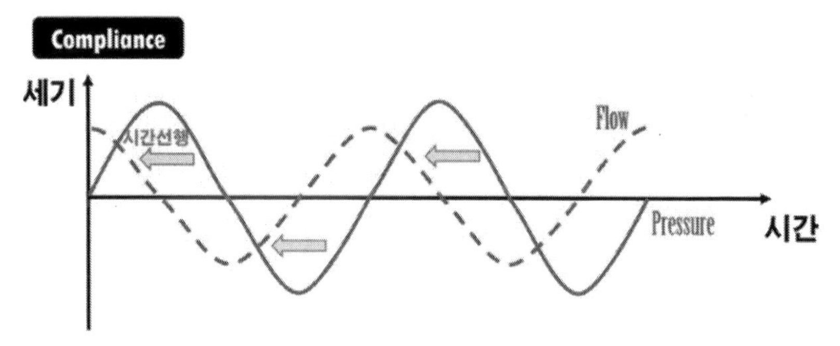

그림 66. 컴플라이언스 상황에서의 압력과 공기흐름 그래프

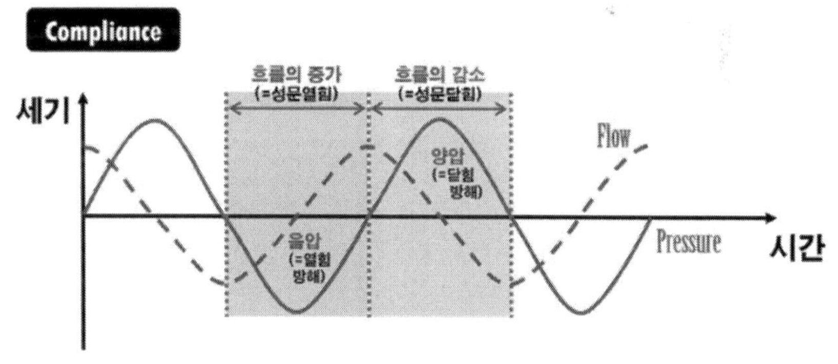

그림 67. 컴플라이언스 상황에서의 성문개폐에 미치는 효과

그리고 이 상황에서의 성문의 개폐 국면을 살펴보면, 위의 그래프와 같을 것이다. 앞의 이너턴스와 반대 상황인 것을 알 수 있는데, 이를 정리하면, **컴플라이언스는 성대진동을 방해한다.**

다) 정리 : 음향임피던스 개념이 중요한 이유

위에서 살펴보았듯이 이너턴스 성분은 성문의 개방과 폐쇄 둘 모두의 동작을 도와줘서 결국 성대진동의 자기유지에 중요한 도움이 되지만, 반면에 레지스턴스 성분은 항상 일정한 압력을 가지므로, 성문의 개방에는 도움을 줄 수 있으나, 반면에 성문의 폐쇄에는 오히려 방해가 된다. 즉 성대진동의 자기유지에 도움이 된다고 말하기 힘든 것이다.

이 리액턴스 성분은 유체의 관성에 의해서 발생하며, 정적인 레지스턴스 성분과 달리 훨씬 다이나믹한 성질을 가졌다. 임피던스 방정식에서 실수부에 해당하는 레지스턴스는 그냥 일정한 압력을 시관과 무관하게 지속적으로 유지하는 것을 의미하지만, 리액턴스 성분은 시간에 따라 다이나믹하게 음압이 변화하고, 이것은 임피던스 방정식에서 허수부로 나타난다. 목소리는 주기를 가진 교류신호이다.

결국 우리는 여기서도 발성에 있어서 중요한 교훈 중 하나인 '단편적이고 분절적인 사고를 경계할 것'을 볼 수 있다. 즉 압력을 생각할 때, 우리는 그것을 어떤 정적인 대상으로 간주하지 말고, 상황에 따라 다이나믹하게 변하는 개념으로서 인식해야 한다.

물론 실제적인 측면에서는 그저 압력의 단순한 크기라는 개념을 가져도 문제가 없다. 하지만 조금 더 깊은 이해를 필요로 하는 상황(예를 들어 압력에 따른 성대 행태의 예측 등)에서는 이 음향임피던스에 대한 분명한 개념이 필수적이다.

한편 연구실이 아닌 가창지도 현장에서는 그냥 각 리액턴스 성분의 특성 정도만 간단히 알고, 그러한 상황을 조성하여 성대의 자기진동 유지능력을 확보하는데 해당 내용을 활용하면 되겠다. 일반적으로, 이너턴스는 호흡압과 비례하며 컴플라이언스는 호흡압과 반비례한다. 보다 정확히 말하자면, 이너턴스는 이동예정인 공간의 공기흐름 유동성이 낮을 때, 반대로 컴플라이언스는 유동성이 높을 때 발생한다. 다시 말해 이너티브 한 상황은, 공기흐름의 나중 쪽의 공기가 빽빽한 상태, 컴플라이언트 한 상황은, 공기흐름의 나중 쪽의 공기가 성긴 상태라고 보면 되겠다.

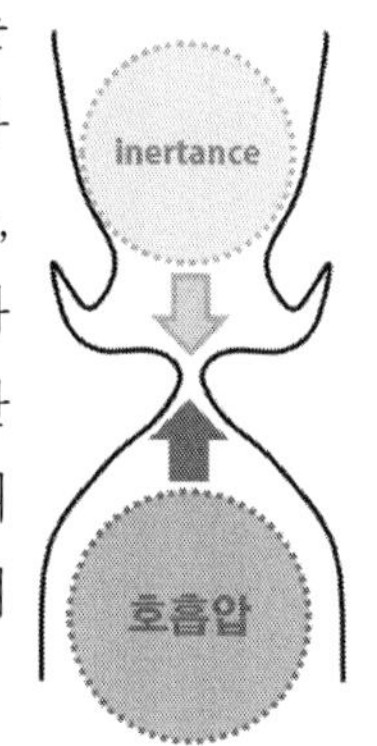

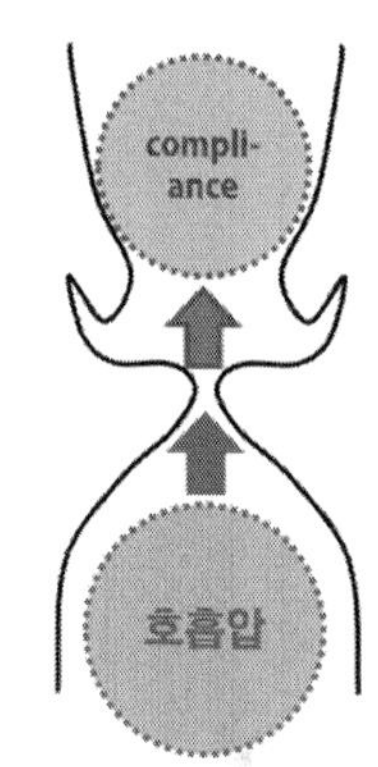

그림 68. 이너턴스와 컴플라이언스의 모식도

티체에 따르면[103] 발성에 있어서 가장 좋은 상태는 성문 위쪽이 이너티브(inertive)하면서 성문 아래쪽이 컴플라이언트(compliant)한 상황이며, 반면에 최악의 경우는 성문 위쪽이 컴플라이언트하면서 성문 아래쪽이 이너티브한 상황이므로, 결국 교사와 학생은 이에 맞게 발성기관을 조절하면 되겠다. 이를 활용한 대표적인 훈련들이 앞에서 언급한 반폐쇄성도훈련(SOVTE)이다.

103) Ingo R. Titze, "What Makes A Voice Acoustically Strong?", Journal of Singing, Sep/Oct 2004 Vol 61, No.1, p.63-64

3. 호흡(Breath)

가. 호흡에 대한 개요

1) 호흡의 정의와 범위

호흡에 대한 세부내용을 살펴보기에 앞서, 먼저 우리가 살펴볼 '호흡'이란 무엇인지 그 정의와 범위를 분명히 할 필요가 있겠다.

호흡을 나타내는 단어는 두 가지가 있다. 그것은 'respiration'과 'breath'이다. 이중 전자는 1차적으로 숨을 쉬는 동작을 뜻하지만, 생물학적으로는 산소를 이용해 에너지를 합성하는 것을 뜻하며, 내호흡과 외호흡으로 나뉜다. 여기서 내호흡은 세포에서 일어나는 생화학적 반응이고, 외호흡은 들숨과 날숨 그리고 산소와 이산화탄소의 교환을 뜻한다. 그에 반해 후자인 'breath'는 '허파로 들어가거나 나오는 공기' 혹은 '허파로부터의 들숨과 날숨'을 의미[104]한다.

이 중 가창에 있어서 호흡이라고 함은 당연히 후자 'breath'를 뜻하는데, 그것의 의미 중 '공기'와 '동작' 둘 모두를 포함한다. 즉 우리가 말하고 또 학계에서 사용되는 '가창에서의 호흡'이란, 기본적으로 숨을 들이마시고 내쉬는 행위를 뜻하며, 그 뿐 아니라 공기 그리고 그것의 압력과 관련된 내용도 포함되어 있다.

실제 호흡과 관련된 연구와 이론은 기본적인 들숨과 날숨동작에 관여하는 구조적-생리학적 특성은 물론, 성문하압(subglottal pressure), 성문상압(supraglottal pressure), 성문내압(intraglottal pressure) 등과 같이 각 부위에서의 공기압과 그 변화에 따른 성대진동의 효율성 등을 연구한다. 한편 이 공기의 압력은 필연적으로 음향적 특성(임피던스

---

104) 「Oxford English Dictionary」, "respiration", "breath"

등), 즉 공명과 직접적인 관계를 가지게 된다.

2) 호흡과 관련한 논란

호흡은 발성과 관련하여 가장 논란적인 주제이다. 왜냐하면 성구와 공명에 있어서는 실제적으로 관측 가능한 객관적인 사실이 존재하고, 또 이견도 아주 큰 입장차를 보이지는 않는데 반해, 호흡은 서로 상반되는 의견의 입장이 근본적인 시작에서부터 차이점을 보이기 때문이다. 게다가 호흡의 경우에는 호흡이 발성에 어떻게 영향을 미치는지에 대한 관측 가능하고 명백한 증거가 그렇게 많이 존재하지 않는다.

예를 들어 성구와 관련해서는 아예 성구가 존재하지 않는다고 말하는 사람들은 매우 극소수이다. 대부분의 교사와 학자들은 성구의 존재에 대해 인정하며, 또한 그것 간의 원활한 전환(transition)이 성구와 관련한 핵심적인 테크닉이라고 말한다. 그에 반해 호흡은 그것이 가창의 전부라고 말하는 '호흡 만능론자'도 무척 많이 존재하고, 한편 호흡과 관련해서는 특별한 테크닉이 필요하지 않다라고 주장하는 '호흡 무용론자[105]'또한 적지 않다.

이 호흡과 관련된 두 가지 극명한 대립은 거슬러 올라가면, 하나는 18세기의 유명한 카스트라토인 파치아로티(Gasparo Pacchiarotti)의 말, "호흡과 발음하는 방법을 잘 아는 사람은 노래 잘하는 방법을 안다[106]"로 나타나고, 반대 입장은 "네가 숨쉬는 법을 몰랐다면 벌써 무덤에 있었을 것이다"라는 치릴로(Vincenzio Cirillo)가 학생에게 주었던 대답에 나타난다[107]. 전자는 호흡 만능론자, 후자는 호흡 무용론자의 입

---

105) 필자 주 : 사실 필자가 이름붙인 '무용론자'라는 명칭은 좀 과한 측면이 있다. 글을 쓰는 입장에서 '호흡 만능론자'라는 명칭의 대척점에 있을 만한 어휘가 필요해서 그렇게 명명하였다. 굳이 정확히 이름을 붙이자면, '호흡 만능론 반대자' 정도라고 할 수 있겠다.

106) Philip A. Duey, [Bel Canto in its Golden Age(1951)], King's Crown Press.

장이라 할 수 있다.

19세기 람페르티 계열의 가르침이 확립되어 전파된 이후, 20세기에 들어서서 현대의 발성법에서는 '호흡 만능론'의 입장이 전반적으로 우세하였고 현재도 대부분의 교사와 학자들은 호흡의 중요성을 무척이나 강조하고 있다. 하지만 반면에 20세기 들어 센세이셔널한 충격을 가져온 리드, 세스릭스, 조 에스틸 등은 모두 호흡에 절대적인 권위를 부여하지 않는 입장이다. 그들은 윗 가슴이 들려서 발성기관에 불필요한 긴장을 부과하는 등의 상황만 아니라면, 그저 편하게 호흡을 들이마시고 내쉴 것만을 권장하고 있다.

과연 누구의 말이 옳은 것인가? 그리고 왜 이렇게 서로 간에 극명한 입장차이를 보이고 있는가?

3) 호흡 만능론자 vs. 호흡 무용론자

필자가 이름 붙인 '호흡 만능론자'들은 가창과 관련된 모든 것을 호흡과 결부시키는 경향이 있다. 이런 경향은 가창교수법의 역사를 무척 자세하게 기술하고 있는 스탁스(James Starks)의 책에서 잘 드러나는데, 그는 자신의 저서에서 호흡 테크닉인 '아포지오(appoggio)'에는 단순한 날숨과 들숨 뿐 아니라, '성문저항의 메커니즘, 어택(onset), 성구, 자기수용 피드백(proprioceptive feedback), 이산화탄소 내성(CO_2 tolerance), 후두의 수직 포지션, 톤 음질, 비브라토, 표현 그리고 호흡조절과 관련된 모든 것'이 포함되어야 한다고 주장[108]한다.

스탁스가 말한 '아포지오(appoggio)'는 호흡과 관련된 용어 중 가장 대표적인 것으로서, 람페르티(Francesco Lamperti)가 소개[109]한 내

---

107) Carl Preetorius, [The Tone Placed and Developed(1907)]

108) James Starks, 「Bel Canto: A History of Vocal Pedagogy(2003)」, University of Toronto Press, Scholarly Publishing Division, page.92

용이다. 이 단어는 '지지하다(support)' 혹은 '기대다(lean)'라는 뜻의 이태리어이다. 이 단어가 가창에 사용될 때는 '호흡에 기댄다'라는 의미로 널리 사용된다.

이 아포지오가 '호흡 만능론자'들에게서 가지는 지위는 매우 특별하다. 위의 스탁스와 같은 표현은 물론이고, Martienssen-Lohmann은 이 아포지오를 독일어 '간츠하이트(ganzheit)'라고 표현하였는데, 이것은 영어로 '전체(wholeness, unity)'를 뜻하는 것으로서, '가창의 매우 특별한 방식을 이끌어내는 코디네이션 신체 조절의 토탈 시스템'이라고 설명[110]했다. 간단히 말해, 그들의 관점에서 호흡이란 가창을 이루는 요소들 전체의 코디네이션, 즉 가창 그 자체를 의미하는 것이다.

이 아포지오와 관련된 핵심 키워드 몇 가지를 추리면 다음과 같을 것이다: ①호흡에 지지(support), ②호흡과 접촉(contact), ③목소리 투쟁(vocal struggle, *lotta vocale*) 등.

이 관점의 논리를 간단히(다소 작위적으로) 말하면 다음과 같다: *가창에 있어서 호흡압력(특별히 성문하압)을 일정하게 유지하는 것은 매우 중요한데, 이것은 기본적으로 날숨근육과 들숨근육에 의해서 조절되지만, 단순히 그뿐 아니라 성문에서의 저항이 중요하다. 한편 성문저항은 후두 메커니즘과 성도에 크게 영향을 받게 되므로 결국 호흡에 기대는 아포지오는 단순히 들숨근육과 날숨근육 뿐 아니라 후두(성도)와 성도조절 메커니즘 모두를 포함하는 것이다.*

이 관점은 무척이나 옳다고 필자는 생각한다. 가창의 각 요소들은 그 어느 하나도 독립적으로만 기능하는 것이 없으며, 결국 가창이란 모든 요소들을 하나로 엮어내는 코디네이션 동작이다. 이런 통합성

---

109) Francesco Lamperti, 「A Treatise on the Art of Singing(1877)」

110) Franziska Martienssen-Lohmann, 「Der Wissenden Sänger: Gesangslexikon in Skizzen(1993)」, Zurich: Atlantis Musikbuch-Verlag. [First published in 1956.]

(totality)를 표현한다는 측면에서 위와 같은 논리전개는 무척이나 합당하다. 실제로 많은 연구들이 결국 호흡(공기)의 압력에 초점으로 두고 이루어졌다.

그러나 그런 내용들 모두를 과연 '아포지오'라고 명명하는 것이 옳은 것인가에 대해서라면 필자는 매우 부정적이다. 호흡에게 그런 불가침의 지위를 부여하는 것은 불합리한 결정이라고 필자는 생각한다.

한편 '호흡 무용론자'들은 기존의 호흡 만능론적 사고를 무척이나 경계한다. 그런 맥락에서 호흡은 그저 편하게 들이마시고 내쉬기만 하면 된다고 주장하며, 호흡에 대해 특별한 지도가 필요하지 않으며 더욱 중요한 것은 후두와 공명강의 조절이라고 말한다. 그들은 후두와 공명강의 정확한 동작 없이는 호흡이 아무런 의미가 없다고 주장한다.

그럼 누구의 말이 맞는 것인가? 필자는 양쪽의 입장 모두 합당한 이유를 가지고 있고, 일정부분 옳은 이야기를 하고 있다고 생각한다. 사실 앞에서 필자가 작위적으로 호흡 만능론자의 논리를 기술하였듯이, 호흡을 중요시 하는 입장에서는 성구조절과 공명강의 조절을 도외시 하지 않는다. 오히려 아포지오의 핵심에 해당 내용을 상정해 놓고 있다.

다만 문제가 되는 것은, 호흡을 중시하는 입장이든지 혹은 반대의 입장이든지 간에, 가창 전체의 통합성이라는 맥락에서 '정밀한 조절'을 중요시하지 않고 (혹은 그것에 대해 무지한 상태로), 그저 단편적이고 표면적인 내용을 가르치고 훈련하는 것이다.

예를 들어 문제가 되는 호흡 훈련은, 그저 단숨히 들숨과 날숨을 반복하는 것, 아니면 폐활량을 키우는 훈련을 하는 것, 들숨과 날숨 근육을 강화시키는 것 등이다. 이것들은 호흡능력을 강화시킬지는 모르겠으나, 가창에 있어서의 긍정적인 효과는 극히 미미하다. 반면에 후두조절 및 공명조절과 관련된 잘못된 훈련은, 성대 내전근의 근력을 강화시킨다던지, 후두를 강제로 내린다던지, 연구개를 들어 올린다던지 등의 직접적인 조절을 시도하는 것이다. 이것은 사실 불수의적인 기관에 수의적인 조절을 시도한다는 점에서 더 큰 문제를 가지고 있으며, 가창의 통합성 맥락을 유지한 채 시도될 수는 있으나, 그 경우에는 반드시 가창자의 자기인식과 함께 지도가 이루어져야만 한다.

이런 잘못들과 달리, 호흡 훈련은 반드시 발성(성대진동과 공명조절)의 관계성 안에서 훈련되어야 한다. 왜냐하면, 성문하압(그리고 성문상압)의 조절은 단순히 호흡근육으로만 조절이 되는 것이 아니기 때문이다. 이 조절은 스탁스가 이야기하였듯이, 성구, 성대접촉, 자기수용적 감각 등 결국 가창 전체의 통합성에서 조절이 된다. 그리고 그렇기 때문에 가창에서의 호흡은 초심자보다 가창에 능숙한 사람일수록 더 예민하게 느껴지며, 그 이유로 고급자가 더 많은 호흡훈련의 성과를 거둘 수 있다.

이를 무시한 채 무작정 초심자에게 호흡훈련을 시킨들, 크게 효과를 보기 어렵다. 누군가는 초심자에게 호흡훈련을 시키니 도움이 되었다고 주장할지 모르겠으나, 그것은 초심자가 가창행위 자체에 익숙해지는 것과, 그리고 모음을 순화시킴으로써 얻는 결과라고 봐야지, 호흡훈련으로 인한 결과라고 보기 어렵다. 게다가 그런 접근법으로는 수년이 지나도 가창실력을 향상시키기 힘들며, 특히나 그 중에서도 음역의 문제는 성구에 대한 접근 없이는 결코 해결할 수 없다. 호흡에 대한 몰이해는 불충분한 톤이라는 결과에만 그치지만, 반면에 성구에 대한 몰이해는 목소리의 파괴를 가져온다.

개인적으로는 이 두 가지 입장에서 한 진영 쪽에 더 가까운 견해를 분명히 가지고 있지만, 이 문제에 대한 옳고 그름을 판별하는 것은 필자의 능력 밖 문제라고 생각한다. 필자는 이 문제에 대해 책임을 회피할 수 밖에 없다. 따라서 이 책에서는 그런 논증을 최대한 자제하도록 하겠다. 필자는 그저 다만 **'도움이 되는 것'을 중심으로 나열함으로**

써 독자에게 실제적인 도움이 될 수 있도록 하려고 한다. 독자들께서는 필자의 의견에 동의하든지 그렇지 않든지 간에 능동적으로 본인에게 도움이 되는 내용들을 취사선택하여 주시기를 바란다.

나. 호흡의 유용성과 활용

1) 들숨의 자세

이 '들숨의 자세(gesture of inhalation)'란 이탈리아 가창의 오래된 격언으로서, 프란체스코 람페르티(Francesco Lamperti)가 "*inhalare la voce*"라고 소개[111]한 이래 20세기의 리차드 밀러(Ricahrd Miller)[112]에 이르기까지 현재까지도 호흡과 관련해서 널리 활용되는 표현 중 하나이다.

좋은 들숨은 가창에 적합한 자세를 만든다. 이 자세는 외관상으로는 람페르티가 쉽게 설명하였듯이 '군인과 같이 당당한 자세'를 뜻하는데, 위로 치켜 올려진 고개와 당겨진 턱, 활짝 펴진 가슴 등을 말한다. 한편 보이지 않는 측면에서는 신체기관의 확장과 열림을 가져오는데, 이는 목구멍을 열어주고, 후두를 약간 내리게 한다. 반면에 날숨동작은 반대의 작용을 가져온다. 날숨은 목구멍을 좁

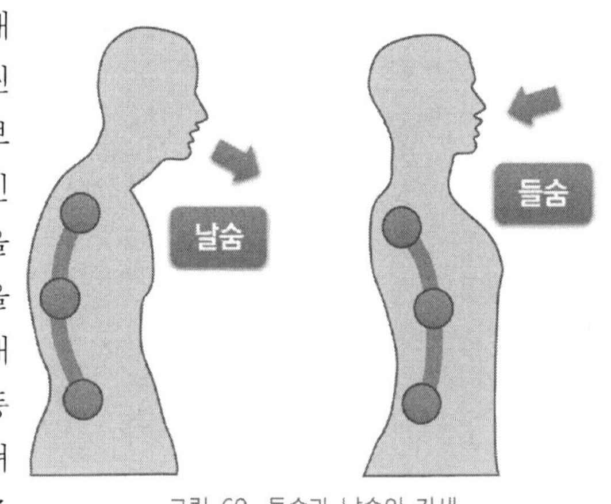

그림 69. 들숨과 날숨의 자세

111) Francesco Lamperti, 「A Treatise on the Art of Singing(1877)」
112) Ricahrd Miller, 「The Structure of Singing(1986)」,

게 하고, 후두를 상승시키는 경향이 있다. 일반적으로 이 자세는 가창에 부적합하다.

호흡을 이용해 가창에 적합한 자세를 만드는 것은, 단순히 눈에 보이는 외양만 고치는데 그치지 않는다는 데서 그 탁월함을 보인다. 가창자는 단순히 척추를 곧추세우고 정면을 올바르게 응시하는 등, 그저 자세를 바르게 함으로써 소리가 훨씬 좋아지게 할 수 있다[113]. 하지만 좋은 들숨은 그런 겉모습 뿐 아니라 후두와 성도를 비롯한 발성기관 전반의 자세를 올바르게 잡아준다.

이 들숨과 날숨이 가창자세에 미치는 영향을 알아보는 방법은 간단하다. 소리를 깊게 들이쉰 다음에 한 노트를 길게, 호흡이 다하기까지 소리를 뽑아내어 보라. 아마 호흡을 깊게 들이마신 상태, 즉 들숨이 우세한 상태를 살펴보면, 후두가 내려가고 목이 열린 상태임을 알 수 있을 것이다. 반면에 점차 호흡이 다 떨어져가면, 즉 날숨이 우세한 상태가 되면 목구멍이 조이고 후두가 위로 올라붙는 것을 볼 수 있다.

가창자는 프레이즈의 시작 전에 좋은 들숨을 통해 가창에 적합한 세팅을 확보할 수 있다. 그리고 프레이즈가 진행되면서 저절로 날숨이

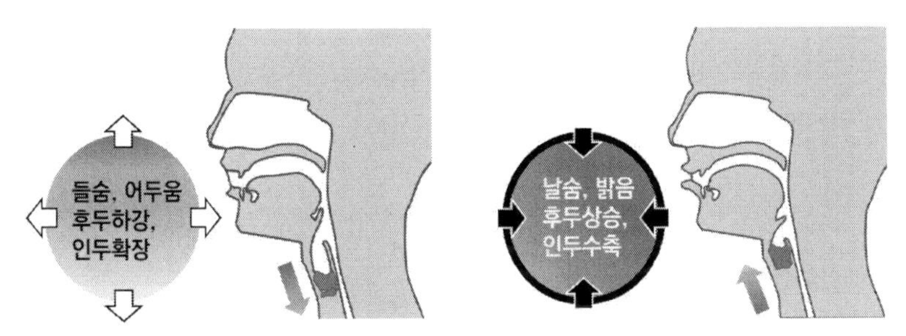

그림 70. 들숨과 날숨이 후두와 인두에 미치는 영향

---

113) 필자 주 : 실제로 가창자는 약간 뒤로 기대는 듯한 자세를 취하기만 해도 호흡에 기대는 것, 즉 아포지오를 어느 정도 성취할 수 있다.

우세해져서 목구멍이 점차 조이고 후두가 올라갈 것인데, 가창자는 이 때 다시 좋은 들숨을 통해 발성세팅을 새롭게(refresh)할 수 있다.

한편 어택의 순간에 불필요한 날숨이 개입해서 목을 조이지 않도록 하는 것이 중요하다. 들숨이 이루어지면서 목이 열리는데, 그 최대한의 열림 순간에 성대진동이 시작되어야지, 이미 날숨이 이루어지고 난 다음 날숨의 중간에서 어택이 시작되면, 목구멍은 이미 어느 정도 닫힌 상태이다. 이것은 이탈리아 전통에서 "호흡은 댐으로 막혀야 한다(the breath be dammed)"라고 표현되는 내용이다.

이런 내용은 또한 가르시아의 '쿠페 데 라 글로테(coup de la glotte)'와 관련이 있다고 볼 수 있다. 스탁스에 따르면 '쿠페 데 라 글로테'의 핵심은 굳건한 성대 닫힘과 관련이 깊은데, 이것은 어택의 순간에 성문이 벌어지지 않고 굳건히 닫히게 함(특별히 피열연골 쪽의 성문)으로써, 오페라 가창에 적합한 톤을 생성하는데 필수적이라고 한다[114].

이상의 내용들은 호흡이 발성자세의 세팅에 영향을 주기 때문에 발생하는 효과들이다. 즉 올바른 자세가 가창에 중요한 이유와도 직결되어 있다. 하지만 한편으로는, 이것이 목소리에 직접적으로는 영향을 주지 않는다는 것을 교사와 학생은 알아야만 한다. 미숙한 가수가 좋은 들숨의 자세로 부르는 노래보다는 뛰어난 가수가 누워서 부르는 노래가 훨씬 아름답기 마련이다.

2) 들숨과 날숨의 균형(아포지오)

들숨과 날숨은 발성세팅과 관련이 있고, 특별히 공명조절과 더욱

114) James Starks, 「Bel Canto: A History of Vocal Pedagogy(2003)」, University of Toronto Press, Scholarly Publishing Division, page.92

직결된다. 가창자는 이 들숨과 날숨의 균형을 가창전반에 걸쳐 적절하게 유지할 필요가 있다.

과한 날숨은 목구멍을 조이고 과한 성대접촉을 유발할 것이고, 반면에 과한 들숨은 오히려 지나치게 먹먹한 소리, 부족한 성대접촉의 원인이 될 수 있다. 소위 멜로끼(Melocchi) 스타일[115]을 추구하는 드라마티코 테너들이 목을 과하게 열어서 결국 스퀼로(squillo)를 잃어버리는 경우가 그것의 대표적인 예다. 성대접촉을 잃으면 목소리는 필연적으로 망가진다.

가창은 결국 평형(equilibrium)상태라고 불리는 밸런스에 대한 문제이며, 이것은 호흡과 공명에 있어서도 마찬가지다. 다만 인간의 본성은 더 큰 목소리를 위해 넓은 목구멍보다는 좁은 목구멍의 외치는 소리(yelling, 음향적으로는 높은 F1 상태)에 더 익숙한데, 이것은 날숨과 관련이 깊다. 따라서 초심자일수록 보통은 날숨이 과한 상태의 발성세팅인 경우가 많으며, 결국 들숨에 힘을 실어주는 훈련법이 더 유용하다.

결론적으로, 가창자는 이 들숨과 날숨의 균형을 가창이 이루어지는 동안 항상 유지할 필요가 있다. 위에서 언급하였듯이 우선은 프레이즈의 앞에서 좋은 들숨으로 가창에 적합한 '들숨의 자세(gesture of inhalation)'을 확보하고, 어택의 순간에 불필요한 날숨(목구멍의 조임)이 개입하지 않아야 한다. 그리고 프레이즈가 연주되는 동안 날숨이 우세해지면서 가창자의 목구멍이 조이기 시작할 것인데, 가창자는 날숨의 경향에 반대로 버틸 수 있어야 한다. 즉 가창이 이루어지는 동안 항상 좋은 밸런스의 열린 목구멍(open throat)을 유지할 수 있어야 한다는 것이다.

---

115) 필자 주 : '빛나는 트럼펫'이라는 별명을 가진 드라마티코 테너, 델 모나코(Mario del Monaco)의 스승인 멜로끼(Arturo Melocchi)의 이름을 붙인 명칭. 일반적으로 델 모나코, 코렐리(Franco Corelli)와 같이 힘차고 우렁찬 스타일의 가창을 말한다.

이와 같이 가창자가 날숨에 무너지지 않고 '들숨의 자세'를 유지하기 위한 노력은, 람페르티에 의해 "목소리 투쟁(vocal struggle)"이라고 불렸으며, 이탈리아어로는 '로타 보칼레(lotta vocale)'라고 한다. 그리고 과한 날숨을 억제하기 위해 들숨 시에 하강한 '횡격막이 올라오지 않도록 버틴다'라고 묘사되었으며, 들숨과 날숨의 균형에 대해 '절반의 호흡으로 노래한다', '소리를 머금다'라는 격언으로 표현되기도 하였다.

더불어 이런 내용들은 음향학적-생리학적으로도 일리가 있는 말이다. 아포지오는 들숨과 날숨의 균형을 통해, 성문하압(subglottal pressure)을 낮춤과 동시에 성도의 이너턴스(inertance)를 상승시키고, 임피던스 매칭(impedance matching)을 이루며, 동시에 성대의 PTP(phonation threshold pressure)값을 낮추어 결국 성대진동의 효율성이 높아지도록 한다.

이렇듯 아포지오는 기본적으로는 목소리 투쟁과 직결되어 있다. 즉 들숨과 날숨의 균형을 유지하는 것이다.

하지만 아포지오는 단순한 들숨과 날숨의 균형 이상의 의미를 총칭하여 사용되곤 한다. 그것은 앞에서 언급하였듯이, 일정한 호흡압력과 관계되어 성문의 저항을 포함하기 때문이다. 아포지오에 있어서 핵심적인 내용은 '호흡(breath)-성대진동(phonation)-공명(resonance)-조음(articulation)' 관계 사이의 긴밀한 연결과 협동성에 있다고 보아야 한다.

결국, 좋은 아포지오란 후두 내의 적절한 근육의 긴장까지 포함한다. 또한 그것을 일정하게 유지하기 위해서, 호흡압을 감지하는 자기수용 감각을 통한 피드백 메커니즘까지 포함되어야 한다.

사실 이러한 관점에서는 가창행위 자체를 아포지오라는 개념에 포함시켜 버리는 것이다, 그러나 우리는 호흡을 바라볼 때 다른 요소와 혼동하지 않도록 주의를 기울일 필요가 있다. 어떤 현상을 바라볼 때 그것이 순수하게 호흡에 의한 것인지, 아니면 성구나 공명 등 다른 요소와 연결된 것인지, 기준을 다소 엄격히 둬서 내용을 세심하게 따져보아야 한다.

결국 정리하자면, 아포지오는 "성대의 적절한 닫힘과 그것에 힘을 제공하는 호흡과의 상호관계, 그리고 거기서 느껴지는 '기대는 듯한' 감각"이라고 볼 수 있다.

이것이 이루어질 때, 우선은 목소리 톤이 꽉 차게 된다. 그리고 가창 행위 전반이 평형상태(equilibrium)에 도달하며, 노력 없이도(effortless) 소리가 저절로 흘러나가는 듯한 감각을 느끼게 된다. 또한 이 상태에서 목소리는 필요한 활성준위(活性準位, activity level)를 완전히 충족시킨 것과 같아서, 각 노트 간 이동이 별 힘을 들이지 않더라도 미끄러지듯이 이루어질 수 있다. 즉 온전한 레가토(legato)가 성취되는 것인데, 그러한 맥락에서 아포지오가 '소스테누토(sostenuto)'라는 동의어를 가진 것은 참 흥미로운 일이다[116].

3) 호흡이 공명조절과 성구조절에 미치는 영향

그리고 이 아포지오는 또한 목소리 톤의 컬러와 직결된다. 생각해보면 당연한 것인데, 위에서 언급하였듯이 들숨과 날숨은 후두 포지션과 성도에 직접적인 영향을 미친다. 결국 날숨은 후두를 상승시키고 목구멍을 좁게 만들어서 목소리 톤을 밝게 만들고, 반면에 들숨은 후두를 하강시키고 목구멍을 넓혀서 목소리 톤을 어둡게 만든다. 결국 이 밝음과 어두움은 공명조절의 이상인 키아로스쿠로 공명균형과 직결된다. 이

116) 필자 주 : 이탈리아어 '소스테누토(sostenuto)'의 동사형인 '소스테니에르(sostenere)'는 '지지하다(support)'라는 뜻을 가지고 있으며, 이는 '아포지오(appoggio)'의 뜻과 일맥상통한다. 또한 피아노의 중앙 페달을 소스테누토 페달이라고 하는데, 아포지오 된 상태의 목소리는 마치 소스테누토 페달을 밟았을 때의 피아노 소리와 유사하게 음의 지속과 유려한 레가토로 나타난다.

때문에 전통적으로 호흡과 공명은 서로 불가분의 관계로 다루어져 왔다.

한편 이것은 성구조절과도 관련이 있다. 좁은 목구멍은 성대접촉을 향상시키고, 반면에 넓은 목구멍은 성대접촉을 억제시킨다. 즉 날숨은 흉성을 더 개입시키고, 들숨은 팔세토를 더 개입시킨다.

이것이 발성의 3요소, 즉 성구, 공명, 호흡이 어떻게 연관되어 있는지를 잘 나타내주는 예시이다. 이와 관련된 내용은 후에 조금 더 자세히 고민해 보도록 하자.

이런 특성은 특별히 가창자의 불필요한 긴장을 우회하는데 도움이 된다. 발성(성대의 진동)은 우선 성문이 닫혀야 하므로, 애초에 호흡관을 '닫는' 동작이다. 이 때 호흡관을 '닫는' 동작은 피열근(내전근)에 의해 이루어진다. 그에 반해 호흡행위는 호흡관을 '여는' 동작이므로, 피열근을 무력화시키는데 도움이 된다. 결론적으로 발성에 있어서 호흡을 이용하는 것은 목소리에서 팔세토의 비율이 높아지도록 한다. 그리고 성대의 길이는 호흡 시 성문이 열린 상태에서 가장 길어지는데, 이것은 팔세토의 핵심인 성대를 잡아당기는 CT근의 방향성과도 부합한다.

그리고 또한 '호흡을 이용하는 것'은 가창훈련의 주요 목적인 '인간의 본성을 거스르는 것'과도 긴밀한 연관을 가진다. 앞에서 부분부분 언급하였듯이, 기본적으로 발성은 인간의 본래적 기능이 아니다. 그리고 또한 사람의 목소리는 가창에서 필요한 넓은 음역대신에 좁은 음역에서의 큰 소리가 중심이므로, 이는 생리학적으로는 흉성(=최대한의 성대접촉) 지배적인 상태, 그리고 음향학적으로는 F1-H2 결합상태이다. 하지만 가창은 오히려 CT근의 적극적인 개입(=적절한 성대접촉), 그리고 F1-H1 결합 중심의 발성을 필요로 한다. 결국 인간의 본성을 거슬러야 한다는 것이다.

이러한 측면에서 호흡은 성대접촉(=성구비율)의 균형을 맞추는데 큰 도움이 된다 (주로 흉성이 과한 경우). 이것을 실천적으로 말하자면, 일반적으로 가창자가 가진 개념, '목으로 소리를 낸다'를 우회(bypass)하는데 '호흡으로 소리를 낸다'라는 개념이 도움이 될 수 있다는 것이다.

이것의 적용은, 우선 어택의 순간에 약간의 숨소리를 섞는 'H-어택(H-attack)'으로 흉성의 과도한 개입(=과한 성대접촉)을 막을 수 있다는 것과, 또한 소리를 유지하면서도 호흡이 떨어지면서 성대접촉이 과해지는 상태를 억누르는데(=팔세토의 비율을 유지하는데) 도움이 된다는 것이 대표적인 것들이다. 특히 남성가창자의 고음에서 과한 성대접촉과 목구멍의 조임으로 어려움을 겪는 경우 이러한 접근('호흡으로 소리내라'라고 지시하는 것)이 더욱 유효하다.

특히 이를 이해하기 위해 호흡이 가창 메소드의 정 중앙에 자리잡기 전 시절의 교사들(pedagogues)이 팔세토를 하나의 테크닉으로 간주하였다는 것에 우리는 주목해 볼 수 있다.[117] 이 관점은 현재 우리가 호흡 테크닉이라고 부르는 내용들과 상당히 흡사하다.

하지만 성구조절 밸런스를 맞추기 위해 호흡을 사용할 때, 반드시 조심해야 할 것은 호흡에 앞서 먼저 가창자의 성구조절 상태가 고려되어야 한다는 점이다. 이것은 가창자의 성구조절 상태가 흉성 지배적일 때(=과한 성대접촉 경향을 가질 때) 유용한 것이다. 그 반대의 경우인 성대접촉이 제대로 이루어지지 않을 때(특히 목소리가 약한 여성가창자)에는 오히려 위의 접근방식이 악영향을 끼칠 수도 있다. 그 경우에는 반대로 어택의 순간에 호흡이 전혀 섞이지 않도록 해서 성문이 벌어지지 않도록 해야 한다. 이것은 앞에서도 말한 가르시아의 '쿠페 데 라

117) Pier Francesco Tosi, [Observations on the Florid Song(1743)]; Giambattista Mancini, [Practical Reflections on the Figurative Art of Singing(1774)]; Isaac Nathan, [Musurgia Vocalis(1836)] 등

글로테(coup de la glotte)'에 대한 내용이다.

결국 가창 시 호흡을 사용한다는 개념은 두 가지 목적을 원활히 성취하기 위한 것이다. 첫째는 성구조절(과한 흉성의 억제)이고 또 다른 하나는 공명조절(성도 모양의 적절한 형성)이다. 이는 결국 발성의 3요소가 얼마나 긴밀히 연관되어 있는지를 아주 잘 보여주는 예시이며, 특히 호흡에 있어서는 독립성보다는 관련(의존)성이 더욱 중요함을 뜻한다. 여기서 대체적으로 남성은 성구조절에서 더 큰 효용을 얻으며 반면에 여성은 공명조절에서 더 큰 효용을 얻는다.

이것은 기본적으로 여성의 후두가 남성 대비 70%의 사이즈이기 때문인데, 이는 결국 *"여성이 음역대가 남성대비 한 옥타브 높다 → 성구조절에서는 여성은 팔세토, 남성은 흉성 지배적인 상태이다 → 공명조절에 있어서 여성은 (기본주파수가 높아) 배음의 개수가 적으므로 남성 대비 공명조절이 더 어렵고 미세한 조절을 필요로 한다"*라는 연쇄적인 결론을 도출하게 된다.

한편 앞의 내용과 반대로, 호흡은 성대접촉을 늘리는데도 유용하다. 이 현상은 특별히 고음에서 무게감을 더하는데 더욱 유효한데, 그것은 고음에서 아포지오의 상태를 유지함으로써 성대접촉을 더 늘리고 결과적으로 강한 고음을 얻을 수 있는 것이다.

보다 자세히 말하면, 들숨과 횡격막의 하강은 후두의 하강을 가져오게 되고, 낮아진 후두는 성대를 두껍게 하여 일반적인 상태보다 더욱 많은 성대접촉이 이루어지도록 한다. 결론적으로 고음에서 아포지오의 자세를 유지하면서 버티어주면, 더 많은 성대접촉과 동시에 더 풍부한 저주파수 대역의 공명을 얻게 되고, 이는 결국 그렇지 않을 때의 고음보다 더욱 묵직한 무게감을 더할 수 있게 한다. 일반적으로 고음으로 접근할수록 더 많은 아포지오의 힘을 필요로 하게 된다. 이 내용은 대중가수보다는 남성 클래식(성악) 가창자에게 무척이나 필수적인 내용이다.

다. 호흡에 대한 오해

1) 강한 호흡압력의 필요성

책의 앞부분에서 언급하였듯이, 호흡은 목소리 에너지의 공급원이다. 결국 강한 호흡은 강한 목소리를 만드는 데 필수적이다. 하지만 상당히 많은 수의 교사들과 학생들이 강한 호흡압을 과대평가하는 오류를 범한다.

우리가 가창에서 가장 중요시해야 할 것은 무엇인가? 그것은 성대가 요구되는 피치에 기민하게 (길이를 변화시킴으로써) 반응하는 것이고, 그러는 한편 성대접촉이 유지되어서 목소리 원음의 풍부한 배음을 형성하는 것이다. (그리고 그 원음은 성도공명을 통해 증폭될 것이다.)

그런데 강한 호흡압의 문제는, 위와 같이 가장 중요한 내용(성대의 조절)을 오히려 방해할 수 있다는 점이다.

예를 들어 고음의 경우에, 강한 호흡압은 과한 성대접촉을 유발할 수 있고 결국 피치에 필요한 성대길이를 만족시키지 못하게 된다. 강한 호흡압은 기본적으로 성문을 벌어지게 한다. 그런데 가창자는 목소리를 내야하는 입장이기 때문에 더 강하게 성문을 닫으려 하고, 결론적으로 강한 성대접촉으로 이어진다. 단순히 강한 호흡압만으로는 강한 성대접촉과 상관이 없다. 오히려 호흡에 버티려고 하는 가창자의 노력이 강한 성대접촉을 유발한다.

문제는 여기서 성대접촉을 유지하기 위한 노력이 과한 TA근의 긴장으로 이어진다는 점이다. TA근은 CT근과 길항관계에 있으므로 피치를 충족시키기 위해 성대의 길이를 늘려주는 CT근의 동작이 방해를 받게 된다. TA근은 성대를 짧게 만드는 근육이다.

물론 능숙한 가창자는 여기서 (TA근에 의한)강한 성대접촉과 (CT근에 의한) 피치에 맞는 성대길이라는 두 가지 조건을 모두 만족시킬 수 있다. 하지만 초심자일수록 이 두 근육의 조절은 쉽지 않다. 본능적으로 우리는 숨을 쉬면서(호흡운동, TA근) 음식을 삼킬 수(연동운동, CT근)는 없게 되어 있다. 그래서 이 두 개를 같이 쓰려고 하면, 마치 자석사이에 철심을 밀어넣을 때처럼, 가창자는 자기도 모르게 양자택일을 강요당하게 된다. 흉성의 비율이 필요 없이 높아지거나, 팔세토의 비율이 필요 없이 높아진다. 하지만 우리가 추구해야 할 것은 이 둘 사이의 적절한 비율, 그리고 둘 사이의 코디네이션 관계이다.

그렇다면 강한 호흡압은 과연 불필요하고, 목소리를 오히려 방해하는 것일까? 아니다. 위에 잠시 언급하였듯이 강한 목소리에서 강한 호흡압은 필수적이다. 일단 목소리의 에너지는, 호흡의 포텐셜 에너지가 소리의 진동에너지로 변환되는 것이므로, 첫 번째로는 호흡이 강할수록 목소리로 전환할 수 있는 에너지의 양이 충분해진다. 그리고 두 번째로 필요한 것이 바로 호흡 에너지를 소리 에너지로 전환하는 과정이다. 이 전환은 성대의 접촉을 통해 이루어지는데, 성대의 접촉이 많고 강할수록 공기기둥의 압축이 더 이루어져서 음파의 밀(密)과 소(疎)가 뚜렷이 대비되고, 결과적으로 목소리는 강한 에너지를 가지게 된다. 이 두 가지 요소 중 어느 하나만 결여되어도 강한 목소리는 생성되지 않는다. 강한 목소리에는 강한 성대접촉과 강한 호흡 둘 모두가 필요하다. (그러나 둘 모두 오히려 가창을 방해할 때가 적지 않다.)

따라서 교사와 학생은 강한 호흡압을 반드시 상황에 맞게 사용해야 한다. 강한 호흡압은 강한 고음 목소리의 충분조건이 아닌 필요조건에 불과하다. 그리고 이것은 비단 호흡뿐 아니라, 이것은 발성훈련의 보편적인 기본 원칙이다. 교사는 원리를 정확히 이해하고 상황에 맞는 방법을 고안할 수 있어야만 한다. 어떤 훈련이든 그 훈련 자체가 항상 통용되는 효과를 가진 경우는 좀처럼 존재하지 않는다.

2) 호흡의 부족

초심자의 경우에 한 프레이즈를 채 부르지 못할 호흡을 가진 경우가 종종 존재한다. 그러나 이것은 호흡량에 직접적인 원인이 있지 않다. 그 원인은 폐활량이 아니라, 성대진동의 효율성이 떨어지기 때문이다.

물론 대체적으로 우수한 가창자는 일반인보다는 우수한 폐활량을 가지고 있다. 그러나 마라톤, 수영 선수와 같이 우수한 폐활량을 가진 모든 사람이 훌륭한 가창자는 아니며, 모든 훌륭한 가창자의 폐활량이 아주 우수한 것도 아니다. 즉 폐활량의 증가와 가창능력 사이에는 큰 개연성이 존재하지 않는다고 볼 수 있다.

따라서 초심자에게 호흡훈련을 시킨다는 명목으로 폐활량 증가를 위한 훈련을 시킨다든지 하는 것은, 건강증진에는 도움이 될지도 모르겠으나, 그 훈련으로 가창기법이 향상 될 것이라 기대하는 것은 무리다. 따라서 폐활량 증가를 위한 훈련방법을 주 훈련으로 삼는 것은 매우 비효율적이라 볼 수 있으며, 설령 그러한 훈련을 실시한다고 하더라도 핵심적인 훈련을 탄탄하게 설계해 놓고 그것의 보조적 수단으로만 사용하여야 한다.

라. 그 외에 호흡과 관련된 내용들

1) 호흡의 방식

호흡에 대한 맹목적 믿음은 호흡의 외양에 지나치게 집중하는 결과를 낳았다. 그 결과 호흡을 흉식호흡, 복식호흡, 늑간근호흡, 흉복식호흡, 코로 숨을 들이마시는 것 등의 방식으로 분류하였고 그 중 특정한 방식만이 옳은 것인냥 주장하는 일이 흔한 일이 되어버렸다.

그래도 널리 쓰이는 용어니 간단하게 정리를 해 보자. 흉식호흡은 가슴의 확장과 수축을 이용한 호흡방식이고, 복식호흡은 가슴보다 배를 이용한 호흡 방식이다. 한편 늑간근 호흡은 늑골 사이의 근육인 늑간근을 중점으로 사용한다고 해서 이름 붙여진 방식이고, 흉복식 호흡은 흉식호흡과 복식호흡을 함께 사용하는 방식이다.

필자의 생각으로는 이 모든 것은 호흡의 외양에 불과한 것이라 본다. 호흡에 있어서 가창에 필요한 핵심적인 내용들은 앞에서 밝힌 들숨의 자세, 일정한 압력의 유지 등과 같은 내용들이지, 어떤 호흡의 방식 자체가 힘을 가지는 것은 아니라고 봐야한다.

하지만 그럼에도 불구하고 굳이 호흡방식 중에서 더 적합한 것을 찾으라면, 개인적으로는 늑간근 호흡이라고 본다. 왜냐하면 흉식, 복식호흡 등은 호흡의 수직적 움직임을 나타내는데 반해, 늑간근 호흡은 호흡의 수평적 확장을 포함하고 있기 때문이다.

물론 이 수평적 확장이 실제로는 공명강인 성도의 확장과 직접적인 연관이 있는 것이긴 하지만, 그럼에도 불구하고 앞에서 필자가 언급한 '들숨의 자세'를 나타낼 수 있다.

특별히 이와 관련해서 보즈먼(Kenneth W. Bozeman)은 트림블(Michael Trimble)의 저서[118]를 언급하면서, 전통 이탈리아 가창에서 올바른 호흡법이라고 여긴 방식은, 유아(baby)의 휴식상태(at rest)의 호흡이 아니라 울음/웃음과 같이 감정적인(expressive) 표현에서 사용하는 호흡법이라고 지적하면서, 그 호흡방식에서는 이미 뒤쪽 등(lower back)의 근육이 개입하고 있다고 주장[119][120]하였다. 이것은 흔히들 말

---

118) Michael Trimble, 「Fundamentals of Great Vocal Technique(2013)」, Inside View Press.

119) Kenneth W. Bozeman, 「Kinesthetic Voice Pedagogy(2017)」, Inside View Press

하는 늑간근 호흡의 방식과 일치한다.

하지만 흉식 혹은 복식호흡 등의 개념에 꼭 수평적 확장이라는 개념이 누락되어 있다고 볼 수만도 없기 때문에, 결국 결론은 호흡의 외양은 정작 중요한 핵심이 아니라고 볼 수 있다. 잘 숙련된 가창자의 형편없는 호흡으로 부른 노래가, 초심자가 좋은 호흡으로 노래 부르는 것보다 훨씬 훌륭한 것임은 말할 필요도 없다.

2) 호흡과 감정 간의 관계

앞에서 살펴보았듯이, 발성기관의 대부분은 호흡계(respiration system)에 속한다. 그리고 이 호흡계의 조절은 10번째 척추신경인 미주신경(vagus nerve)에 의해 이루어지는데, 이 미주신경은 자율신경(교감신경과 부교감신경)의 핵심으로서, 사람의 감정적 상태에 크게 영향을 받는다.

예를 들어, 가창자가 불안하거나 흥분상태일 경우에는 교감신경이 활성화되어 우리의 호흡은 가빠지게 되며, 반면에 안정적이고 편안한 상태에는 호흡의 주기가 늦춰지게 된다.

한편 가창은 기본적으로 호흡 주기를 길게 가져감으로써 이루어진다. 일상 생활에서 우리는 3초 가량의 호흡 주기를 가지지만, 가창자가 프레이즈를 연주할 때 날숨은 무려 약 5-10초 혹은 그 이상 동안 지속된다. 결국 가창 시에는 평상 시에 비해 호흡주기가 극도로 길어지게 되는데, 이것은 부교감신경의 작용과 그 방향성이 일치한다. 따라서 가창자는 부교감신경의 상태, 즉 편안하고 안정된 마음가짐을 항시 유지할 필요가 있다.

---

120) 필자 주 : 한편 보즈먼은 이 호흡 방식이 지난 반세기 동안의 호흡 훈련과 구별되며, 이 방식을 선택할 때 몇 개의 분명한 이점을 가진다고 지적하기도 하였다.

이것은 또한 가창지도 현장에서도 호흡을 조절하는 메소드로서 유용하게 사용될 수 있다. 예를 들어 학생이 심적으로 긴장하거나 불편함을 느끼면 호흡이 위로 뜨게 되는데. 결국 목구멍이 조이고, 후두와 윗가슴은 위로 들려 올라가 버려서 불필요한 긴장들을 생성한다. 도무지 제대로 된 소리를 기대하기 힘든 지경이 되는 것이다.

이때 교사는 학생에게 심리적인 어프로치를 우선적으로 접근할 필요가 있다. 만일 그렇게 하지 않고 그저 외양적 요소들인, 불필요한 긴장들과 윗가슴이 들리고, 후두가 올라가는 등의 문제만들을 지적하고 교정하라고 학생에게 지시한다면, 문제 해결은 요원해지기 십상이다. 오히려 몇 번의 심호흡, 혹은 간단한 유머 등의 접근으로 가창자의 감정 상태를 다스려 줄 필요가 있다.

또한 이 호흡-감정 간의 관계는, 가창자의 중요한 표현 수단이 되기도 한다. 이는 단편적인 과학적 사실이나 신체 변화로 규정할 수 없는 것으로서, 가수가 연기하는 감정들, 즉 분노와 슬픔, 즐거움과 기쁨 등은 반드시 발성기관에 영향을 주고 목소리에서 인지가 가능하다. 즉 가창자는 자신의 감정 상태가 호흡에 어떤 영향을 주는지 잘 이해하고 그것을 잘 활용해야 한다. 훌륭한 가창자는 감정을 잘 제어하는 사람이다.

그리고 한편으로는, 감정에 휩쓸리지 않도록 마음의 일부는 항상 안정적인 상태로 확보할 필요가 있다. 이것은 단순히 그냥 슬퍼서 나온 울음이 가창을 망치는 경우와 같은 상황만을 말하지 않는다, 가창자의 감정적 불안함은 호흡의 불안함으로 직결되기 때문에, 가창자는 극도의 분노나 슬픔을 표현하면서도 최소한의 가창에 필요한 안정적인 심리상태를 확보하여 가창에 문제가 없도록 해야 할 것이다.

마. 정리 : 호흡의 핵심 - 관계성과 통합성

정리하자면 호흡은 '관계성' 안에서 유의미함을 가지고, 또한 통합성에 그 기법(art)의 극치가 있다고 볼 수 있다. 즉 호흡은 단독으로서는 별 의미를 가지지 못한다. 또한 호흡의 외형적인 능력(=폐활량, 호흡기법 등)도 마찬가지다.

만일 이러한 외형적인 능력이 가창 실력을 결정한다면, 뛰어난 폐활량을 지닌 운동선수나 잠수부는 모두 좋은 가창자일 것이며, 또한 뛰어난 호흡기법을 지닌 요가 수련자나 명상가들 또한 모두가 노래를 잘할 것이다. 하지만 현실은 그렇지 않다. 아무런 호흡훈련을 하지 않아도 뛰어난 가수인 경우는 손쉽게 찾아볼 수 있으며, 반대의 경우도 마찬가지이다.

결국 호흡은 '관계성' 안에서 의미를 가진다고 볼 수 있다. 호흡은 후두(성대)와 공명기(성도)에 영향을 미친다. 그래서 그들의 동작이 원활이 이루어지도록 보장한다. 더 나아가서, 호흡기법의 극치를 일컫는 말인 아포지오(appoggio)는 이들 사이의 관계를 엮어주는 역할을 한다. 마치 날실과 씨실이 엮여서 하나의 아름다운 직물이 되듯이, 아포지오의 핵심은 관계성 안에서의 균형을 맞추는 데 있다. 이런 특성을 잘 이해할 때, 우리는 호흡을 안전하게 사용할 수 있을 것이다.

많은 이들이 이를 간과한 채 그저 단순히 호흡의 외양에만 치우침으로써, 정작 핵심이 되는 후두(성대)조절 메커니즘과 공명조절을 무시하였고, 그 결과는 목소리의 답보(踏步)로서 나타났으며, 거기서 멈추면 좋으련만, 심지어는 목소리가 파괴되는 경우도 비일비재하게 일어난다. 결국 정리하면 "호흡기법은 유용하지만 만능은 아니다".

호흡에 대해 맹목적인 지위를 부여할 때 발생하는 가장 큰 문제점은, 바로 객관적인 사실을 무시한 채 지나치게 추상적이고 형이상학적인 내용으로 빠지기 쉽다는 것이다. 현재 아포지오는 (그것의 적합성 여부와 상관없이) 가창기술의 '완성'과 관련된 내용을 지칭하는 용어로 통용되고 있기 때문에, 교사와 가수는 이와 관련된 내용들을 추상적으로, 그러면서도 너무 장황하게 기술하기 쉽다. 그리고 그것을 배우는 학생 입장에서도 호흡과 아포지오를 그 어떤 지나치게 '파라다이스'적인 것으로 받아들이기 쉽다.

그러나 안타깝게도, 정작 초심자에게는 이런 내용들이 아무런 의미를 가지지 못하는 경우가 대부분이다. 추후에 실제적인 훈련 메소드들을 정리하면서 언급하겠지만, 일반적으로 초심자가 직면하게 되는 가장 큰 문제는 호흡에 대한 것이 아니라 성구에 대한 것이다. 초심자는 성대접촉이 제대로 이루어지지 않아 호흡이 부족하거나, 목소리가 떨리는 경우가 많으며, 아니면 1옥타브를 겨우 넘는 좁은 음역을 가지고 있고, 혹은 목소리가 지나치게 굳어있던지 아예 힘이 없던지 하는 상황이다. 이상의 현상들은 모두 빈약한 성구조절에 1차적 책임을 물어야 한다.

반면에 아포지오는 누차 언급하였듯이 가창의 완성과 관련이 깊다. 즉 이미 주어진 재료를 하나로 묶어내는 '토털 패키지(total package)'이다. 재료가 미처 준비되지 못한 대부분의 학생들에게는, 아포지오란 그저 잡을 수 없는 공허한 허상에 불과하다.

4. 3가지 발성요소의 상호관계

위에서 발성의 3가지 요소인 성구, 공명, 호흡을 살펴보았다. 세부적인 내용을 알아봐야하는 필요에 의해 3가지 요소를 나눠서 살펴보았지만, 정작 이 3가지 요소는 칼로 나뉘듯이 나뉠 수 없다. 하지만 반대로 각 요소의 독립성은 다른 요소가 대체할 수도 없다.

예를 들어 어떤 가창자가 고음을 소리내지 못하는 경우가 있다고 하면, 그것은 성구훈련을 통해 해결이 가능하지, 호흡이나 공명으로 해결될 수 없다. 이미 많은 사람들이 음역의 문제를 호흡과 공명으로 해결하려고 하다가 희생되고 말았다. 고음에 적합한 성대진동패턴, 즉 성구조절을 성취하지 못한 채 호흡과 공명에 의존하여 고음을 계속 소리내다가는 목소리가 망가질 수밖에 없다. 각 요소의 고유한 영역은 다른 요소가 절대 대체할 수 없다.

그러나 한편 이 3요소는 서로 상호영향을 미친다. 좋은 호흡과 공명이 이루어지면 성구조절이 훨씬 편안해지고 매끄러워진다. 좋은 성구조절에 좋은 호흡/공명조절이 부재할 수 없고, 그 반대의 경우도 마찬가지이다. 따라서 이 발성의 3가지 요소는 서로의 관계에서 독립성과 의존성 모두를 가지고 있다고 볼 수 있다.

발성 요소들이 각기 가지고 있는 독립적인 특성들은 앞에서 각 자세히 살펴보았다. 그럼 이제 각 요소들이 어떻게 상호영향을 주고받는지를 살펴보도록 하자. 이를 알아보기 위해 각 요소 별로 두 가지 특성으로 분류하자면 다음과 같다 : 성구는 흉성과 팔세토, 공명은 밝음(키아로)과 어두움(스쿠로), 호흡은 들숨과 날숨.

우선 성구를 살펴보면, 앞에서 살펴봤듯이 흉성은 성대의 접촉률을 높이는 것이고, 따라서 성문의 닫힘과 깊은 관련이 있다. 반면에 팔세토는 성대의 길이를 조절하는 것이고, 발성이 이루어지는 동안에는 결과적으로 성대의 접촉률이 낮아지게 만든다.[121] 여기서 주목해야 할 것은 성대접촉이 낮은/높은 '상태'를 말하는 것이 아니라 성대접촉을 높이거나 낮추는 '방향성'을 가진 개념이라는 점이다.

그림 71. 발성 요소의 관계 모식도

공명은 앞에서 언급한 음향성구의 개념인 Yell과 Whoop의 개념을 사용하였다. 한편 호흡에 있어서는, 들숨과 날숨을 기준으로 분류할 수 있다. 앞에서 언급하였듯이 들숨과 날숨은 발성자세의 세팅과 관련이 있다. 들숨은 성도 직경의 증가 및 후두의 하강, 날숨은 성도 직경의 감소 및 후두의 상승과 관련이 있다. 눈치가 빠른 독자라면 이미 눈치챘을 것이다. 그렇다. 호흡은 공명과 아주 밀접한 관련을 가진다. 어택의 순간에 호흡의 들숨과 날숨에 따라 성도의 포지션이 세팅된다. 그리고 이 내용은 이미 앞에서 '들숨의 자세'를 설명하면서 살펴보았다.

이제 이 3개의 각 요소들이 가진 특성을 서로 유사한 내용끼리 (다소 작위적으로) 연관지어 보면 다음의 표와 같을 것이다.

121) 필자 주 : 휴식기나 기타 특수한 상황에서는 CT근이 내전근으로서 동작할 수도 있다.

<table>
<tr><th>구 분</th><th colspan="2">흉 성</th><th colspan="2">팔세토</th></tr>
<tr><td>성대접촉</td><td colspan="2">증 가</td><td colspan="2">(결과적) 감 소</td></tr>
<tr><td rowspan="7">공 명</td><td colspan="2">Yell</td><td colspan="2">Whoop</td></tr>
<tr><td rowspan="6">확산하는
성도모양
(divergent
vocal tract
shape)</td><td>모음 [a]</td><td rowspan="6">수렴하는
성도모양
(convergent
vocal tract
shape)</td><td>모음 [i], [u]</td></tr>
<tr><td>높은 후두</td><td>낮은 후두</td></tr>
<tr><td>좁은 인두</td><td>넓은 인두</td></tr>
<tr><td>넓은 입 모양</td><td>모은 입 모양</td></tr>
<tr><td>짧은 성도</td><td>긴 성도</td></tr>
<tr><td>높은 F1
(F1-H2결합)</td><td>낮은 F1
(F1-H1결합)</td></tr>
<tr><td>호 흡</td><td colspan="2">날 숨</td><td colspan="2">들 숨</td></tr>
<tr><td>자 세</td><td colspan="2">앞으로 숙여진 자세</td><td colspan="2">뒤로 젖혀진 자세</td></tr>
<tr><td>셈여림</td><td colspan="2">강하게(forte)</td><td colspan="2">여리게(piano)</td></tr>
<tr><td>음역대</td><td colspan="2">낮은 음역대
(break E4-F4 이하)
에서 지배적</td><td colspan="2">높은 음역대
(break E4-F4 이상)
에서 지배적</td></tr>
<tr><td rowspan="4">음질적
표현</td><td colspan="2">밝음(chiaro)</td><td colspan="2">어두움(scuro)</td></tr>
<tr><td>남성적</td><td>강함</td><td>여성적</td><td>부드러움</td></tr>
<tr><td>딱딱함</td><td>직선적</td><td>유연함</td><td>돌아나감</td></tr>
<tr><td>(발음이)
명료함</td><td>유성음</td><td>(발음이)
흐릿함</td><td>기식음</td></tr>
</table>

위 표를 보면서 독자가 반드시 알아둬야 할 것은, 위의 표가 **좋은 가창의 이상(理想, ideality)을 나타내는 것이 아니라 본성적 기능(natural function)에 따른 경향성을 그룹으로 분류해 놓았다**는 것이다. 이 표에서 어떤 이상적인 가창의 상태를 찾으려고 하지 말라. 가창은 본성적 기능이 아니라 별도의 훈련이 필요한 대상이다.

앞의 성구 편에서 이야기하였지만, 여기서 흉성과 팔세토는 결코 어떤 특정한 상태의 목소리가 아니다. 오히려 각 성구의 형태는 우리의 보편적인 미적 기준에 결코 부합하지 않는다. 결국 좋은 목소리의 이상은 팔세토와 흉성이 적절히 코디네이션 될 때에만 실현이 가능하다.

이 이상적인 가창의 상태에 대해 간략하게 기술해 보면 다음과 같을 것이다: 성대접촉은 과하거나 부족하면 안되고 적절해야 한다. 동시에 성도의 형태는 전체적으로 열린 목구멍(open throat)가 잘 형성되고 충분한 성도길이가 확보되어야 하며, 동시에 상후두관(epilaryngeal tube)는 좁아지고 짧아져야 한다. 이를 위해 호흡이 모든 메커니즘을 원활하게 도와준다.

결국 위 표가 필요한 이유는, **교사가 가창자의 신체기관을 조절할 수 있는 다양한 레버를 제공**하기 때문이다. 교사가 가창자의 목소리를 듣고, 이 둘 중의 경향성 중 부족하거나 확립되지 않은 그룹의 참여를 독려하고자 할 때 다양한 레버를 제공하여 큰 도움이 될 수 있다.

실제 가창지도 혹은 훈련의 현장의 예를 들자면, 특정 가창자가 고음으로 진입한다고 가정하자. 이 가창자는 아직도 성구조절의 숙련도가 다소 부족하다면, 다음의 두 가지 경우 중 하나일 것이다. 아마 고음으로 올라가면서 성대접촉을 유지하지 못하고 풀어지거나, 그렇지 않으면 흉성을 끌어올려서 지나치게 강한 성대접촉을 유지하던가.

이때 교사는 여러 가지 접근법을 이용해서 가창자의 올바른 세팅을 이끌어 줄 필요가 있다. 우선 전자의 경우(성대 접촉이 풀어지는 경우)에서는 성대 접촉률을 높여야 한다. 그렇기 위해서 교사는 다음과 같은 지시어를 쓰는 것이 유효할 것이다: “더 강하게 소리 내어라”, “더 분명한 아 모음에 가깝게 소리를 내라”, “좀 더 날숨의 느낌으로” 등.

반대로 후자의 경우라면 성대 접촉을 완화시켜 줄 필요가 있다. 그러면 다음의 지시어들이 필요하겠다 : “더 여리게 소리 내어라”, “우 혹은 이 모음으로 소리를 내라”, “좀 더 들숨의 느낌으로”, “소리에 조금 더 호흡을 섞어 내라” 등.

그리고 제일 안 좋은 경우에는, 목구멍은 조이고 있는데 심지어 성대접촉도 제대로 이루어지지 않은 경우다. 이 것은 리드(Cornelius L. Reid)에 따르면 뒤섞인 성구조절 상태(mixed registration)[122]라고 볼 수 있으며, 제대로 성구가 조정(coordination)되지 않은 상태로 흉성을 끌어올려 고음을 소리내는 습관이 오래되었을 경우 찾아볼 수 있다. 이 경우에는 우선 순수한 팔세토 계열의 목소리를 통해 열린 목구멍을 확실히 자리잡게 하여야 하며, 성대접촉은 그 다음의 문제라고 볼 수 있다. 이것은 특히 여성 가창자가 잘못된 벨트(belt)스타일로 노래 불러온 경우 가끔씩 찾아볼 수 있는 케이스이다.

대부분의 남성 가창자는 본능적으로 외치는(yell) 목소리(즉, 키아로와 흉성의 음질)에 더 익숙해져 있기 때문에, 일반적으로는 스쿠로의 음질을 독려하는 편이 옳으며, 반대로 여성 가창자는 대부분 팔세토의 음질에 익숙해져 있으므로, 키아로 쪽의 음질을 독려하는 편이 좋다. 한편 성도조절에 있어서는 남녀 불문하고 대부분 가창에 부족한 공간을 형성하고 있는 경우가 많다. 그렇기 때문에 가창에 충분한 공간을 만들어주는 '들숨의 자세'는 남녀 가창자 모두에게 잘 훈련시킬 필요가 있다.

이처럼 성구조절을 조절할 때, 호흡과 공명의 개념과 결합하거나, 아니면 반대로 공명을 조절하기 위해 호흡과 성구의 개념을 결합하는 등 학생에게 지시어를 부여하면 아주 수월하게 교사가 원하는 반응을 이끌어 낼 수 있다. 하지만 동일한 지시어를 부여했음에도 불구하고 필요한 반응이 나오지 않는 경우도 종종 발생한다. 그렇기 때문에 교사는 반드시 기능적 귀를 이용해, 올바른 반응이 제대로 나오는지 세심히 분별해야만 할 것이다.

위의 표는 기본적으로 리드가 성구조절을 위해 제시한 '피치-세기-모음 조합'을 발전시킨 내용이다. 그리고 또한 주목해야 할 점은 성구에 대한 전통적인 개념이 (성대의 접촉정도로 성구를 구별하는) 현재와는 달리 매우 폭넓은 개념을 포함하고 있다는 점이다. 그리고 가창의 모든 요소들은 매우 긴밀하게 연관되어 있기때문에, 단편적으로는 결코 가창을 온전히

122) Cornelius L. Reid, 「Voice : Psyche and Soma(1975)」, Joseph Patelson Music House, page.136-146

이해할 수 없다는 사실도 여기서 살펴볼 수 있는 매우 중요한 포인트이다.

좋은 가창은 남녀노소 구분없이 이 두 가지 음질 사이의 절묘한 균형이 필수적이다. 가창은 결국 밸런스의 문제이다.

이를 각 항목별로 부연하자면, 성구에 있어서는 성대의 적절한 접촉이 유지되면서 피치에 따라 기민하게 성대의 조절이 필요함을 앞에서 살펴보았다. 이는 결국 흉성(피열근들에 의한 성대접촉)과 팔세토(CT근에 의한 성대길이의 조절)이라는 것도 앞에서 언급하였다.

공명은 앞에서 키아로스쿠로 균형을 이야기하면서 언급하였는데, 기본적으로 가창에 있어서는 열린 목구멍(open throat)를 유지해서 목구멍 소리(throatness)가 나타나지 않도록 해야 한다. 하지만 만일 목구멍을 최대한으로 열어놓기만 한다면 바람 빠지는 소리, 비어있는 목소리인 백성(white voice)만 들릴 것이다. 이것은 키아로스쿠로 균형에서 스쿠로가 과한 상태이다. 결국 우리는 키아로스쿠로 공명 균형을 성취해야 한다. 즉 전체적으로 열린 목구멍의 상태를 유지하되 동시에 필요한 부위, 특별히 상후두관(epilarynx tube)는 좁아져서 소리의 밝은 부분인 키아로(chiaro)를 확보해야 한다[123].

호흡은 공명과 같다. 앞에서 살펴보았듯이, 들숨은 기본적으로 목구멍을 연다. 그래서 열린 목구멍의 상태를 확보하는데 큰 도움이 된다. 이 열린 목구멍의 상태는 '들숨의 자세'이며, 동시에 날숨이 균형을 맞춰서 성대접촉의 정도가 적절히 유지되고, 상후두관에 의한 가수음형대(singer's formant)가 충분히 확보되어야 한다. 이 밸런스의 상태가 흔히들 말하는 아포지오의 성취인 것이다.

다시 한번 말하지만, 단연코 가창은 결국 밸런스의 문제이다.

123) Scott McCoy, [Your Voice : An Inside View, 3rd Edition(2019)] ; Ingo Titze, 「Principles of Vocal Production(1994)」, Prentice Hall ; Johan Sundberg, 「The Science of the Singing Voice(1989)」

제3장 발성훈련의 실제

제3장 발성훈련의 실제

이제 실제적인 발성훈련에 대해 다루어 보도록 하자. 다만 학생의 상태와 주위 환경이 워낙 다양하기 때문에 사실상 발성훈련에 있어서 정해진 답은 없다고 보는 것이 맞다. 하지만 그럼에도 불구하고 전반적인 훈련 프로세스와, 훈련 보칼리제의 구성 등에는 어느 정도 보편적으로 적용가능한 방식이 존재한다.

교사들은 그저 자신이 배워온 방식 혹은 터득한 방식에만 얽매이지 말고 이러한 다양한 방식들을 접하여야 하며, 또한 그것을 바탕으로 학생과 교사 스스로에게 적합한 발성훈련방법을 찾는 창의력을 발휘해야 할 것이다. 부탁하건대, 독자들은 필자가 제시한 내용을 어떤 하나의 무조건적인 내용으로 받아들이지 말아달라.

1. 가창지도 메소드의 유형에 대한 탐구

가. 연구방식에 따른 분류

1) 개인적인 경험에 의존

이 타입의 가창교수법은 개인적인 경험에 의존하는 유형을 말한다. 주로 자신이 타고난 뛰어난 가창자인 경우가 많으며, 자신이 목소리를 발전시킨 경험을 바탕으로 타인을 지도한다. 이 경우에 이론적 기반이라 할 만한 내용이 거의 없으며, 설령 있다고 하더라도 몇몇 단편적인 용어나 이론 중심의 이해와 표현에 그치는 경우가 대부분이다.

이 유형의 교사가 학생을 지도할 때 나타나는 결과는 그야말로 복불복이다. 성구조절 상태의 수준 등 어느 정도 타고난 학생인 경우에는 좋은 결과를 보여주는 경우도 많다. 하지만 그렇지 않은 학생의 경우에는 좀처럼 좋은 결과를 기대하기 힘들며, 오히려 목소리가 망가지는 경우가 많다. 게다가 본인이 타고난 뛰어난 가창자기 때문에 학생의 문제를 정확하게 진단하지 못할뿐더러 학생의 입장을 이해하지도 못한다. 이런 경우 결국 교사가 도달하는 결론은 "나는 되는데 왜 넌 안 돼?" 이다.

이런 교사는 본인이 뛰어난 가수이기 때문에 '연주'를 가르치기에는 적합하나, '악기'를 쌓아올리는 데는 맞지 않다고 볼 수 있다. 가창 훈련의 과정에서 이 둘은 반드시 구분되어 다뤄져야 한다.

2) 특정 학파에 의존

이 유형은 특정 학파에 이론적 기반을 두고 있으며, 보통 어떤 단체에서 자격증 혹은 수료증을 받은 사람인 경우가 많다. 특정적 커리큘럼과 이론적 배경에 국한되어 있으며, 그것을 맹신하는 경향을 보인다.

허나 위에서 누차 언급하였듯이 가창교수법이란 역사적 배경과 연구의 연속성을 바탕으로 해야 하는 것으로, 특정한 학파에 의존할 경우 이론에 맞추어 현상을 재단하여 이해하는 '프로크루스테스의 침대 (Procrustean Bed)' 오류에 빠지기 십상이다. 다시 말해, 문제점에 대해 정확한 원인을 진단하여 올바른 해결책을 제시하기 보다는, 본인이 알고 있는 지식에 문제점을 오히려 맞추어 결국 피해자를 양산하게 된다.

3) 가장 올바른 경우

올바른 가창교수법이란 특정학파에 국한되지 않고 폭넓은 논증과정을 거쳐야 한다. 그래서 교사의 개인적 경험과 이론이 잘 융합되어 학생의 상황에 맞는 입체적인 해결책을 제시할 수 있어야 하는데, 이를 위해 역사(전통)적, 과학적(해부, 생리, 음향), 심리적 측면 모두에 대한 고찰이 전제되어야 한다. 또한 교사가 학생에게 어떤 지도방법을 제시할 때, 교사는 그것이 상기한 측면에서의 모든 근거를 만족시키는지, 그리고 충분한 귀납적 근거가 존재하는지를 반드시 면밀히 따져보아야 한다. 단순히 개인적인 경험이나 어떤 하나의 이론에 의존해서 학생에게 제시하는 훈련법은 설령 99%의 학생에게 도움이 될 수 있더라도 1%의 희생자를 야기할 수 있다. 교사는 스스로가 엄격한 책임감을 가져야 한다.

그리고 또한 중요한 것으로서, 열린 자세와 존중의 마인드이다. 현재 본인이 알고 있는 모든 내용들이 전부 잘못된 것이라고 할지라도, 교사는 언제든지 그것을 받아들일 수 있어야 한다. 그리고 자기가 판단하기에 완전히 잘못된 지식이라 하더라도 그것을 존중하여 논리적으로 비판하여야 한다. 교사 개인의 지식체(智識體, body of knowledge)를 다듬어 발전시키기 위해서는 이런 열린 마음가짐과 존중의 태도가 필수적이다. 가창교수법의 발전은 언제나 현재진행형이었다. 그것은 과거와 현재에서도 마찬가지이며, 앞으로도 마찬가지일 것이다. 그렇기에 교사는 자신의 생각을 닫아서는 안된다.

나. 실제 지도방식에 따른 분류

1) 직접적 조절

이것은 신체기관을 조절할 것을 교사가 직접적으로 지시하는 방식이다. 대표적인 예시로, "자세를 바르게 해라", "입을 크게 벌려라", "윗가슴으로 숨을 쉬지 말라" 등이다. 이러한 방식은 육안으로 관찰 가능한 신체부위를 그 대상으로 하며, 가창자가 수의적으로 조절가능하다. 가창 지도방식 중에 가장 낮은 수준의 유형이다.

2) 가창자의 운동감각(kinesthesia)을 사용

위에서 잠시 언급하였듯이, 가창자는 가창 시에 독특한 느낌을 느끼게 된다. 운동감각이란 그런 일련의 감각을 의미하는 것으로서, 인간의 기본적 5감 외에 제6의 감각이라 불린다. 이는 근육과 관절에서의 기계수용체를 통해 자세나 움직임을 자각하는 감각이다.[124] 이 감각은 우리가 일상에서 쉽게 접할 수 있는 감각으로서, 예를 들어 우리는 눈을 감아도 팔이 펴져있다든지, 근육에 힘이 들어가 있다던지의 감각을 느낄 수 있는데, 이러한 감각을 의미한다. 그 외에 속이 더부룩할 때 등의 상황에서 느껴지는 내장의 움직임 등도 이 운동감각에 의해 인지되는 것이다.

가창에서 이 키네스테지아를 사용한다는 의미는 가창자의 다양한 감각적인 부분을 활용하여 신체의 변화를 야기한다는 의미인데, 예를 들어 '가슴 혹은 머리가 울린다', '머리 뒤를 돌아 나가는 느낌', '높이 들리는 느낌' 등과 같은 것이다. 그러나 최근에 관련 자료들을 살펴보면 진짜 운동감각 뿐 아니라, '밝은 느낌, 어두운 느낌, 자연스러움, 편안함'

124) 「Oxford dictionary」 "kinesthesia"

등 과 같이 일반적인 감각내용과 이미지들까지 포함하는 추세를 보여준다. 결국 '키네스테지아를 이용한 가창지도 방법'이라고 하면, 원래적 의미는 물론 '일반적인 감각을 이용한 가창지도 방법'이라고 정의할 수 있을 것이다.

이런 키네스테지아적 지도방식은 아주 이전부터 내려오던 전통적인 방식으로서 널리 사용되어 왔다. 대표적인 경우가 릴리 레만(Lilli Lehmann)일 것인데, 그녀는 자신의 책에서 몇십 페이지에 걸쳐 본인이 가창에서 느끼는 감각들을 아주 상세히 기술[125]해 놓았으며, 그 외에도 대부분의 가창교사들은 자신의 저서에서 이러한 접근을 포함하고 있다.

그러나 최근에는 오히려 '과학적' 진영에서 이런 전통적인 메소드에 대한 접근을 시도하고 있는데, 그것은 과학적 발견과 가창지도 현장과의 괴리를 극복하기 위함이다. 실제로 대부분의 가창자는 자신의 성대가 어디에 있는지, 그리고 어떻게 피치를 충족시키는지도 모르는 경우가 대다수인데, 이런 상황에서는 아무리 교사가 해부학적 용어를 들이대며 학생에게 말해봤자 아무런 효과가 없을 수밖에 없다. 이런 경우 학생들에게는 오히려 추상적인 지시가 더욱 효율적인 경우가 많다.

최근 이런 시도가 보여주는 추세는, 특정한 지시어가 어떤 과학적 근거를 가지고 있는지, 그리고 또한 그것이 적절한지 과학적으로 증명하는데 초점이 맞춰져 있다. 즉 기존에 전통적으로 전해져오던 막연하고, 심지어 학파별로 서로 상충하기도 하는 다양한 내용들 중에서 어떤 것이 합리적이고 믿을만한지 판단하는 과정을 거치고 있다.

하지만 이런 감각적인 판단은 그 자체로 한계를 가질 수밖에 없다는 것을 교사는 인지해야 한다. 가창자의 감각은 모두가 상이하다. 어떤 사람은 코와 광대근처에서 강한 진동감을 느끼는 반면에, 어떤 사람은

125) Lilli Lehmann, 「How to Sing(1902)」

호흡적인 감각에 크게 의존하거나 머리 뒤쪽에서의 울림에 예민하다. 심지어 그런 상이한 감각들을 언급하는 자들이 모두 뛰어난 가수인 경우가 많다. 극단적인 예로 아무런 감각을 느끼지 못하는 무감각증(anesthesia)도 존재한다는 사실을 기억할 때, 감각적인 방법에 의존하는 것은 명백한 한계를 가질 수 밖에 없다.

물론 이러한 접근이 아주 무의미하지는 않다. 인간 감각의 '보편성'이라는 측면에서 이러한 접근은 충분히 납득할 만하며, 그리고 무엇보다 가창자가 일단 어떤 목소리의 톤을 감각적으로 인식하게 되면, 다음에 그것을 다시 상기시키고 재현하기에 매우 좋은 수단으로 사용할 수 있다. 한번도 소리내지 못한 사람에게 감각적 표현은 막연한 내용이지만, 한번 경험한 사람에게는 매우 중요한 단서가 될 수 있는 것이다.

결국 키네스테지아적 접근은 오히려 보조적인 수단으로서 그 가치가 충분하다고 판단해야 하며, 교사의 입장에서는 본인의 가창지도 툴세트 중에서 하나로서 적극적으로 갖출 필요가 있다. 다만, 이런 방식에만 의존하는 것은 근본적인 방법이 될 수 없음도 충분히 인지해야 한다. 실제 가창지도의 현장에서는 학생의 감각적 개념이 100% 옳은 경우는 거의 없으며, 또한 그 개념은 목소리 톤의 발전에 따라 수시로 바뀌어야 하는 대상임을 잊지 말아야 한다.

3) 교사의 시범과 가창자의 모방능력을 사용

앞에서는 형이하학적(신체 부위에 대한)이든 혹은 형이상학적(감각 혹은 이미지를 이용한)이던지, 가창자의 신체에 대한 직접적인 지시를 이용한 접근방법을 살펴보았다. 이제부터는 신체동작에 대한 지시가 아닌 접근방법을 살펴보겠다. 우선은 가창자의 모방능력을 이용한 접근방법들이다.

모든 사람은 태어남과 동시에 목소리에 대한 개념을 형성해 간다. 그러면서 자연스레 형성되는 것이 목소리를 모방하는 능력이다. 대부분의 사람들은 목소리를 일단 들으면 어느 정도 모방할 수 있다. 이 가창지도의 유형은 그 능력을 이용하는 것으로, 교사가 좋은 소리와 나쁜 소리를 시연함으로써 학생이 좋은 소리를 모방할 수 있게 하는 것이다.

이 방식이 좋은 결과를 가져오기 위해서는 가창의 원리를 듣는 방식인 기능적 듣기(functional listening)가 매우 중요하다. 물론 이 모방을 통한 가창 지도 뿐 아니라 학생의 문제를 정확하게 진단하기 위해서는 이 기능적 듣기가 무척 중요한데, 좋은 톤과 그 원리적 요소는 그 성격이 서로 상이할 수 있게 때문이다. 좋은 목소리를 위해 필요한 목소리의 톤은 때로 미적으로 좋은 톤과 동떨어져 있을 수도 있다.[126]

이 방식은 아주 천연적(natural)인 동시에 전통적이며, 또한 직관적이다. 그러나 언어로 표현하지 못하는 형이상학적인 내용을 지도할 수 있는 방법 중에서는 가장 초급적인 방식으로서, 타고난 목소리와 재능을 가진 경우에는 이 방식으로도 이미 훌륭한 가창자가 되는 사례가 있기는 하나, 이것을 보편적인 가창지도 방식으로 사용하기에는 뚜렷한 한계를 가지고 있다.

4) 가창자의 반사반응을 이용한 방법

이 방법들은 특별한 직접적 지시가 없이도 훈련을 하고 난 뒤 가창자의 발성상태를 개선시킬 수 있는 접근법들로서, 가장 고도의 방법이라고 볼 수 있다. 이 메소드는 가창자의 언어학습 과정에서 쌓아온 데이터베이스를 적극적으로 활용한다. 교사는 학생에게 필요한 목소리가

126) 저자 주 : 예를 들어 성문이 자꾸 벌어져서 어려움을 겪는 학생에게는 강하고 힘찬, 때로는 경질이라고 까지 느껴질 수 있는 소리를 훈련할 필요가 있는데, 이 톤은 좋은 가창의 목소리가 아니지만 좋은 톤을 위해서는 필요한 소리이다.

반사적으로 나오도록 하기 위한 특정한 환경을 조성하는데 그 환경을 조성하기 위해 사용되는 것은 주로 보컬리제(vocalise)이다. 위에서 언급한 메소드들로 해결이 되지 않는 문제들은 이와 같은 방법들을 이용해 해결 가능하다. 물론, 그 정확한 해결책을 제시하기 위해서는 먼저 정확한 문제의 진단이 선행되어야 함은 자명한 사실이고, 그 진단은 숙련된 교사의 귀, 그리고 다양한 분석도구 등이 사용될 수 있겠다.

가) 파일럿 자음의 사용

파일럿 자음이란, 특정한 발성상태를 이끌어주는 자음을 뜻하는데, 교사는 이 자음을 사용하는 것만으로도 학생에게 필요한 발성상태를 유도할 수 있다. 밀러(Richard Miller)는 자신의 저서에서 몇 개의 파일럿 자음이 가져다 주는 효과를 언급하고 있는데, 일부를 살펴보면, /v/와 /f/는 연구개를 들어주는 효과가 있으며, /m/, /n/, /ɲ/, /ŋ/ 는 자연스럽게 마스께를 울리게 하는 공명균형을 위해 사용될 수 있다고 한다. 또한 /k/와 /g/는 모음의 정확한 소리시작(onset)에 도움을 줄 수 있고, Roll /r/과 /m/은 아포지오 감각을 익히는데 도움이 된다[127]고 하였다.

이 이외에도 이너턴스 증가를 위해서는 [g], [b] 등이 사용될 수 있으며, 과도하게 후두를 누르는 경우에는 혀를 앞쪽으로 빼주는 자음 [n], [d], [l], [th]등이 사용될 수 있다.

이 파일럿 자음을 이용한 방법은 단순히 자음만으로 사용되기보다 모음과 조합해서 사용하면 훨씬 다양한 바리에이션을 만들어낼 수가 있다. 이 이외에도 다양한 저자들이 파일럿 자음을 언급하였으며, 이는 전

127) Richard Miller, 「Solutions for Singers: Tools for Performers and Teachers(2004)」, Oxford University Press

통적인 가창지도에서도 적극적으로 사용해 오던 방법 중 하나이다.

나) 피치-모음-세기 콤비네이션

이 방법은 성구(registers)을 조절할 수 있는 방법으로서 리드(Cornelius L. Reid)의 핵심 이론 중 하나이다. 리드에 따르면 성구는 피치-모음-세기에 따라 반사적으로 조절되는데, 그것을 간략하게 표로 정리하면 다음과 같다.

성 구	피 치	모 음	세 기
흉 성	낮은 피치 (특별히 E4-F4이하)	/a/	세게 (*forte*)
팔세토	높은 피치 (특별히 E4-F4이상)	/i/, /u/	여리게 (*piano*)

이에 따르면 피치-모음-세기를 통해 가창자의 성대진동 방식을 변화시킬 수 있다. 실제적 예시를 들어보면, 목소리에 배음성분이 부족해 빈듯한 목소리가 난다면, 성대접촉이 낮아 흉성구를 더해줘야 하는 상황이라는 뜻이 되고, 이를 개선하려면 낮은 음역대에서 /a/모음으로 힘차게 목소리 내는 연습을 하면 도움이 되는 것이다.

물론 이러한 접근법은 목소리를 기능적으로 분석할 수 있는 귀가 있어야 하는데, 후에 자세하게 알아보겠지만, (벨칸토 시대의 성구개념을 재확립한) 리드는 전통적인 성구라는 개념을 성대진동의 상태는 물론, 공명 등도 포함한 목소리 구성의 요소로서 간주한다. 이는 성구를 후두성구(laryngeal register)와 음향적 성구(acoustic register)로 나누는 현대 가창교수법에도 꽤나 부합하는 내용이다. 즉 흉성구는 근육질의, 남성적인, 딱딱한, 밝은 등의 수식어로 표현되며, 그에 반해 팔세토는 여성적인, 부드러운, 어두운 등의 수식어로 표현될 수 있다. 이를 음향적으로 표현하면, 흉성구는 강한 성대접촉으로 인해 고음 배음성분이 풍부하고, 팔세토는 고음 배음성분이 일찍 감쇠되어 상대적으로 빈 소리가 난다.

즉 이렇게 기능적으로 가창자의 목소리를 들으면, 학생이 흉성구가 강한지 혹은 팔세토가 강한지 분별이 가능하게 되고, 그 결과로 교사는 학생에게 부족한 성구를 강화시키는 훈련법을 제시할 수 있다.

한편 이렇게 '부족한 성구를 강화한다'라는 개념의 접근법은 코넬리우스 리드 이전에 스탠리(Douglas Stanley)가 제안했던 내용[128]이다. 그러나 그의 이론에서는 성구의 융합이라는 부분이 빈약하여 많은 희생자를 야기했고, 한편에서는 유사과학(pseudoscience)라고 치부[129]되기도 했다. 하지만 이제는 성구융합의 내용을 포함하여 여러 가지 과학적 증빙에 의해 성구의 중요성은 충분히 알려진 상태이이다. 또한 성구개념이 제대로 교육될 때 얼마나 드라마틱한 효과를 불러오는지는 이미 SLS 계열 등에서 보여줬던 성과를 통해 그 중요성이 잘 증명된 상태로 보인다.

이런 세세한 논란거리들은 성구 챕터에서 더 살펴보기로 하고, 일단 여기서는 가창지도 방법의 한 도구, 특별히 성구를 조절할 수 있는 주요한 수단으로서 이해하면 되겠다.

다) 호흡을 이용한 지도방법

호흡은 공명조절 상태에는 직접적인 영향을 미치고, 성구조절 상태에도 꽤나 영향을 준다. 사람의 호흡은 들숨과 날숨으로 이루어져 있는

128) Douglas Stanley, 「The Science of Singing(1939)」, New York: Fischer

129) Clifton Ware, 「성악교수법」, 박순복, 남궁희옥 번역, 경희대학교출판국 출판, 원제 「Basics of Vocal Pedagogy(1997)」

데, 들숨은 신체의 확장과 관련이 있고 날숨은 신체의 수축과 관련이 있다. 이런 신체의 변화는 성도(vocal tract)의 형태에도 직접적으로 연관되는데, 들숨에서는 성도가 확장하고, 날숨에서는 성도가 수축한다.

이러한 성도의 변화는 음질로서 인지가 가능한데, 들숨은 어둡고 풍부한 소리인 스쿠로(scuro), 날숨은 밝은 소리인 키아로(chiaro)를 불러온다. 한편 전통적으로 좋은 목소리 톤은 키아로스쿠로 공명균형이 중요하므로, 결국 교사는 가창자가 이 두 가지 균형을 잘 맞추도록 해야 한다. 한편 들숨은 두성구, 날숨은 흉성구와 관련이 있다.

이 이외에도 가창 시 호흡의 중요성은 아포지오(appoggio)라 불리는 들숨과 날숨의 균형에 대한 내용도 있는데, 이것은 후에 호흡을 자세히 살펴보면서 다루도록 할 예정이다.

5) 비선형 소스-필터 이론을 이용한 방법

비선형 소스-필터는 최근 티체(Ingo Titze)에 의해 밝혀진 이론[130]으로서, 기존의 전통적인 소스-필터 이론은 '목소리 음원이 성도를 통해 변조된다'는 선형적인 구조를 가진데 반해, 이 이론은 '성도의 음향적 조건이 성대 진동에 영향을 준다'는 비선형적인 구조를 가지고 있다. 이를 조금 더 쉽게 풀어쓰면, '좋은 음향적 상태를 만들어주면, 성대진동에도 긍정적인 영향을 미친다'라고 요약될 수 있겠다.

이 이론에 따르면, 성대진동은 성도에서의 음향적 임피던스(acoustic impedance)에 영향을 받는데, 임피던스가 리액턴스(reactance) 성분을 가지면 성대진동이 방해를 받고, 반대로 이너턴스(inertnace) 성분을 가지면 성대진동이 잘 유지된다. 즉 목소리의 안정

130) Ingo R. Titze(2008), 「Nonlinear source-filter coupling in phonation: Theory」, J. Acoust. Soc. Am., Vol. 123, No. 5, May 2008

성이 크게 늘어난다.

결국 성대진동을 효율적으로 유지하기 위해서는 음향적으로 이너티브(inertive)한 상태를 만들어 줘야 하는데, 이런 음향적 상태는 성문 위쪽의 공기의 유동성이 낮은 상태, 그리고 성문상압(epiglottis pressure)이 상대적으로 높은 상태일 때 형성된다.

이런 상태를 형성하는 훈련법은 '반폐쇄성도훈련(semi-occluded vocal tract exercises, SOVTE)'라고 불리는데, 구체적으로는 모은 입, 허밍, 트릴, 빨대 발성법이 존재한다. 이 훈련방법은 호흡이 나가는 저항을 증가시킨다는 공통점을 가지고 있으며, 그런 원리를 가지고 있는 다른 훈련법도 여기에 포함될 수 있을 것이다.

구체적인 훈련방법은, 이렇게 SOVTE를 이용해 올바른 감각을 찾고, 그 감각을 일반 가창에서도 유지하는 방식이다. 가창자가 그 느낌을 유지하려고 노력하는 것도 유효하지만, 굳이 그렇지 않더라도 몸이 기억을 하기 때문에, 단순히 이 훈련을 반복적으로 시행하기만 해도, 발성 상태가 개선되는 효과를 기대할 수 있다.

6) 정리 : 우월한 방법은 없다.

앞에서 살펴본 가창지도 메소드를 정리하면 다음과 같다 : *①직접적 조절, ②운동감각을 이용, ③시범과 모방, ④반사반응을 활용(파일럿 자음, 피치-세기-모음 조합, 호흡), ⑤SOVTE.*

상기한 지도 메소드 중에서, 앞에서 언급된 내용일수록 보다 초급의 내용이며, 후자로 갈수록 보다 고급의 메소드임은 분명하다. 하지만 여기서 초급 혹은 고급을 나누는 기준은 교사가 얼마나 직관적으로 그 개념을 익힐 수 있는지에 대한 것에 불과하다.

발성 테크닉의 발달은 우선 가창자(학생)이 개선되고자 하는 조절

상태(=소리)를 일단 한번 경험해봄으로써 시작된다. 따라서 교사는 학생의 발성기관에서 원하는 동작을 획득하는데 최선의 힘을 다해야 하며, 이것을 위해서는 그 방식이 복잡하든지 단순하든지가 그다지 중요한 것이 아니다.

예를 들어 학생의 목구멍이 심하게 조일 경우, 고급의 방법을 사용한다면, 가창자의 반사반응을 유도하기 위해 [u] 모음을 사용하는 등의 방법을 사용할 수 있는데, 만일 이 방법을 사용하는 것보다, 그냥 "목구멍을 열어서 노래해"라는 직접적인 지시로 문제가 더 쉽게 해결될 수도 있다.[131] 이런 경우, 복잡하고 고차원적인 접근보다 오히려 가장 단순한 접근방식이 훨씬 더 유용한 것이다.

결국 교사는, 지극히 실용적인 입장에서, 가창지도 방식의 세련됨과 정교함보다는, 수단방법을 가리지 않고 어떤 방식을 사용해서라도 학생으로부터 원하는 반응을 이끌어내는데 사활을 걸어야 한다. 그리고 이는 최대한 다양한 가창지도 도구 세트를 확보함으로써 가능할 것이다.

2. 발성훈련의 프로세스

발성훈련의 순서를 정형화하여 분류하는 것은 그 어떤 교사라 하더라도 무척 어려운 일이 아닐 수 없다. 그 이유는 앞에서 언급하였듯이, 학생의 상태와 주위 환경은 너무나 다양하기 때문이다. 하지만 전체의 큰 틀을 짚어보자면, 대체로 다음과 같은 원리를 우리는 찾아볼 수 있다 :

131) 필자 주 : 하지만 이런 경우는 대부분 이미 열린목구멍에 대한 개념이 아주 잘 확립되어 있는 숙련된 가창자일 경우에만 해당되며, 거의 대부분의 학생들은 그러한 지시어가 효과가 없는 경우가 많다.

① 가창훈련은 (모든) 밸런스를 맞추는 과정이다,

② 가창자가 초심자일수록 성구의 문제가 크게 대두되고, 목소리가 발전해 감에 따라 호흡과 공명의 문제도 중요한 문제로 나타나게 된다.

③ 발성의 3요소는 기본적으로는 독립적이지만, 동시에 서로 긴밀하게 연결되어 있어 한 요소를 완전히 떼어놓고 생각할 수 없다. 이러한 경향은 발성테크닉이 고도화됨에 따라 더 두드러진다.

발성훈련의 프로세스에 대한 세부적인 내용들은 (실제 가창지도는 각 요소들이 병행적/복합적으로 개입하지만, 편의를 위해) 발성의 3요소 별로 나눠서 살펴보도록 하자.

가. 성구 훈련의 프로세스

성구조절의 목표는 앞에서 살펴본 바와 같이 "이음새 없는 목소리(seamless voice)"이다. 이것을 성취하기 위해서는, 생리학적으로 피치를 조절하는 윤상갑상근(cricothyroid muscle, 이하 CT근)의 원활한 동작이 방해받지 않으면서, 동시에 성대의 접촉이 적절히(과하지도 부족하지도 않게) 이루어지는 것이다. 이것은 팔세토의 충분한 비율을 바탕으로 흉성의 힘을 더함으로써 가능하다.

성구 훈련에 있어서 초심자는 먼저 각 성구의 개념과 특성을 알고, 각 성구의 소리를 정확하게 소리 내는 방법을 배워야 한다.

이와 관련하여 본 책의 초반부에서, '부족한 성구를 강화한다'라는 개념을 이야기하면서 이 방식이 한때 유사과학(pseudoscience)으로 치부되기도 했다고 언급한 적이 있다. 사실 이 논란은 성구의 개념이 서로 다름에서 출발한다. 만일 성구가 흔히 그렇듯이 특정한 어떤 상태의 특정한 목소리로 설정되면, 훈련하는 목소리가 가창 목소리에는 부적합하기 때문에, 이 훈련방법은 크게 도움이 되지 않는 것처럼 보인다. 그에 반해 필자가 앞에서 제시했던 것처럼, 성구를 목소리 생성의 구성요소이자 음질로서 설정하게 되면, 성구의 개념은 성대의 접촉 정도를 적절히 조절할 수 있는 아주 중요한 교수법적 도구가 된다.

1) 각 성구 개념 확립하기

다시 돌아와서, 초심자가 각 성구의 개념을 처음 익힐 때는, 무엇보다도 각 성구의 고유한 음질을 이해하는 것이 우선이고, 둘째는 그 성구를 소리 내는 방법을 배우는 것이다. 이 개념이 확립되면, 이것은 이후 교사에게 그리고 가창자 스스로에게 가장 중요한 레버(lever)중 하나가 된다,

흉성의 힘찬 음질과 팔세토의 부드러운 음질에 대해 가창자가 익히면서, 교사는 학생이 어떻게 할 때 각각의 성구가 소리 나는지를 숙지시켜야 한다. 기본적으로는 성구를 반사적으로 조절하는 모음-피치-세기 컴비네이션을 알려줌과 동시에, 각각의 성구가 가진 음질(예를 들어 흉성은 까랑까랑하고 명료한 소리, 반대로 팔세토는 숨소리, 빈듯한 소리 등)을 학생이 명확하게 인지해야 한다.

초심자의 경우 남성은 흉성, 여성은 팔세토에 대해 익숙해져 있는 경우가 많다. 그러나 초심자가 가지고 있는 개념이란 양 성구가 서로 분명히 구분되지 않은 상태로서, 흉성도 충분한 성대접촉을 가지지 못하고, 팔세토도 목구멍의 조임 등으로 인해 흉성구의 음질을 여전히 가지고 있는 경우가 대부분이다. 따라서 이에 대한 개념적 확립이 필요하다.

보통은 대체적으로 남성은 팔세토에 대해서, 여성의 경우에는 흉성에 대해서 개념이 더욱 모호한 상태일 가능성이 높다. 그래서 약한 성구에 대한 감각을 집중적으로 훈련하는 것이 훈련의 효율을 높이기에

좋다.

약한 성구의 개발단계에서, 남성은 연결된 두성의 느낌을 익히기 전에 흉성과 끊어져 있는 팔세토의 느낌을 먼저 익히는 것이 순서가 되겠는데, 대체적으로 가성의 느낌을 충분히 아는 경우가 많으므로 그럴 경우엔 상황에 따라서 생략을 해도 된다.

그러나 가성의 느낌을 안다고 하더라도 목구멍소리(throatness)가 섞여서 목에 걸린 듯한 소리가 나는 경우가 많은데, 이 경우 순수한 개념이 자리 잡지 못하고 흉성의 개념(목구멍을 닫는 동작)이 불순물로 뒤섞여 있는 상태이다. 이 상황에서 성급하게 연결된 두성을 시도할 경우 불필요한 목의 조임긴장 때문에 원하는 소리를 얻지 못하는 수도 많다.

따라서 그런 경우에는 극도의 숨소리에 가까운 "순수한 팔세토"의 음질을 충분히 인지하도록 하고, 흉성이 거의 개입을 하지 않고 목구멍의 조임이 배제된 순수한 팔세토를 연습시키는 것이 좋다. 그래야 가창자의 개념을 분명히 할 수 있고, 이는 이후 교사와 가창자의 큰 자산이 된다.

그리고 한편 흉성의 개념도 한번 정립해 주는 것이 좋다. 초심자의 경우에는 일반적인 모달성구에서 성대가 제대로 접촉하지 못하는 경우가 의외로 많다. 따라서 불필요한 긴장 없이 성대를 제대로 충분히 접촉하는 소리를 내도록 하여 흉성에 대해 충분한 개념을 확립하도록 하자.

여성의 경우도 마찬가지인데 일반적으로는 일반 스피치 상황에서의 목소리가 흉성인 경우가 많다. (그래서 흉성을 모달modal성구라고 하는 것이다.) 하지만 여성이 흉성을 소리낸다고 하더라도 여전히 목소리에 팔세토가 많이 섞여 있는 경우가 상당히 많다. 따라서 성대접촉이 충분히 이루어져서 분명하고 명료한 소리가 나도록 교사는 유도할 필요가 있다. 충분한 저음에서 포르테(forte)이상의 충분한 세기로, 분명한 [a]모음을 소리내도록 하자. 숨소리가 섞여 있으면 안된다. 또한 흉성을 훈련한다고 지나친 저음을 소리내게 할 경우 오히려 성대접촉이 떨어지는 경우가 발생하므로 주의하도록 하자. 교사는 기능적 귀를 활용하여 성대접촉이 제대로 이루어지는지 면밀히 모니터링 하여야 한다.

더! 깊이 살펴보기!!

성구 분리(isolation)과 뒤섞인 성구조절 상태

성구 분리를 영어로는 고립(isolation)이라는 용어를 쓴다. 보다 직관적인 의미로, 성구를 "고립시킨다"라는 뜻인데, 이것은 2개의 성구 중에서 흉성과 팔세토를 분리해 내는 작업을 뜻한다. 여기서 각 성구에 대한 개념은 다음과 같은 생리학적 특성을 지닌다.

구 분	생리학적 특성
흉 성	TA 지배적, 성문을 닫음(IA, LCA의 동작), 확산하는(divergent) 성도형태
팔세토	CT 지배적, (결과적으로) 성문이 닫힘, 수렴하는(convergent) 성도형태

이 개념은 더글라스 스탠리(Douglas Stanley)에 의해 20세기 초 본격적으로 대두되었다고 볼 수 있다. 사실 필자가 이 내용을 알게 된 것은 가창교수법의 대부인 리차드 밀러(Richard Miller)의 [Solutions for Singers]의 책을 읽으면서인데, 그에 따르면 "일부 학자들이 성구를 분리-발전시키는 방법을 주장하고 있으나 그것은 유사과학(pseudo-science)이다"라고 지적하고 있다. 이것은 20세기 초 더글라스 스탠리를 지목하는 발언이다.

여기서 흥미로운 것은, 리차드 밀러가 '유사과학'이라는 용어를 사용했다는 점으로서, 결국 더글라스 스탠리가 성구고립에 대한 개념을 제시하면서 무엇인가 과학적인 내용들을 바탕으로 자신의 주장을 펼쳤다는 뜻이다.

그리고 그 '과학적인' 내용들은 더글라스 스탠리의 책들에서 잘 살펴볼 수 있는데, 그것은 TA근과 흉성, CT근과 두성(팔세토)를 연관시키는 개념이다.

---

132) 필자 주 : 믹스드 보이스(mixed voice)와 다른 개념이므로 주의하기 바란다

그리고 이 개념은 한 때 스탠리의 제자였던 코넬리우스 리드(Cornelius Reid)에 의해 발전-확립되게 되는데, 사실 리드가 말한 개념은 과학적인 근거로서 더글라스 스탠리의 개념을 사용하기는 하지만, 주장의 본질적인 내용은 벨칸토 시대의 교사인 토지, 만치니, 만프레디니 등의 개념을 더 중요하게 여긴다.

왜냐하면, 더글라스 스탠리의 개념은 각 성구가 특정한 성대조절 메커니즘과 관련이 되어 있고, 이것을 독자적으로 개발-발달시켜야 한다고 지적하는데 반해, 코넬리우스 리드가 주장하는 내용은 성구를 분리시키는데 그치지 않고, 궁극적으로 이 둘을 하나로 완전히 융합시키는데 그 목적이 있기 때문이다. 그리고 그 내용은 벨칸토 시대 교사들의 의견과 완전히 일치한다.

그렇다면, 우리는 다음과 같이 생각할 수 있을 것이다 : "어차피 결합시킬 건데, 왜 굳이 두 개를 나누는가?" 그것은, 일부 경우에 2개의 성구가 잘못된 형태로 결합되어 있기 때문이다. 이것에 대해 코넬리우스 리드는 '뒤섞인 성구조절상태(mixed registartion)'이라고 지적하였다.[132)]

우리가 이상적으로 생각하는 가창자의 목소리는 흉성과 두성(팔세토)가 완전히 올바른 방식으로 코디네이션 되어 생성되는 목소리이다. 그것을 풀어 설명하면 다음과 같다 : 1) 성대 조절은, 피치에 맞게 성대주름이 잘 늘어나면서도(=CT에 의한 동작, 곧 팔세토 혹은 두성의 특질) 성문은 잘 닫혀(=arytenoids에 의한 동작, 곧 흉성의 특질) 성대진동의 효율성과 충분한 음질을 생성해야 한다 2) 반면에 성도 조절은 전체적으로 열린 목구멍(=인두의 확장과 후두의 하강, 곧 팔세토의 특질)을 안정적으로 유지하면서도 동시에 목소리의 특정부위는 좁아져서(=상후두관의 수축)은 이루어져서 SFC(가수 음형대 클러스터)가 잘 형성되어야 한다.

능숙한 가창자는 위의 두 가지 조건을 올바른 형태로 잘 코디네이션 하지만, 일부 가창자는 완전히 뒤바뀐 형태로 2개의 성구가 뒤섞여 있는 경우가 있다.

예를 들어 일반적으로, 목구멍이 죄여 있으면 성대접촉이라도 강한 상태이거나 아니면 성대접촉이 약한 상태면 목구멍이라도 열려있는 상태이어야 한다. 하지만 이 뒤섞인 성구조절 상태의 가창자는 목구멍도 죄여 있으면서 동시에 성대접촉도 제대로 되지 않는 상태이다.

물론 초심자의 경우 일반적으로 누구나 다 이런 경향을 가지고 있다. 하지만 대부분 약간의 훈련을 통해 2개의 성구를 손쉽게 분리가능하다. 하지만 본격적으로 뒤섞인 성구조절상태는 이 상황이 완전히 몸에 베어버려 웬만한 노력으로는 성구의 분리가 되지 않는 경우를 뜻한다.

한편, 코넬리우스 리드는 자신의 책 [Voice : psyke & soma]에서 이 뒤섞인 성구조절 상태의 원인으로 '잘못된 방식으로 무리하게 흉성을 있어서는 안될 음역에서 지속적으로 사용할 경우' 이 상황에 직면하게 된다고 언급하고 있다.

특히 대표적으로 벨트 스타일을 추구하는 여성가창자나 레제로 테너의 목소리에서 (다른 성종에 비해) 비교적 흔히 이 뒤섞인 성구조절 상태를 찾아볼 수 있다. 일반적으로 여성 가창자는 그냥 완전히 두성으로 노래하고, 남성은 흉성으로 노래하는데 반해, 벨트 스타일이나 레제로 테너의 경우 두성의 영역에서 잘못된 방식으로 흉성 스타일로 노래 부르는 경우가 많다. 이 상태의 가장 큰 현상 중 하나는 트레몰로(tremolous)가 있을 수 있으나, 항상 그렇지는 않다. 이 상태의 가창자에게는 양 성구를 완전히 분리해주는 메소드가 필요하다.

다시 한번 말하지만, 일반적인 경우에는, 그냥 흉성과 팔세토의 음질을 들려주고 훈련 보칼리제를 몇 번 반복하면 양 성구에 대한 개념이 올바르게 자리잡게 된다. 그런 경우에는 양 성구를 분리-확립시키는 훈련을 지나치게 오래 지속할 필요가 없다. 보통 1-2회만 훈련하면 가창자가 바로 어느 정도 느낌을 파악한다. 그렇기 때문에, 웬만해서는 그냥 성구 통합 훈련에 돌입해도 크게 문제가 없다.

이는 세스릭스의 책에도 잘 드러나는데, 그는 책에서 일반적인 학생을 대상으로, 별다른 훈련 없이 잘 설계된 훈련 보칼리제를 가지고 바로 두성을 경험해 보는 훈련을 실시한다. 다만 두성의 성구패턴이 아무리 해도 잘 나오지 않는 경우, 그런 사람들에게는 세스릭스도 팔세토를 훈련할 것을 권고한다.

그렇다. 양 성구를 분리-확립하는데 있어서 가장 핵심이 되는 것은 바로 '순수한 팔세토 개념의 확립'이다. 왜냐하면, 위에서도 말했듯이, 문제의 원인은 "흉성을" 잘못된 방법으로 사용했기 때문이다.

그 이유 말고도, 인간은 본능적으로 "목소리를 소리낸다"라는 개념에 흉성구, 즉 육성(natural voice), 모달(modal)이 결합되어 있는 상황이다. 그렇기 때문에, 가창 훈련의 "대전제(prerequisite)"는 "CT근 중심의 코디네이션 구조를 재편성 하는 것"이다. 이를 위해 고음으로 올라갈수록 TA근은 점점 무력화되어야 하며, 티체 등의 학자는 해당 내용을 강조하였다.

아무튼, 교사는 양 성구를 확실하게 분리하기 위해서 우선적으로 순수한 팔세토의 개념을 잘 확립시켜야 한다. 그것은 '열린 목구멍(open throat)'가 필수이며, 여기서 열린 목구멍을 바탕으로 CT근이 잘 컨트롤되기 시작하면, 역설적으로 성문이 닫히기 시작한다. 왜냐하면, CT근의 길항근이 TA근이 반대급부로 서서히 긴장하기 때문이다. 참 재밌는 일이 아닐 수 없다.

오히려 CT와 TA가 뒤섞여 있는 상태에서는 CT근도 제대로 동작하지 못하고, 또한 TA근도 제대로 동작하지 못해서 뚜렷한 소리가 나지 않다가 CT근 중심의 코디네이션 관계가 제대로 형성되면, 이제 열린목구멍과 성문의 닫힘이 조금씩 자리 잡게 되는 것이다.

이를 위해서 교사는 가창자가 열린 목구멍을 잘 형성해서 whoop하고 hooty한 소리가 잘 유지되는지, 목구멍이 죄이지 않는지 잘 관찰해야만 한다. 이를 위해서는 어두운 음질, 수렴하는 성도모양, 발음(무성자음과 단

헌모음)을 적절히 사용하면 큰 도움이 될 것이다.

참고로 세스릭스는 자신의 책에서 이를 위한 연습으로 [휘-이]라는 발음을 사용했다. 특별히 단일 모음에 가깝게 그냥 [휘]라고 발음하는 것보다 이중모음의 형태로 [휘-이]라고 발음해야 조음기관이 강제적으로 움직이면서 불필요한 긴장을 제거하는데 더 도움이 될 수 있다.

이제 어느정도 가창자(혹은 학생)이 팔세토에 대한 개념이 자리잡게 되면, 반대편의 흉성구에 대한 개념도 이끌어내주는 것이 좋다. 하지만, 여기서 흉성구의 개념은 팔세토와 대비되는 음질을 드러내서, 오히려 팔세토의 개념을 더욱 명확히 하기 위함이지 특별히 흉성구를 별도로 발달시키기 위한 개념은 아니다. 물론 벨트 스타일의 경우에는 흉성구를 별도로 강화시키기도 한다. 이렇게 어느정도 훈련에 성과가 있으면, 이제 성구를 통합하는 작업을 진행하면 된다. 그러나 무척 신중해야 한다. 습관이란게 무서워서 조금만 신경을 덜 쓰면 금세 옛 버릇이 나와버리기 때문이다. 아마도, 공을 들여서 학생을 훈련시킴에도 불구하고, 발성훈련에 성과가 뚜렷하지 않은 경우에는 이 뒤섞인 성구조절 상태를 의심해 볼 필요가 있다.

2) 성구융합 : 양 성구를 같이 사용하기

앞의 훈련이 제대로 이루어졌다면, 이제 가창자는 흉성과 팔세토를 어느 정도 자신이 임의로 조절할 수 있게 된다. 일반적으로 성구의 비율은 피치와 모음, 세기에 따라 반사적으로 조정되지만, 가창자가 이 개념을 분명히 확립하게 되면, 동일한 피치, 동일한 모음, 동일한 세기에서도 어느정도 성구의 비율을 마음대로 조절할 수 있게 된다. 이 정도 수준은 아니더라도 교사가 학생에게 흉성 혹은 팔세토를 요구했을 때 학생이 어느정도 이 성구비율을 조절할 수 있도록 하자. 이 조절이 전혀 이루어지지 않는다면, 이후의 훈련은 무의미한 것이 된다.

성구를 융합하는 방법은, 다음의 두 가지 방법을 통해 이루어진다: ① 중성의 확립, ②성구전환.

중성medium voice은 앞에서도 언급한 바와 같이, 흔히들 믹스드 보이스mixed voice, 보체 미스타voce mista 등으로 불려온 것으로서, 양 성구 중 하나만이 독점적으로 지배적인 상태가 아닌 균형있는 비율을 가진 가창에 적합한 목소리를 뜻한다. 가창역사의 어느 시점부터 이를 제3의 성구로 구분하는 경우가 잦은데, 그래서 이를 중성구middle register라 부르는 것은 옳지 않다고 볼 수 있다. 최근의 과학적 연구는 중성구라고 완전히 다른 별도의 메커니즘이 딱히 존재하지 않는 것으로 간주하며 이를 뒷받침한다.

이 중성구는 두 가지 방향에서 이루어질 수 있다. 하나는 메조 페토mezzo petto라 불리는 절반의 흉성, 즉 흉성을 기반으로 하여 팔세토의 비율을 늘리는 것이고, 나머지 하나는 메조 팔소mezzo falso라 불리는 절반의 팔세토, 즉 팔세토를 기반으로 하여 흉성의 비율을 늘리는 것이다.

이 중에 메조 페토의 훈련은 남성과 여성 모두에게 사용할 수 있지만 특히 남성에게 더욱 유용하다. 왜냐하면 남성의 경우 흉성에 훨씬 친숙하기 때문이다. 아무튼 이것은 흉성에서 팔세토-유도적인 모음인 [u] 모음을 소리 냄으로써 간단하게 성취 가능하다. 남성의 경우 이 훈련을 통해 중성구의 느낌을 익혀서, [a]와 같이 흉성을 많이 유도하는 모음에서도 깊고 부드러우며 풍부한 팔세토가 충분히 소리 나오도록 할 필요가 있다.

반대로 메조 팔소의 훈련은 여성에게 더욱 유용한데, 이것은 팔세토의 음질에 흉성의 펀치를 더하는 것이다. 이것은 어떻게 이루어질 수 있는가? 모음-피치-세기 콤비네이션을 바탕으로, 팔세토 시작한 다음에 흉성을 더하는 것, 즉 [a]모음에 가깝게 소리를 변화시키고 낮은 음역으로 팔세토의 음질을 충분히 가져오면서, 점차 소리를 강하게 키우면 된다. 이 3가지 요소를 복합적으로 사용할 수도 있지만, 한가지 요소만 사용해도 충분한 효과를 발휘 할 수 있다. 특별히 세기의 변화를 이용한 것은 메싸 디 보체messa di voce라 불리며 벨칸토 가창의 핵심적인 훈련법으로 잘 알려져 있다.

그리고 성구를 융합하는 또 다른 방법은 바로 성구전환register transition 훈련이다. 성구전환 훈련을 실시하게 되면, 가창자는 서로 상이한 양 성구의 감각을 반복적으로 환기-사용하게 된다. 이는 결국 양 성구의 핵심적인 근육(흉성은 피열근arytenoids, 팔세토는 윤상갑상근cricothyroid)이 가창에 있어서 올바르고 능동적으로 참여할 수 있게 해 준다.

유의할 점은 성구가 어떤 특정한 상태의 목소리를 일컫는 것이 아니라는 점이다. 즉 완전한 흉성에서 완전한 팔세토를 단순히 번갈아 소리내는 것이 아니라, (피치를 통해 성구를 구분한다면) 피치에 따라서 점진적이고 완만한 성구의 전환이 이루어지도록 해야 한다. 즉 양 성구가 모두 목소리에 적극적으로 개입을 하게 하되, 그 지배적인 관계를 교환하도록(흉성 지배적인 상태와 팔세토 지배적인 상태의 교차)해야 하며, 점진적으로 음질적 차이가 적어지도록 해야 할 것이다. 이것은 훈련 보칼리제의 세밀한 설계와 선택으로 더욱 원활히 이루어질 수 있는데, 관련한 세부 내용은 후에 기술토록 하겠다.

3) 성구조절과 모음변조(=모음순화)

이런 성구의 조절은 필연적으로 모음 변조vowel modification을 수반하게 된다. 예를 들어 흉성이 강한 [a]모음은 팔세토가 더해지면서 [ɑ] 혹은 [ɒ] 모음과 같이 더 깊은 소리가 나게 된다. 반대로 팔세토가 강한 [u] 모음은 성대접촉이 이루어지면 [ʉ] 혹은 [ʊ̈]모음처럼 다소 얇아지면서 단단한 음질이 등장하게 된다.

이 모음변조와 성구조절은 결국은 같은 현상을 가리키는 것으로 무엇이 옳은 것인지에 대한 논란은 닭이 먼저냐 달걀이 먼저냐 하는 논란과 비슷하다고 볼 수 있다. 이 둘 사이의 미묘한 관계에서, 보다 능동적인 노력이 필요하다고 주장하는 입장은 이것을 모음변조라고 명명하는 반면에, 비교적 수동적인 결과라고 주장하는 쪽은 모음순화라고 부르는 경향이 있다.

그렇지만 개인적으로 필자는 모음변조를 통해 성구조절을 이끌어내는 것보다는, 성구조절을 통해 결과적으로 모음순화가 이루어지는 것이 더 건강하다고 간주한다. 왜냐하면 가창자의 개념에는 성구에 대한 개념이 모음에 대한 개념보다 더욱 본질적으로 자리잡아야 하기 때문이다. 그리고 성구조절이 아닌 모음변조로 목소리를 유도하는 방식은 정확한 조음articulation을 방해하는 결과로 빠지기 무척 쉬운 경향을 보인다. 물론 모음과 성구는 불가분적인 관계이기 때문에 이에 대한 실제적 가치판단은 무척 복잡해진다.

4) 성구조절에 따른 비브라토

한편 이 훈련이 잘 이루어진다면 가창자의 목소리에는 움직임이 출현하게 되는데, 이것이 바로 비브라토^vibrato^이다. 기본적으로 양 성구의 균형이 어느정도 맞아지게 되면, 목소리는 평형상태에 진입하게 되며, 평형상태에서는 건강한 목소리의 진동^oscillation^이 나타나게 된다. 흔히들 범하는 실수와 같이 비브라토는 어떤 가창자의 의도에 의해서 나타난다기보다, 특정 발성 포지션이 제대로 형성되면 자발적으로 출현하는 것이다. 비브라토를 다듬는 것은 비브라토 자체를 다듬는 것이 아니라, 비브라토를 출현시키는 발성기관의 포지션을 다루는 것이다.

교사는 이 평형상태에 대한 감각을 학생이 정확하게 숙지하도록 잘 주지시킬 필요가 있다. 이 평형상태는 가창자의 가창생활 동안 가장 중요한 기준점이 될 수 있다. 좋은 비브라토는 올바른 평형상태인지 여부를 나타내주는 중요한 바로메터^barometer^라고 볼 수 있다.

물론 올바른 평형상태는 성구에 관한 것만이 아니며, 또 다른 발성의 요소들인 호흡과 공명에 크게 좌우된다. 하지만 일반적으로 성구는 호흡과 공명과 깊은 영향관계에 있기 때문에, 가창자는 초심자 단계에서 이 평형상태에 대한 감각을 (완벽하지는 않지만) 성구를 조절함으로써 충분히 느끼고 인지할 수 있다.[133] 가창자의 실력이 심화되어 감에 따라 평형상태에 대한 감각은 더욱 세밀하고 깊어질 것이고, 그것은 발성에 있어서 가장 핵심적인 요소이다. 앞에서 언급하였듯이 가창은 밸런스의 문제이다.

---

133) 필자 주 : 이 상황에서 최소한의 열린목구멍(open throat)은 반드시 필요하다. 열린목구멍이 확보되지 않은 상태로 무리하게 성대접촉을 강화시키려고 하면 비브라토는 결코 나올 수 없다. 따라서 코넬리우스 리드의 성구훈련 순서대로, 초창기에 순수한 팔세토에 대한 개념을 확고히 해서 열린목구멍을 잘 확립시켜놓을 필요가 있다.

가창자는 노래부르는 평생에 있어서, 단 하나의 좋은 톤을 각자의 노트에서 정확하게 내기 위해 힘써야 한다. 한 노트에 대해 정직하고 솔직한 톤을 주지 않고, 그저 기교와 같은 편법에 의존하려고 해서는 안된다. 특히 대중가요에서는 발성보다도 오히려 스타일이 중요하다 보니, 한 톤을 길게 유지하지 못하는 발성적 결함을 여러 가지 기교로 덮는 가창자가 적지 않게 있다. 하지만 그런 가창자는 평생에 있어서 가장 중요한 무기를 갖추지 못하는 것이기 때문에, 교사는 반드시 이 부분을 정확하게 진단하고 확립해 줄 필요가 있다. 한 노트를 일정하게 균일한 평형상태로 지속시키는 훈련이야말로 모든 가창의 기본이라고 볼 수 있다.

5) 힘찬 고음의 목소리(남성가창자)

이상 위의 방법은 아주 전통적인 벨칸토 시대의 전통적인 훈련방법이다. 하지만 근래에 들어서면서 다소 독특한 두 가지 목소리의 출현으로, 그 목소리의 훈련을 위해서는 조금은 다른 방식이 요구되게 된다. 그 두가지 목소리란 일반적인 두성이 아닌 흉성의 비중이 상당히 들어간 두성을 뜻하는데, 그것은 "도 디 페토Do di petto"라고 불리는 남성의 힘찬 두성과 여성의 벨팅 스타일 가창을 뜻한다.

이 목소리의 경우에는 물론 두성구head register에 속하며, 이것은 팔세토가 충분히 확보되면서 동시에 성대의 접촉 또한 유지되는 목소리를 뜻한다. 하지만 베리즈모verismo 오페라 시대 이후의 남성의 두성은 이전과는 다른, 월등히 높은 수준의 성대접촉율을 가지고 있다.

이 힘찬 고음의 목소리를 연습하기 위해서는 기존의 팔세토를 강화시키는 방식으로는 무척이나 시간이 많이 걸린다. (그래서 이를 팔세토와 다른 목소리를 분류하는 시도가 계속되어 오기도 했다.) 이 목소리는 팔세토에서 적절한 성대접촉이 이루어질 때와 또 다른, 더 많은 성대접촉이 이루어진 상태의 평형상태equillibrim를 가지고, 초심자일수록 가창자는 이 두 목소리 사이의 감각이 서로 상이하다고 느끼게 된다. 결국 여러 가지 이유로, 단순히 팔세토에서 고음을 연습하기보다는 이 새로운 상태의 성구평형상태를 익히게 하는 훈련이 필요하다.

이 훈련방법은 일단 흉성과 많이 연결된 소리를 한번 내봄으로써 가능한데, 필자는 세스릭스가 제시하였던 훈련방법을 적극적으로 추천하는 바이다. 그것은 1-3-5-8도 노트를 순차적으로 짧고 강하게 소리내는 것으로서, 교사가 옆에서 잘 듣고 순수한 두성의 음질에 대해 가창자가 잘 개념을 확립할 수 있도록, 좋은 소리와 나쁜 소리를 구분하여 주는 것이 반드시 필요하다. 하지만, 그럼에도 불구하고 이 모든 것은 앞에서 언급한 성구의 기본적인 법칙의 적용을 받는다.

두성을 훈련하면서 흉성이 끌어올려지지도 않고 동시에 성대접촉을 유지하지 못하고 가성으로 빠지지도 않는 '적절한 접촉'을 유지해야 한다. 이를 위해 모음-피치-세기 컴비네이션을 다양하게 사용하여야 하며, 그 외 다양한 자음을 조합하거나 아니면 여러 가지 지시어를 사용할 수도 있을 것이다. 이런 훈련 보칼리제의 설계 방법은 뒤에서 자세히 살펴보도록 하자.

아마 서양 클래시컬 음악에서는 음역보다는 좋은 톤이 더욱 중요한 경향이 있기에, 그럴경우에는 앞의 중성구를 확립하는 훈련이 더욱 중요하겠다. 하지만 이 두 가지 훈련은 서로 긍정적인 영향을 미친다.

만일 가창자가 어느 정도 흉성이 확립되어 있고, 그리고 이 훈련을 했을 때 두성의 음질이 잘 나온다면, 이것 이전의 훈련방법(=양 성구를 확립시키는 훈련)을 생략하고 바로 두성을 훈련하여도 크게 문제가 없다. 하지만 양 성구의 개념이 매우 저조한 초심자일수록, 이 훈련을 하여도 양 성구의 구분이 전혀 되지 않고 성구전환의 느낌이 느껴지지 않는 경우가 많다. 또한 지나치게 한쪽 성구가 우세한 경우에도 도저히 두성의 느낌이 나지 않는 경우가 많기 때문에, 그런 경우에는 양성구의 개념을 확립시켜주는 훈련이 반드시 필수적이다.

게다가 대체적으로 팔세토의 음질을 흉성구로 가져오는 것이 흉성구의 음질을 팔세토에 더하는 것보다 더욱 쉬운데, 그것은 전자가 후자에 비해 낮은 음역에서 이루어지기 때문이다. 따라서 초심자의 경우에 상대적으로 더 쉬운 훈련인 팔세토의 음질을 흉성구에 충분히 가져오는 훈련을 먼저 해 두는 것이 여러모로 더 유리하다고 볼 수 있겠다.

물론 뛰어난 교사는 이 훈련이 필요하지 않은 상태를 파악할 수 있을 것이고, 그럴 경우에는 가창 훈련의 효율성이 높아질 수 있을 것이다. 하지만 언제나 그렇듯이, 속도보다는 정확성이 우선이다.

반대로, 뛰어난 교사는 만일 두성구의 획득이 제대로 이루어지지 않는다면, 그 원인은 학생의 양성구에 대한 개념의 확립이 이루어지지 않았기 때문임을 알아야만 한다.

6) 음역대 지도 만들기(vocal range mapping)

위와 같은 훈련을 거치면 이제 가창자는 저음에서부터 고음까지 음의 단절없이 소리낼 수 있게 될 것이다. 여성 클래식 가창자는 이전에는 팔세토만 사용하고 아래쪽에서 단절을 느꼈지만, 이제는 상당히 힘찬 저음도 소리낼 수 있게 되었을 것이다. 반면에 남성의 경우에는 파사지오 위쪽의 음역에서도 흉성이 완전히 없어지지 않고, 어느정도 코디네이션되어 저음의 흉성과 이어지는 소리를 낼 수 있을 것이다.

이제는 이 두 가지 성구가 전체 음역대에 걸쳐 자연스럽고 고르게 분포되도록 하는 것이 목표이다. 앞에서 언급하였듯이, 가창자가 느끼는 자신의 목소리의 경계는 가창기술의 발전단계에 따라 달라진다. 이 목

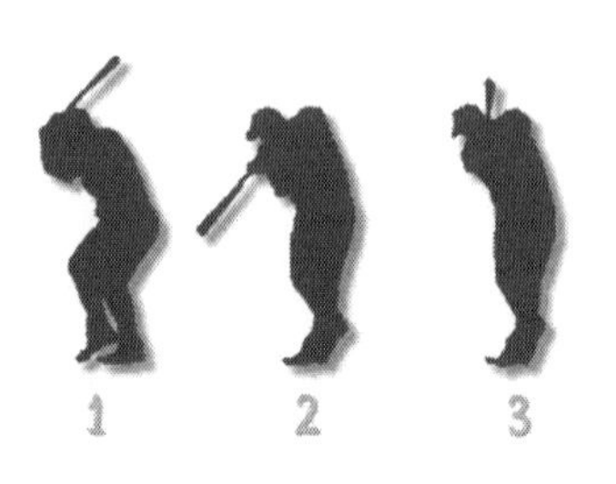

그림 72. 야구선수의 타격자세 순서.

소리의 조각들(segments)이 궁극적으로는 하나의 목소리로 통합되어야 하지만, 그 경과 과정인 훈련 때에는 이 조각들을 점점 세밀하게 다듬어나가야 하며, 이것이 목소리의 발전에 따라 점차 통합되어가도록 해야 한다.

이것은 마치 스포츠 선수들이 자세교정을 할 때, 효율성을 위해서 연속적으로 이루어진 자세를 몇 가지 단계로 나뉘어 접근하는 것과 그 원리와 목적이 동일하다.

이 음역대 지도는 엄밀히 말하면 개인별로 다 달라야 할 것이다. 왜냐하면 개인의 해부학적 구조가 모두 각기 다르며, 심지어 한 개인 내에서도 피치-모음-세기에 따라 성구비율이 달라지기 때문이다. 하지만 그럼에도 불구하고, 약 1-2개 노트의 오차를 허용한다면, 크게 3가지 목소리 타입으로 나뉘어 지도를 만들 수 있을 것이라고 판단한다. 그 목소리의 타입은 다음과 같다 : ①남성 가창자, ② 여성 클래식 가창자 ③ 여성 벨팅 가창자. 여기서 ①남성 가창자는 서양 클래식 스타일(오페라)와 그 외 팝이나 뮤지컬과 같은 장르에 따른 구분이 크게 존재하지 않는다. 그리고 ② 여성 클래식 가창자는 뮤지컬이나 팝에서의 리짓(legit)스타일을 포함한다.

결국 교사와 학생은 훈련의 대상이 어떤 목소리의 범주에 속하는지 미리 설정을 하고 훈련을 할 필요가 있겠다. 특히 여성의 경우에 팔세토 중심의 클래식(그리고 리짓) 스타일과 흉성 중심의 벨트 스타일에서 극명한 성구비율의 차이를 보여주기 때문에, 처음부터 방향을 설정하지 않으면 중구난방이 되기 쉽고, 특히 학생과 교사가 원하는 소리가 달라져서 근본적인 관계부터 흔들릴 수 있다.

이제 이런 목소리의 스타일을 정하고 나면, 각 목소리의 타입에 따라 조각들(segments)을 인식하고, 가창자가 이것들을 한 곡 내에서 솜씨 있게 다루는 방법을 배우도록 하면 된다. 이 세부 음역대는 공명, 즉 음향적인 내용과 같이 다루어야 하므로, 뒤의 공명에 대한 가창지도 방식을 다루는 부분을 참고하기 바란다.

7) 성구의 발전 : 하나의 목소리

이제 목소리는 하나의 목소리를 향해 나아간다. 이 목소리는 "이음새 없는 목소리"로서, 이는 가장 저음이나 가장 고음이나 별 음질의 차이 없이 전체 음역에 걸쳐 고르고 아름다운 톤을 가진 목소리를 뜻한다. 이 하나의 목소리는 성구융합을 통해 가능하며, 성구융합은 위에서 언급한 바와 같이 '중성의 확립(메싸 디 보체)'과 '성구전환'을 통해 성취될 수 있다.

이전에는 흉성과 두성이 끊어지지 않고 연결되는 것을 목표로 한다면, 그에 반해 이제는 두성이 흉성 만큼 혹은 그 이상의 강한 힘을 가지게 되고, 동시에 흉성 또한 팔세토의 부드러움과 유연함을 충분히 가질 수 있도록 노력해야 한다.

이를 위해서 가창자는 강한 고음을 연습하게 되는데, 반드시 주의해야 할 점은 앞에서 언급하였듯이, 바로 CT근의 월활한 동작을 보장해야 한다는 것이다. 이는 바꿔 말하면, 팔세토가 목소리의 가장 바탕이 되어야 한다는 것을 뜻한다. 이 팔세토의 감각은 호흡의 감각과도 긴밀한 연관이 있다. 가창자의 본래적^natural 개념에서는 '목소리를 낸다'라는 개념이 필연적으로 피열근과 연관이 되어 있다. 즉 훈련되지 않은 가창자라면, 일반적인 말하기 목소리인 모달^modal성구, 즉 흉성이 항상 주도적인 역할을 하기 마련이다. 이것을 억제하는 감각이 바로 '호흡으로 노래하는 것'이라고 볼 수 있다.

가창자는 이 감각을 유지하면서 점차적으로 성대접촉이 강해지도록 소리를 키워나가야 한다. 이를 위해서는 한 노트를 메싸 디 보체 시키는 방법이 기본이다. 그리고 또한 점진적으로 두성으로 진입하는 상승 보칼리제를 소리내면서 성대의 접촉률이 급격히 떨어지지 않게 버티는 연습이 유효하다.

이런 연습을 지속적으로 하다보면, 남성 가창자는 이제 상당한 흉성의 비율로도 두성구의 낮은 노트들을 어느 정도 소리낼 수 있게 된다. 하지만 이 즈음에 되면서부터 가창자는 팔세토 중심의 두성 개념을 더욱 분명히 해야 한다. 보통 남성가창자의 경우 A4까지는 어느정도 흉성의 힘으로도 소리를 낼 수 있는 근력을 가지게 돼서, 왠만한 곡은 흉성중심의 소리로 소화가 다 가능해진다.

하지만 그렇게 흉성에 의존하는 순간 목소리는 조금씩 무너져 버리고 만다. 시간이 갈수록 음역이 좁아질 것이며, 유연성을 잃어가게 된다. 이런 현상은 특히 고음이 타고난 가창자일 경우에 더욱 두드러지게 나타나는데, 이들은 애초에 별 힘을 들이지 않고도 고음이 가능했기 때문에 성구에 대한 훈련 필요성을 별로 느끼지 않았던 자들이다. 그렇기 때문에 문제가 발생해도 그 이유를 모르는 경우가 대부분이며, 한때는 성공적인 가수로 이름을 날리다가 어느 순간 사그러져간 가수의 대부분이 이 유형에 속한다고 볼 수 있다.

따라서 교사는 학생이 훈련의 초반부터 성구개념을 정확하게 확립하도록 반드시 세심한 주의를 기울여야 한다. 호흡이나 공명은 제대로 이해하지 못해도 그저 훌륭한 목소리를 소리내지 못하는 것에 지나지 않지만 성구는 그렇지 않다. 게다가 호흡과 공명의 훈련은 가창자의 본성[nature]과 어느정도 부합하지만 팔세토의 훈련은 본성(모달성구 중심의 스피치)을 거스르는 것이다. 즉 호흡과 공명과 달리 성구에 대한 몰이해는 필연적으로 목소리의 파괴로 돌아오게 되어 있다.

결국 가창자는 평생에 걸쳐서, 매우 예리한 감각을 가지고, 자신의 목소리가 성구개념의 기반 위에서 올바른 성구 밸런스를 갖추고 있는지 항상 모니터링 해야만 한다.

나. 호흡 훈련의 프로세스

1) 초심자의 호흡훈련 기초 : 모음순화와 함께

기본적인 호흡 훈련은 발성훈련의 가장 처음에 수행하기에 적합하다. 이 단계에서 가창자는 본인의 테세투라에서 가장 편한 노트 몇 개를 선택하여 기본적인 모음으로 소리내는 것을 배우게 된다. '아, 에, 이, 오, 우'와 같이 기본적인 모음이 좋으며, 특별한 목적을 의도하지 않는다면 자음을 조합하는 것은 그다지 추천하지 않는다.

이 훈련은 특별히 호흡만을 위한 훈련이라 보기 힘들다. 그것보다는 가창에 적합한 목소리를 찾고 그것에 익숙해지는 과정이라고 보는 것이 좋겠다. 앞에서 살펴봤듯이 호흡은 관계성과 통합성이라는 큰 특징을 가지고 있다. 이를 배제한 채 호흡만 떼놓고 하는 훈련은 큰 효용을 기대하기 힘들다. 특히 초심자일수록 더욱 그러하다.

초심자는 대부분 자신이 가지고 있는 가창 목소리의 고유한 톤을 잘 모르고 있는 상태이다. 너무 말하는 듯한 목소리이거나 혹은 지나치게 꾸며낸 부자연스러운 목소리이기 쉽다. 가창 목소리는 이 둘 사이에서 적절한 균형을 가진 목소리를 뜻한다.

특별히 한국어의 경우에는 다른 언어와 달리 아주 분명하게 음절이 나누어져 있고, 또 자음 중심의 또박또박한 발음체계를 가지고 있기 때문에 가창에 다소 부적합한 경우가 흔하다. 그것은 (올바른 가창 포지션에 비해) 다소 후두가 올라가 있고, 또한 음절에서 모음의 길이가 짧으며, 약간의 과한 긴장을 가진 상태이다.

이를 교정하기 위해서는 올바른 호흡으로 불필요한 긴장을 덜어내고, 후두를 약간 내려주며, 목구멍을 열어주는 것이 좋다. 교사는 단순히 흉식호흡을 지양하고 복식호흡이나 늑간호흡과 같이 특정한 호흡방식을 권고 하는 것에만 그치지 않고, 호흡에 따라서 목소리가 어떻게 변하는지, 그리고 가창자의 신체가 어떻게 조절되는지를 학생이 숙지할 수 있도록 주의를 기울여야 한다.

그리고 이 과정은 자연스레 모음순화 절차를 수반하게 되는데, 모음순화란 가창에 적합한 모음의 음질을 뜻하기 때문이다. 일반적으로 일상의 스피치 목소리는 지나치게 얕고 밝은 경향이 있는데, 이것이 적절한 키아로스쿠로 균형을 가지도록 해줘야 한다. 예를 들면 [이]모음이 입을 좌우로 지나치게 벌리고 후두를 끌어올리고 목구멍을 조이면서 발음하는 경향을 보여주며, 또한 [아] 모음도 너무 또박또박 발음하려고 할 때 동일한 포지션을 취한다.

이 훈련에 초심자가 너무 많은 시간을 투자할 필요는 없다. 왜냐하면 우선은 효율성 측면에서도 그렇고, 무엇보다도 진정한 가창목소리의 획득과 모음순화는 성구조절과 불가분의 관계에 있기 때문이다. 또한 그것의 완성은 적어도 올바른 훈련방법으로 2년은 지나고 나서, 상당한 가창 기술을 소유하고 나서야 넘볼 수 있는 영역이다. 따라서 이 호흡과 모음순화는 가창자가 다른 훈련과 병행하여 지속적으로 다듬어 나갈 수 있도록 하고, 이 초심자 과정은 1-2주, 많아도 한 달이 지나면 다른 훈련으로 넘어가서 병행체제로 전환하는 것이 좋다고 본다. 물론 올바른 판단은 좋은 교사의 재량에 맡겨야 할 것이다.

2) 아포지오의 훈련

아포지오appoggio는 앞에서 살펴본 바와 같이 발성을 종합적으로 완성하여 묶어내는 기법이다. 대체적으로 가창자의 평형상태equilibrium에 도달하는 능력과 그 결과인 비브라토가 어느정도 안정되었다면, 이제 아포지오를 습득하기 시작할 준비가 되었다고 볼 수 있다.

아포지오의 기본은 자세이다. 올바른 자세는 발성기관의 적합한 포지션을 찾아준다. 교사는 학생에게 올바른 들숨과 들숨의 자세를 가르치면서 발성기관이 어떻게 확장되고 열리는지, 그리고 그것이 어떻게 가창에 적합하지를 주지시켜야 한다. 또한 동시에 간단한 몇 개의 노트를 노래 부르면서, 이 들숨의 자세가 무너질 때 목소리가 어떻게 무너지는지도 알려줘야 한다.

이 들숨의 자세가 일정하게 유지가 되면 나타나는 현상이 바로 모음압축vowel compression과 레가토legato, 즉 소스테누토sostenuto이다. 모음압축은 소리의 유지에 필요한 최적의 긴장도를 맞추는 작업으로써, 그렇지 않은 목소리가 다소 느슨한 상태라면, 이것이 이루어지면 소리에 적절한 탄력이 붙게 되며 횡격막에서 마스께masque로 이어지는 소리의 흐름이 안정적으로 자리잡게 된다.

그리고 그 상태를 유지하면서 노트와 노트 사이를 이동하게 되면, 미끄러지듯이 별 힘을 들이지 않고 이동할 수 있게 되는데, 이것이 레가토legato이며 다른 말로는 소스테누토sostenuto이다. 대부분의 가창자는 초심자일수록 소리시작onset의 어택attack이 각 노트마다 새롭게 시작하는 경향이 있다. 이것은 굉장한 비효율이다. 가창자의 목소리가 일정 범위의 평형상태에 도달하면, 특정한 의도가 없다면, 가창자는 그저 그 상태에서 프레이즈를 이어나가면 된다. 그렇지 않고 만일 가창자가 매 노트마다 어택을 새로 세팅한다면, 호흡을 비롯한 기타 가창자의 자원이 비효율적으로 낭비될 것이다.

그리고 이 아포지오에 대한 가창자의 노력은, 각 노트에서 요구하는 만큼 적절히 이루어져야 한다. 다르게 말하면, 가창자는 자신의 발성기관을 조절하는데 있어서 천편일률적으로 대응해서는 안된다. 발성기관은 매우 탄력적이며, 연주해야 하는 곡 또한 마찬가지이다.

단순히 하나의 노트를 길게 10초 이상 유지할 때도, 평형상태를 유지하기 위해서는 적어도 3-5번의 긴장 조절이 필요하고, 그 외 미묘한 조절은 나머지 시간 동안에도 계속 이루어져야 한다. 한 노트의 같은 피치와 모음, 세기에서도 그리할진대 더욱 복잡한 구성을 가지고 있는 프레이즈를, 한 곡을, 그리고 뮤지컬과 오페라 같이 한 작품을 노래하는 것은 훨씬 더 많은 평형상태 유지를 위한 노력을 필요로 한다. 결국 가창자는 이 복잡한 환경에 대응해서 자신의 발성기관을 무척 유연하게 조절해야 하는 것이다.

이 프로세스는 기본적으로 가창자의 '운동-감각 되먹임 체계motor-sensory feedback system'에 의존한다. 자세한 내용은 뒤에서 별도로 다루겠지만, 이 시스템은 가창에 있어서 매우 핵심적이다. 그도 그럴 것이 가창은 결국 평형상태라고 불리는 밸런스에 관한 것이고, 평형상태는 이 피드백 시스템을 통한 끊임없는 보정을 통해 이루어지기 때문이다.

가창자의 가창에 대한 감각은 크게 두 가지로 나뉘는데, 첫째는 청각적 감각이고, 두 번째는 자기수용체를 통한 감각이다. 이 두 번째는 앞에서 간단하게 언급하였듯이, 자신의 근골격이 어떻게 움직이는지에 대해 근육의 길이, 관절의 각도 등을 인지하는 것을 말하는데, 이를 제6의 감각인 운동감각kinesthesia라고 한다.

가창이 이루어지는 동안 가창자는 이 두 가지 통로를 통해서 자신의 목소리가 제대로 소리나고 있는지를 계속 모니터링하게 된다. 그 모니터링의 결과에서 평형상태에서 벗어나는 정도를 파악하고, 그 정도에 맞게 소리의 균형을 다시 잡아주는 과정을 거쳐야만 한다.

그렇기 때문에, 아포지오의 힘도 마찬가지이다. 일반적으로 가창자는 목구멍을 조이고 후두를 올리는 본성nature을 가지고 있기 때문에, 아포지오의 힘은 보통 더 많은 들숨, 즉 횡격막과 후두를 더 아래로 내리고 목구멍을 열어주는 방향으로 이루어지게 된다.

이런 경향은 고음으로 올라갈수록 더 강해진다. 중저음에서의 좋은 가창의 포지션을 고음에 올라가서도 그대로 유지하는 가창자는 그다지 많지 않다. 좋은 가창자는 이 들숨의 자세를 고음에서도 유지할 수 있는데, 이 들숨의 자세를 통해 더 넓고 길다란 성도를 유지해서 더 풍부한 공명을 유지하고, 더 낮은 후두를 가져감으로써 더 많은 성대접촉을 유지[134]할 수 있게 된다. 이런 프로세스는 상대적으로 강한 고음을 내야 하는 테너의 경우에 더 두드러진다.

하지만 이와 관련해서 또 조심해야 할 것이, 목소리의 힘을 지나치게 추구하다가 성구 밸런스를 잃는 것이다. 더 많은 공명과 성대접촉(=흉성)를 추구하다가는, 금세 고음에서 가장 중요한 CT근의 원활한 움직임을 방해하게 된다. 그러므로 고음에서 두성 지배적인 톤을 잃지 않도록 항상 주의를 기울이자.

이러한 호흡훈련은 성구조절이 어느정도 자리잡고 난 다음에 지속적이고 병행적으로 이루어지게 된다. 호흡과 공명의 관계, 나아가서 성구조절에 미치는 영향에 초점을 맞춰서, 성구조절을 통해 기본적으로 형성된

---

134) 필자 주 : 후두의 하강은 상황에 따라 성대접촉율을 높이기도, 낮추기도 한다. 단순히 호흡으로 후두를 내리는 동작만 놓고 보면, 기본적으로 호흡이 통과해야 하는 상황이라 내전근이 이완되어 성문이 열리고, 게다가 목구멍이 열리게 되니 더 접촉율이 떨어지게 된다. 그러나 후두를 내려서 소리를 내기 위해 성문을 닫는 가창자의 개념과 동시에 외부근의 사용과 연관이 되면, 반대로 후두가 높은 상태보다 더욱 많은 성대접촉이 이루어진다. 본 글의 문맥은 후자에 속하겠다.

목소리를 '더 훌륭하게 만드는 것'이 호흡과 공명조절 훈련의 목적이다.

다. 공명 훈련의 프로세스

1) 가창자세의 기본 : 열린 목구멍

기본적으로 공명조절의 이상은 앞에서 언급한 바와 같이 '키아로 스쿠로chiaroscuro'이다. 공명의 측면에서 이것은 다음의 두 가지에 의해 조절된다. 우선 스쿠로scuro는 안정적인 후두포지션과 목구멍의 열림에 의해 확보되며, 이것은 음향적으로 일정하고 안정적인(=급격하게 변하지 않는) F1을 의미한다. 한편 키아로chiaro는 목소리의 빛깔을 더하는 것으로서, 성도의 특정한 조절에 의한 F2와 F3에 대한 포먼트 튜닝이다.

이 중 보다 본질적인 것은 바로 첫 번째 포번트 F1에 대한 것인데, 왜냐하면 이것은 목소리의 안정성을 결정짓기 때문이다. 반면에 F2, F3의 포먼트 튜닝은 목소리를 더욱 빛나게 더해주는 것으로서, 이것을 하지 못한다고 해서 노래 자체가 불안해지지는 않는다. 물론 포먼트 튜닝이 제대로 이루어진 목소리에 비해 상당히 많이 힘이 부족해지지만, 마이크로폰을 사용하는 현 시점에서는, 특히 대중가요에서는 큰 결함이라고 볼 수는 없다. 포먼트 튜닝이 아니더라도, 기본적으로 적절한 성대접촉(=성구조절)은 고주파수 대역의 에너지를 전체적으로 상승시킬 수 있다.

따라서 가창자가 공명에 대해 배울 때는, F1을 안정적으로 유지하는데에 더 노력을 기울여야 한다. 기본적으로 가창 목소리는 스피치 목소리에 비해 더 열린 목구멍, 안정적인 후두 포지션을 필요로 한다.

그리고 이것은 기본적으로 올바른 성구조절을 통한 안정적인 성대진동, 그리고 불필요한 외부근육의 간섭 배제, 마지막으로는 좋은 호흡과 모음순화를 통해 성취될 수 있을 것이다. 즉, 좋은 가창은 결국 종합적으로 모든 조건들을 만족시켜야만 한다.

이 훈련을 초심자가 익힐 때는, 기본적인 호흡 훈련과 모음순화 작업을 통해 가능하다. 앞에서 언급한 기본적인 호흡훈련을 실시하면서, 가창자가 불필요하게 외부근육을 개입시켜서 후두를 끌어 올리거나 목구멍을 조이지 않는지 관찰해야 한다. 교사는 학생이 올바른 들숨을 통해 목구멍이 열릴 때의 감각과 목구멍이 조일 때의 감각을 구분하는 개념을 확립하도록 주의를 기울이자.

그리고 이것과 동시에 모음순화작업도 같이 이루어지게 된다. 일반적으로 가창자는 [ㅏ]와 같이 열린 모음에서는 좁은 목구멍, [ㅜ]나 [ㅗ] 같이 닫힌 모음에서는 넓은 목구멍을 형성하는 경향이 있다. 따라서 교사는 열린 목구멍을 형성하기 위해, 약간의 모음변조를 학생에게 주문할 수 있다. 예를 들어 학생이 너무 밝은 [ㅏ]모음으로 목구멍을 조이는 상황이라면, 그 모음에 [ㅓ]를 섞으라고 주문함으로써 학생의 성도를 개선시킬 수 있을 것이다. 모음이 어두울 수록 그 영향은 크니, 학생의 정도에 따라 필요한 양만큼 모음을 적절히 조합하면 될 것이다.

2) 남성 가창자의 음향학적 전략

가) 들어가기에 앞서 : 더욱 중요한 것

남성의 경우에는 음향학적 튜닝보다도 성대에서의 성구전환이 훨씬 더 중요하다. 즉 성대가 고음에서 얇게 접촉할 수 있도록 윤상갑상근(cricothyroid)과 피열근군(arytenoids)의 코디네이션 상태가 가장 중요하다.

남성 가창자가 두성으로 진입하면서 성대가 얇아져야 하는데, 만일 피열근군(arytenoids)가 윤상갑상근(cricothyroids)에게 그 자리를 내어

주지 못하고 계속 지배적인 역할을 차지하고 있으면, 고음을 아예 소리 내지 못하게 된다[135].

아니면 반대로, 윤상갑상근이 지배적인 상태로 진입하더라도 피열근군(arytenoids)은 어느정도 역할을 지켜줘야 하는데, 이 때 버티어 주지 못하면 갑자기 윤상갑상근이 지배적인 상태가 되면서 피열근군의 참여가 확 빠지게 된다. 결국 성문이 갑자기 확 열리면서 가성으로 소리가 빠지게 되는 건데, 이게 흔히들 말하는 '삑사리'라는 상황에서의 생리적 원리이다.

결국 이 윤상갑상근과 피열근군의 긴밀한 협조(=코디네이션)상태가 '흉성(mode 1) → 두성(mode 2)'의 전환에 가장 핵심적인 내용이다. 남성의 경우 일단 이 코디네이션이 가능해야 포먼트 튜닝에 대해 논해볼 단계가 된다. 일단 성대에서 어떤 방식이든지 간에 기본 주파수 F0를 만들어내지 못하면, 공명전략을 통한 포먼트 튜닝은 아무런 의미가 없다.

공명조절에 해당하는 포먼트 튜닝과, 그리고 호흡조절은 모두 '소리를 "더" 좋게 해주는 것' 이라고 봐야 한다. (물론 성대접촉이 가능한 최소한의 공명조절과 호흡조절의 정도가 존재하기는 한다. 이 최소한의 조절이 이루어지지 않으면 성구전환이 이루어지지 않는다. 예를 들어 지나치게 후두를 끌어올리고 목을 좁히면, 두성으로 진입자체가 되지 않을 것이다.) 소리를 '더 좋게'하기 위해서는 소위 돼지 멱따는 소리일지라도 일단은 소리가 나야한다. 아예 해당 음을 소리내지 못하는 사람은 아무리 호흡/공명조절을 할지라도, 그 것이 해당 피치를 충족시키는 해결책이 될 수는 없다.

135) 필자 주 : 피치가 떨어지는 경우에도 이 상황에 해당

나) 기본 공명전략 : 원만한 전환 (yell → whoop)

남성 가창자의 경우 겪게 되는 음향적인 가장 큰 변화는 'yell → whoop'으로의 변화이다. 이는 여성 가창자와 동일한 지역, 즉 브레이크(break)라고 부르는 E4~F4정도에서 그 변화가 일어난다. 한편 이 변화지점은 모음에 따라 달라진다. 왜냐하면 모음에 따라 F1의 위치가 상이하기 때문이고, 그에 따라 F1과 H1 or H2의 결합 위치(피치)가 다르기 때문이다.

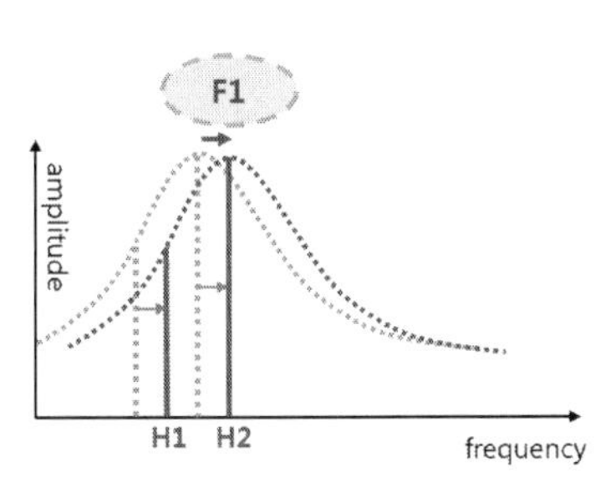

그림 73. yell한 음질의 피치상승에서의 F1-H2 트래킹. 우선 F1-H2가 결합되어 yell한 소리임을 알 수 있고, 피치가 상승함에 따라 두 번째 배음(H2)이 상승하여, 공명 상태를 유지하고자 H2의 상승에 맞춰 F1을 상승시키는 상황의 스펙트럼이다.

이 때의 가장 중요한 것은 yell → whoop의 전환이 '원만하게' 이루어지는 것이다. 만일 전환이 이루어지지 않고 yell한 특성을 계속 가지고 가면 피치의 상승에 따른 H2 주파수의 증가에 F1을 커플링하기 위해 F1을 자꾸 높일 것이고, 그럼 소리가 너무 날카로워져서 부드러움이 아예 없어져 버리게 된다.

또한 음질적 문제 뿐 아니라 물리적(구조적)인 한계를 직면하게 되는데, 그것은 일정노트(보통 A4 정도) 이상으로 F1을 더 끌어올리지 못하게 되는 상황이다. F1은 주로 후두를 끌어올림으로써 상승하는데 후두를 끌어올리고 목구멍을 조이는 것도 한계가 있는 것이다.

그래서 음향적 성구전환은 반드시 이루어져야만 한다. 다만 문제는 그냥 아무런 테크닉 없이 성구전환을 해 버리면, 성구전환이 일어나는 브레이크 구간(E4~F4)정도까지 피치가 상승하는 만큼 후두를 올리면서 H2-F1 커플링을 유지하다가 갑자기 H1-F1커플링으로 넘어가면서,

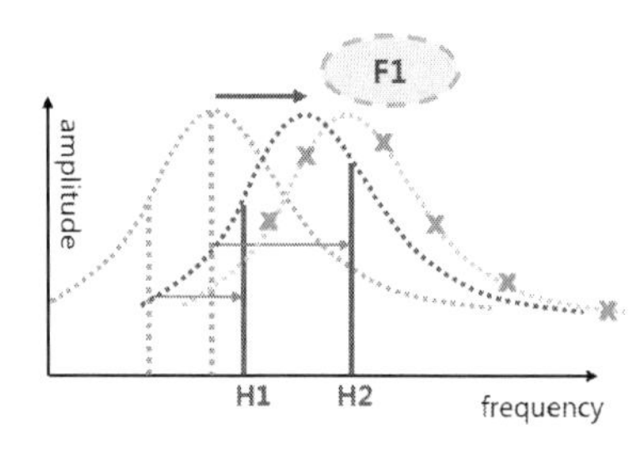

그림 74. 최소한의 F1 트래킹. 피치가 상승함에 따라 H2가 상승하지만, F1은 트래킹을 최소화하여 여전히 낮은 상태를 최소화한다(가운데 점선). H2가 상승하는 만큼 F1을 그대로 상승시키면, 나중에 성구전환이 이루어지는 포인트에서 F1의 변화(=음질)가 극심하게 된다. F1의 트래킹이 충분히 이루어지지 않으면 H2의 amplitude값이 다소 낮아지는 것을 볼 수 있고, 이는 파사지오 구간에서의 소리 약화현상을 보여준다.

소리가 급격하게 whoop으로 변환되게 된다.

그렇게 되면 yell과 whoop의 음질적 괴리가 너무 커 버리고, 더 심각한 것은 그런 급격한 음향적 변화는 성대의 근육조절의 안정성에도 악영향을 끼친다는 것이다. 결국 성문상압이 갑자기 빠져버려서 성문이 확 벌어져서 성대접촉이 결여된 가성이 되어버린다.

이것을 해결하기 위한 테크닉은 우선 ①yell한 소리의 F1을 최대한 낮추어야 한다. 다시 말하자면, 최대한의 공명을 약간 포기할지라도, F1의 상승을 낮춰서 저음을 풍부하게 가져가서 나중에 등장할 whoop한 소리와의 괴리를 최대한 좁혀야 한다는 것이다. 특별히 두성으로 진입하기(=본격적인 whoop음질로 넘어가기) 직전의 파사지오 구간(Db4~F#4)에서 이것이 잘 지켜져야 하는데, 이것은 전통적인 이탈리아 가창법에서 커버링(covering)이라고 표현되는 것으로서, 보다 후두를 낮추고 인두를 넓게 하는 테크닉을 뜻한다.

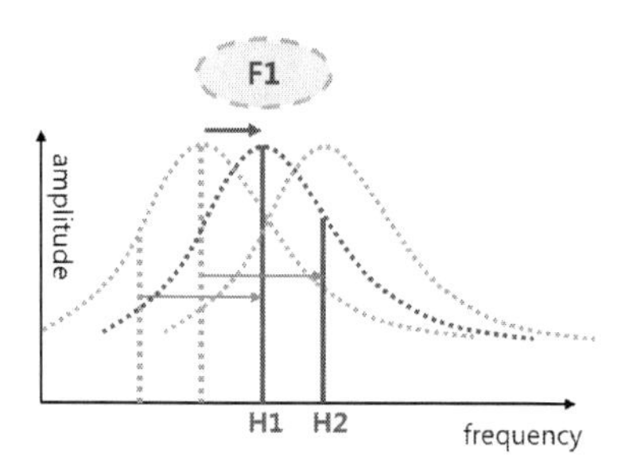

그림 75. 음향적 성구전환의 스펙트럼. 기존(좌측 점선)에는 F1이 H2와 커플링되어 yell한 소리를 유지하다가, 성구전환이 일어나면(가운데 점선) F1이 H1과 커플링되어 소리가 whoop하게 바뀌게 된다. 한편, 성구전환을 하지 않으면(우측 점선) F1을 계속 상승시키는 상태를 말하며, 흔히들 벨팅 창법에서 이러한 경향을 살펴볼 수 있다.

② 소리의 일관성을 위해

SFC(Singer's Formant Cluster)를 일정하게 유지해 줘야 한다. 이것은 고음에서의 whoop한 소리가 너무 저음만 많게 들리지 않도록, 다시 말해, 저음과의 yell한 소리와 잘 연결되는 소리가 되도록 해 준다. 이는 키아로스쿠로(chiaroscuro) 공명균형을 의미한다.

정리하자면, 이 ①와 ②의 조건을 잘 살펴보면 결국 다음의 목표들로 전체 내용이 수렴함을 알 수 있다:

① 안정적인 후두 포지션과 성도길이
② 수렴하는(convergent) 모양의 공명관
③ (분명한 모음정의를 전제로 한) 모음 튜닝
④ 키아로스쿠로(chiaroscuro) 음질의 유지

다) 안정적인 후두 포지션과 성도길이

남성의 파사지오에 대한 음향학적 전략에 있어서 가장 중요한 것은, 우선 안정적인 후두 포지션이다. 즉, 피치의 상승에 따라 F1이 너무 올라가서는 안된다. 기존에 H2와 결합되어 있던 F1이 점진적으로 H1과 결합하도록 부드럽게 스위치가 되어야 한다.

여기서 '후두를 얼마나 내릴 것인가?'라는 질문이 발생할 수 있는데, 필자가 하고 싶은 조언은 '상황에 따라 다르다'이다. 무조건적으로 후두를 너무 과하게 내리면, 모음은 필연적으로 부자연스러워지기 마련이다. 또한 후두의 하강은 강한 성대의 접촉을 불러오는 경향이 있기 때문에. 성구전환을 방해할 소지가 다분하다.

물론 윤상갑상근(cricothyroid)의 동작에 방해가 되지 않는다면, 성대접촉은 강하면 강할수록 좋다. 그리고 키아로스쿠로 공명균형 측면에서,후두의 하강으로 F1을 끌어내린 상태가 되면 지나치게 어두운 목소리가 되므로, 이때 강한 성대의 접촉으로 고음역대의 배음을 증폭시키면 밝음과 어두움, 즉 전체 키아로스쿠로 공명균형을 맞출 수 있게 된다.

그러나 대부분의 숙련되지 않은 가창자의 경우에, 강한 성대접촉은 윤상갑상근(cricothyroid)의 동작을 방해한다. 즉 결과적으로 원만한 후두성구전환(transition between of laryngeal registers)에 방해가 되는 것이다.

물론 숙련된 가창자들은 이를 능숙하게 해결할 수 있다. 그러나, 대부분의 학생들과 대중가수들은 이 문제가 해결이 잘 안되는 경우가 많다. 후두를 내려 성대접촉을 강화했더니, 정작 성대가 얇게 접촉해야 하는 두성구로의 진입이 힘들어지게 되는 것이다.

그래서 잉고 티체(Ingo R.Titze)의 경우 자신의 저서에서 '후두를 너무 낮추면 성대가 두꺼워지고, 후두의 위치가 높으면 성대가 얇아지며 강한 소리를 낼 수 있는 가능성이 높아진다[136]'라고 말하고 있다. 후두의 상승/하강의 문제는 앞에서 다룬 적이 있으니 참고하기 바란다.

결론을 정리해보자면, 서양 클래시컬 음악(=성악)에서는 어느정도 후두의 하강이 반드시 필요하다. 왜냐하면 일반적인 가창목소리보다 훨씬 풍부한 소리가 필요하기 때문이고 강한 성대의 접촉 또한 필요하기 때문이다[137].

반면에 일반 대중가수의 경우에는 굳이 후두를 내리지 않아도 괜찮다.성대접촉이 좀 덜 되더라도, 그리고 풍부한 소리가 좀 적더라도 (더 나아가 그 어떠한 방식으로 노래부르더라도), 가장 중요한 것은 바로 원만한 성구전환이다. 다만 후두의 상승은 불필요한 근육의 긴장을

---

136) Ingo TItze, 「Principle of Voice Production」

137) 필자 주 : 잉고티체 같은 경우에는 후두의 상승이 더 강한 성대접촉을 가져온다고 말하기도 한다. 결국 후두의 상승과 하강은 성대접촉보다는 음색에 따른 개인의 취향문제라고 보는게 옳겠다..

수반하는 경우가 많으므로, 후두의 지나친 상승을 들숨 등으로 억제시켜주는 것이 좋다. 그리고 (벨팅 창법과 같이)후두가 지나치게 상승하면 고음에서의 소리가 지나치게 밝아지게 된다.

한편 성악스타일이든지, 혹은 팝스타일이든지 후두의 깊이에 차이는 있을지언정 '후두의 포지션이 안정적이어야 한다'에는 차이가 없다. 즉 후두가 갑자기 상승한다든지, 혹은 하강한다던지의 급격한 변화는 항상 피해야한다는 것이다. 저음과 고음에서 큰 변화 없이 일정한 수준 내에서의 안정적인 후두 포지션(=성도길이)은 항상 유지되어야 한다. 이 말은 곧, 저음과 고음 사이의 큰 음색변화가 없어야 된다는 말이다.

라) 수렴하는(convergent) 모양의 공명관

보통 피치가 상승하면, 후두가 상승하면서 확산(divergent)하는 모양의 성도가 형성된다. 이 성도 모양은 [a]와 같은 열린모음(open vowel)과 연관된 것으로서 높은 F1을 가진 것이 특징이다.

한편 위에서 언급하였듯이, F1을 일정하게 가져가야 하는 가창자 입장에서는 파사지오에 진입하면서 성도의 모양을 약간 수렴하는 형태(convergent shape) 쪽으로 만들어주는 것이 유리하다. 즉 [u]처럼 F1이 낮은 닫힌모음(voce chiusa)과 같이, 입을 모아주고 후두를 내리면서 인두를 넓게 하는 것이다. 이는 소리를 약간 어둡게, 커버링(covering)해준다. 이탈리아 전통 가창법에서는 이를 코페르토(coperto)라고도 한다.

한편 유의해야 할 것이, 수렴하는 형태로 성도를 만들다가 성대접촉을 놓치는 경우 가성으로 빠지게 되버리니, 역시 여기서도 자연스러운 코디네이션이 중요하다.

마) (분명한 모음정의를 전제로 한) 모음 튜닝

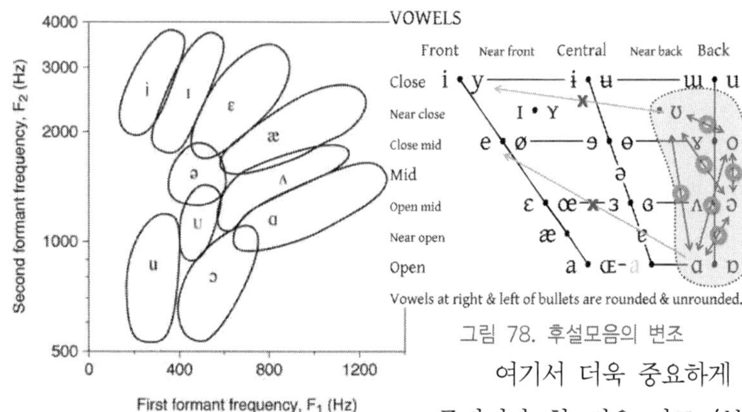

그림 76, 페터슨과 바니(Gordon E. Peterson & Harold L. Barny)의 모음차트. 사람이 각 모음을 인지하는 F1과 F2의 범위를 표시해 놓았다.

그림 78. 후설모음의 변조

여기서 더욱 중요하게 간주되어야 할 것은 바로 '분명한 모음정의'이다. 즉 모음변조(vowel modification)를 하되 모음 정의가 훼손되어서는 안된다. 쉽게 말하자면, 노래를 듣는 청자(listener)가 무슨 발음인지 못 알아듣는 상황이 되어서는 안된다는 것이다.

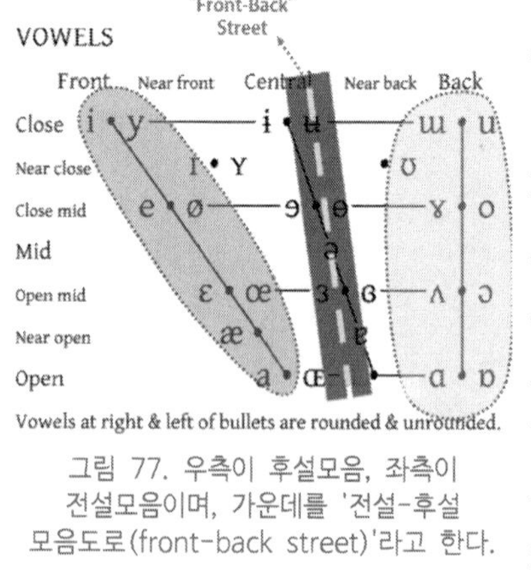

그림 77. 우측이 후설모음, 좌측이 전설모음이며, 가운데를 '전설-후설 모음도로(front-back street)'라고 한다.

발음의 정확성(모음정의)가 가장 중요하긴 하지만, 가창 시에 모음변조는 반드시 필요하다. 포먼트 튜닝을 위해 모음을 정의하는 포먼트 F1과 F2는 약간씩 변조(튜닝)되어야 한다. 그러나 그것이 우측의 도표[138]와 같은 '모음인지경계'를 넘어서는 안된다.

138) Gordon E. Peterson & Harold L. Barny "Control Methods Used in a Study of the Vowels(1952)", The Journal of the Acoustical Society of America,

많은 가창자들(특히 스타일이나 발음보다 발성 자체를 더욱 중요시 여기는 성악가들)이 목소리 발성 문제 때문에, 자기가 소리내기 편한 모음으로'만' 노래 부르는 경우가 많다. 결국 많은 사람들이 "성악가 노래는 뭐라고 말하는지 못 알아듣겠어"라고 하는 이유가 되곤 한다. 이것이 아마 클래시컬 음악의 접근성을 크게 떨어뜨리는 원인일 것이다.

아무튼 이러한 모음왜곡을 막기 위해서는 모음변조를 하는 경우에도 같은 '자연적 모음그룹(natural vowel family)'에서의 모음 변조, 혹은 '전설-후설 모음 도로("front-back" street)'[139]의 같은 측면(side)에서의 모음변조가 이루어져야 한다.

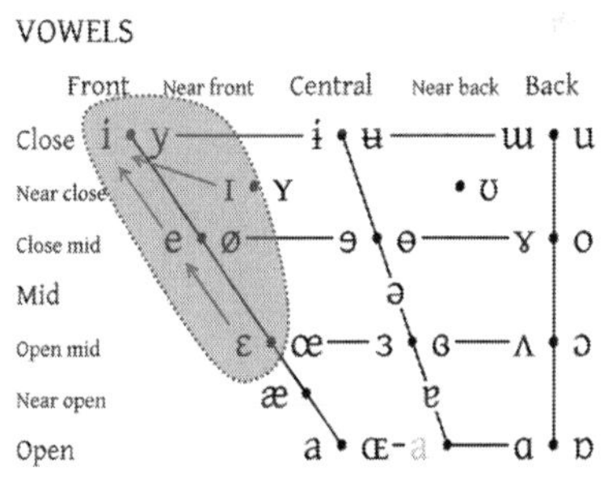

그림 79. 전설모음의 변조

이렇게 말로 하면 이해하기가 무척 힘들므로 하나씩 실제적인 예시를 들어 살펴보자. 도로(street)의 후설모음(back vowel) 사이드에 있는 모음들, 즉 /ɑ/, /ɔ/, /ʊ/, /o/가 변조될 경우 이 모음들은 다음 그림과 같이 반드시 근처의 이웃 모음들로 변조가 되어야 한다. 그렇지 않고 반대 사이드로 이동할 경우 가창의 딕션이 훼손되게 되는 것이다.

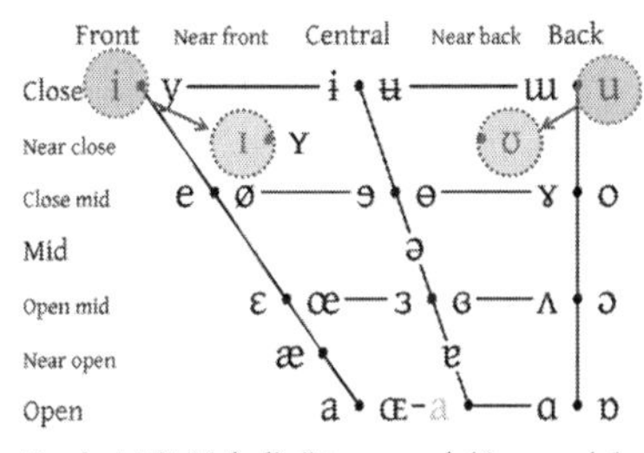

그림 80. 닫힌모음의 변조

한편 반대로 /ɛ/, /e/, /ɪ/와

Vol24. #2, Mar-1952

139) Kenneth Bozeman, 「Practical Vocal Acoustics(2013)」, Pendragon Press Hillsdale

같은 "전설(front) 모음"의 경우는 모음 변조를 위해 소리가 '닫혀야(close)' 하는(=F1이 더 내려가야 하는) 상황이다. 하지만 이렇게 어쩔 수 없이 모음변조가 있는 경우라고 할지라도 어느정도 중성모음화가 될 수는 있지만, 완전히 닫힌 모음으로 이동해서는 안된다.

또한 닫힌 모음 /i/, /u/의 경우는 파사지오 구간에서 모음이 약간 열려야 하는데, 이 경우에 완전히 모음을 열어줄 것이 아니라 /ɪ/, /ʊ/로 방향으로 이동해서 여전히 활기와 공명느낌을 유지해야 한다.

바) 키아로스쿠로(chiaroscuro) 음질의 유지

키아로스쿠로(chiaroscuro)란, 람페르티 부자(Lampertis)의 저서에서 살펴볼 수 있는 개념인데, 단순 단어의 의미는 "밝음+어두움"이라는 뜻이다. chiaro는 영어로 light로서 '밝다'라는 뜻이고, scuro는 영어로 dark로서 '어둡다'라는 뜻이다. 이 합성어가 의미하는 바는 "좋은 목소리의 톤은 밝음과 어두움을 동시에 가지고 있다"라는 의미이다.

이를 음향학적으로 이해해 보면, '어두움'은 F1이 낮은 상태를 유지해야 한다는 뜻이고, '밝음'은 F2이상의 포먼트 튜닝, 즉 세컨드포먼트 튜닝(2nd formant tuning)과 가수음형대(singer's formant)를 잘 유지해야 한다는 것이다.

조금 더 살펴보면, 어두운 소리는 F1이 낮아야 한다는 뜻이므로, 이것은 피치의 상승에 따른 F1 트래킹을 다소 억제하고 낮은 후두 포지션과 넓은 목구멍을 안정적으로 유지해야 한다는 의미이다. 이것은 앞에서 수차례 언급한 바 있다.

또 소리의 밝음과 관련해서는, SFC(singer's formant cluster)의 형성을 통해 3kHz 주파수 대역 이 두 가지를 일정하고 지속적으로 유지하거나, 혹은, F2 튜닝을 통한 1kHz대의 주파수 대역을 일정하게 유지하는 것이다. 이것은 옛 이탈리아 가창 전통에서 스퀼로(squillo)라고 일컬어지던 내용이다.

참고로 F2 튜닝은 구강 쪽(입술과 혀, 연구개 등)의 조절과 관련이 있고, SFC 튜닝은 깊은 후두, 상후두관(epilarygeal tube)의 좁아짐 등과 관련이 있다.

사) 원활한 가창을 위한 중요 거점. 파사지오(passasgio)

파사지오(passaggio)는 통로 혹은 좁은 길을 의미하는 영어 passage의 이태리어 형으로서, C4-G4까지의 8개 음들로 구성되어 있는 구간을 말하며 가창에서는 두성과 흉성 사이의 경과지점을 의미한다.

훌륭한 가창자는 이 구간의 성구비율을 능숙하게 조절함으로써 완벽한 하나의 목소리를 만들어 낸다. 반면에 초심자들이 범하는 실수는, 아래쪽의 흉성비율을 이 구간에도 지나치게 가져오는 것인데, 그렇게 되면 두성의로의 전환이 무척 어려워지게 되고, 그리고 두성으로 성구 전환이 된다고 하더라도 음질차이가 급격해지게 된다.

특별히 파사지오 구간에서 흉성의 비율이 높은 경우(성대접촉이 과한 경우) G4-A4의 퍼스트 브릿지 구간에서도 여전히 높은 흉성의 접촉을 유지하게 되는 경우가 많으며, 그런 경우에 B4이상의 세컨드 브릿지를 자유롭게 노래부르는 것이 아주 요원해지게 되어버린다.

따라서 남성가창자, 특히 고음을 자유자재로 부를 수 있어야 하는 테너의 경우에는 이 파사지오 구간에서 적절한 성구조절을 잘 수행할 필요가 있다. 그것은 '목으로 부르기보다 호흡을 잡아주는 느낌'으로 가창자에게 느껴지며, 생리학적으로는 TA근보다 IA, LCA를 이용해 성대를 얇게 접촉시키는 것이다.

한편 이 파사지오 구간에서의 성구조절 확립은 중성의 시작부분부터 영향을 받는다. 중성이 시작되는 G3정도에서부터 팔세토가 충분히 쓰이기 시작해야 한다.

결국 가창자는 어느정도 발성 테크닉의 진보를 보인 다음에는, 성구조절의 밸런스를 다시 조절해야 할 필요가 있는데, 중성의 밸런스는 파사지오 구간에서 성구조절 밸런스를 맞춘 다음 그대로 유지하면서 저음까지 가져오는 것이 좋다.[140]

한편 이와 유사한 것이 바로 퍼스트 브릿지(1st Bridge)에 해당하는 G4-A4의 노트들의 재배열일 것이다, 남성가창자는 테크닉이 발달함에 따라 성문을 닫는 힘이 강해지고, 그래서 A4까지는 상당한 흉성의 힘으로도 별 무리없이 노래부를 수 있게 된다. 하지만 그 밸런스는 목소리의 유연함을 앗아가기 때문에 항상 주의를 기울여서 팔세토의 비율을 적절하게 유지해줘야만 한다. 이 밸런스를 맞춰주기 위해서는 세컨드 브릿지(2nd Bridge)에서 적정한 성구밸런스를 확인한 다음에, 그 밸런스를 유지하면서 퍼스트 브릿지 구간으로 하강하는 것이다.

그러나 사실 퍼스트브릿지의 지나친 흉성문제도 결국은 파사지오에서 부터 팔세토에게 자리를 잘 내어주지 못하는 데서 시작된 것이다. 따라서 남성가창자는 (특히 테너) 이 파사지오 구간에서의 성구조절 상태를 잘 확립하여, 그보다 아래쪽 음역과 위쪽 음역을 이동하기 위한 전략적 거점(strategic base)으로 삼을 필요가 있다.

아) 남성의 강한 고음을 위한 음향학적 전략 : F2 tuning

남성의 하이C(note C5)는 테너에게 있어서는 하나의 트로피와도

140) 필자 주 : 이 훈련을 실시해 보면, 흉성구의 구간에서 생각보다 훨씬 많은 팔세토가 개입해야만 한다는 사실을 깨닫게 될 것이다.

같은 의미를 가진다. 현시대에는 최고의 테너라고 부를수 있는지 여부를 하이 C를 얼마나 자유자재로 소리낼 수 있느냐에 달려있다는 통념까지 존재하고 있으니, 굳이 복잡한 설명을 덧붙일 필요가 없다.

이와 관련하여 도널드 밀러(Donald Gray Miller)는 '하이C의 제왕'이라고 불리는 20세기 최고의 테너 파바로티를 음향학적으로 분석하여, 학계에서 큰 이슈가 된 적이 있었다. 그 논문의 제목은 '세컨드 포먼트 튜닝의 제왕[141]'인데, 그 의미는 파바로티의 별명을 차용해서, '파바로티 고음의 노하우가 F2 튜닝에 있다'라는 뜻이다. 이 논문에서 비교대상은 3대 테너로 유명한 도밍고로서, 파바로티가 F2 튜닝을 사용하는데 반해 도밍고는 보다 전통적인 방법인 SFC 튜닝을 사용함을 밝혀내었다.

이 세컨드 포먼트 튜닝은 남성의 고음 음역대인 A4정도부터 중요해지기 시작한다. 왜냐하면, 이 포인트 즈음에서 하모닉스의 개수가 본격적으로 줄어들기 시작하고, 무엇보다도 세번째 하모닉스 H3가 가창시 모음의 두번째 포먼트를 넘어가기 때문이다. 배음이 포먼트를 넘어가버리는 것은 당연히 소리의 약화를 가져올 뿐 아니라, 나아가서 성대진동의 안정성도 낮추는 원인이 된다[142].

여기서 세컨드 포먼트 튜닝을 잘 하면, 보다 분명하고 자유로운 /a/ 음질을 얻기 용이하고, 더 직선적이고 강렬한 음질을 얻을 수 있게 된다.

그럼 이 세컨드 포먼트 튜닝은 어떻게 이루어지는 것일까? 그것은 F2를 약간 끌어올려 H3와 F2를 커플링함으로써 이루어진다. 그럼 F2

---

141) Donald G.Miller 「Reasonance in Singing」 p.1-6 "Pavarotti : the king of Second Formant Tuning"

142) 필자 주 : 가창시의 모음은 깊은 후두와 넓은 목구멍 때문에 후설모음화가 되는 경향이 있다. 따라서 일반 스피치 상황의 모음들보다 첫번째 포먼트는 물론 두번째 포먼트도 낮은 상태가 많다.

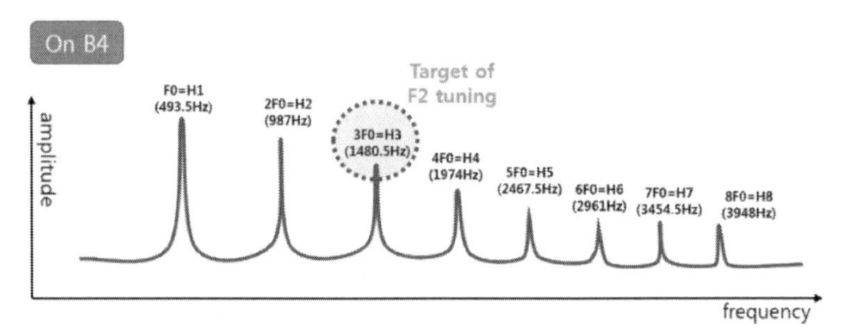

그림 81. B4근방의 노트에서는 H3가 보통 2nd formant tuning의 대상이며, 주로 1200-1500Hz 대역이라고 보면 된다.

는 어떻게 끌어올려지는가? 그것은 구강의 모양을 약간 변화시킴으로써 가능하다.

앞의 공명 챕터에서 소개한 '연결된 헬름홀츠 공명기'를 다시 떠올려보라. 거기서 F2는 구강 쪽의 공명기에 의해 조절된다는 사실과, 공명기의 주파수를 올리기 위해서는 전체 용적은 낮아져야 하고, 포트는 직경을 크게 길이는 짧게 해야 한다는 것을 살펴봤었다.

결국 용적은 구강의 크기, 포트는 입술이라고 간주하면 다음과 같은 조건들이 F2를 상승시킬 수 있는 조건이 될 것이다 : 입을 크게 벌리고 입술 양 끝을 당겨줘서, 구강의 용적을 줄임과 동시에 포트의 직경을 넓히고 길이는 짧게 하는 것이다[143]. 이렇게 포먼트 튜닝을 하면, 가창자는 모음들이 앞쪽으로 이동하는 느낌을 느끼게 되는데, 이것은 일종의 '전설모음화'라고 볼 수 있다.

이 세컨드 포먼트 튜닝을 통해 남성가수와 여성 벨터는 매우 강한 지르는 듯한 질감의 고음을 얻을 수 있다. 가수 음형대(singer's formant) 중심의 소리로 해당 음역대를 진입하게 되면, 낮은 후두 때문

---

143) 필자 주 : 물론 이때, 혀를 뒤쪽으로 바짝 당겨 붙여서 후두개 괄약근(aryglottic spincher)을 수축시키면 상후두관(epilaryngeal tube이 좁아지고, 동시에 연구개를 바짝 올려주면 소리의 공명은 더욱 커질 것이다.

에 성대접촉이 풀려버려 약간은 둔한 목소리의 음질을 보여줄 가능성이 다소 높고 그 결과로 성대접촉을 어느 정도 유지하기 위한 난이도가 높아지게된다.

하지만 모든 것이 그렇듯이 여기에서도 일장일단이 존재하는데, 세컨드 포먼트 튜닝 전략을 사용하면 더 강한 목소리를 얻기는 쉬우나, 상대적으로 지나친 옐링으로 빠지기 쉽고, 이는 두성구의 지배성과 자유로움을 잃어버리기 쉬운 결과를 가져온다.

Vowel	F1(Hz)	F2(Hz)	F3(Hz)
iː	280	2620	3380
ɪ	360	2220	2960
e	600	2060	2840
æ	800	1760	2500
ʌ	760	1320	2500
ɑː	740	1180	2640
ɒ	560	920	2560
ɔː	480	760	2620
ʊ	380	940	2300
uː	320	920	2200
ɜː	560	1480	2520

F2 tuning needed

그림 82. 표시한 박스 내의 F2가 낮기 때문에, 후설모음은 특히 F2 튜닝이 더욱 필요하게 된다.

특히 소위 멜로끼 창법을 사용하는 헬덴테너 혹은 드라마티코 테너의 경우에, 깊은 후두를 중요시 하는 경향이 있기 때문에, 이 상대적으로 얇은 성도의 모양을 어색해 함으로써, 세컨드 포먼트 튜닝을 하지 못하는 경우가 있다.

애초에 얇은 공명관을 사용하는 테너라면 세컨드포먼트 튜닝에서의 음질과 평소의 음질이 그렇게 괴리가 크지 않겠지만, 평소 목소리를 깊은 후두로 풍부한 톤을 가져가는 테너일 경우, 갑자기 소리가 얇아져버리니, 굉장히 곤혹스러울 수 밖에 없는 것이다.

이 문제를 해결하기 위해서는 후두를 깊게 가져가면서도 후두괄약근(aryglottic spincher)을 수축시켜 상후두(epilarynx)부분을 더욱 좁혀서고음역대를 강하게 소리내줄 수 있어야 한다. 이것은 멜로끼 창법의 성공여부를 결정짓는 '스퀼로(squillo)'와 관련된 부분으로서, 훌륭한 드라마티코 테너가 기본적으로 가지고 있는 소양이다.

다만 주의할 점으로는, 이 상황에서 가창자는 더욱 강한 성대접촉을 위해 상후두관을 비롯한 일부분의 성도를 좁히려고 시도하게 되는데, 그때 후두가 지나치게 올라오거나(필자 주 : 후두는 오히려 깊은 상태를 유지해야 한다) 성도 전체가 조이지 않도록 유의해야 한다. 이것은 좋은 들숨과 자세를 통해 도움을 받을 수 있다.

자) 정리

남성의 경우, 여성에 비해 기본적으로 기본주파수가 낮고, 그에따라 주요주파수 내에 배음성분이 많으므로, 최고음에 올라가기 전에는 음향학적 전략이 비해 단순하다. 이는 기본적으로 배음성분이 많아 포먼트튜닝이 다소 쉽기 때문인데, 그런 연고로 **남성에게는 음향적 성구전환보다 후두 성구전환이 훨씬 중요하다**.

하지만 그럼에도 불구하고 남성의 '음향적 성구전환'은 후두 성구전환을 보조하는 역할을 충분히 감당해야 하는데, 그것은 안정적인 후두포지션과 성도 길이를 유지함으로써 가능하다고 언급하였다. 이 안정적인 후두포지션과 성도길이는 yell → whoop 전환에서 급작스러운 음질변화를 막아주고, 전반적인 키아로스쿠로 공명균형을 유지하는데 도움을 준다.

그 상태에 상후두관의 수축과 짧아짐은 가수음형대(singer's formant)를 형성하고, 이는 가창자의 목소리를 공명시키는 기본 원리로서 동작한다.

한편, 남성의 고음역대(대략적으로 A4이상)부터는 피치가 상승하면서 배음성분이 많이 줄어들기 때문에 음향학적 전략이 더욱 필요하게 된다. 그리고 그때 세컨드포먼트 튜닝이 도움이 될 수 있다.

3) 여성 클래식(리짓) 가창자의 음향학적 전략

가) 여성 가창의 기본적 상황

여성 가창자는 후두성구의 전환이 2군데 정도에서 이루어진다. 우선 성대진동 방식이 M1 → M2로 변하는 구간으로서 E4~F4가 그 변환지점이다. M1은 thick하게 성대가 접촉하고, M2는 thin하게 성대가 접촉하는데, 전통적으로 M1은 흉성, M2는 팔세토(혹은 두성)이라고 불렸다.

이 지점에서 보통은 앞 강의에서 언급한 yell → whoop한 음질의 변화가 일어난다. 그러나 대부분의 미숙련된 가창자들은 흉성의 음역까지 팔세토의 음질을 가져가는데 익숙해져 있다. 그래서 초보자는 오히려 여기서의 성구전환을 못 느낀다. 오히려 그냥 "저음에서 바람 빠지는 소리가 나서 소리내기 힘들더라" 정도의 상황인식만 하고 있다.

그리고 M2 → M3 성구전환이 C6근처에서 일어나는데 M3는 휘슬(whistle)성구라고 불리는 구간으로서, 성문의 일부분만 열려서 진동하는 감폭현상(damping)이 발생한다. 이 모드에서는 성대원음의 배음성분이 M2때보다 더 줄어든다. 그래서 성도를 통한 소리의 증폭이 매우 중요한 지점이다.

굳이 M3 상황이 아니더라도, 여성 가창자는 남성보다 더 적은 배음성분을 가지고 있다. 왜냐하면 기본적으로 여성의 음역대는 남성보다 한 옥타브 높고 또한 여성의 기본적인 성대진동 방식은 M2, 즉 팔세토 지배적인(falsetto-dominated) 상태이기 때문이다. 흉성일수록 배음성분은 풍부해진다(=개수도 많고 음량도 크다).

정리하면, 여성가창자를 남성가창자와 비교하면, 후두성구의 중요성은 훨씬 적고 반면에 공명(=음향학적) 전략이 훨씬 중요하다. 남성은 반대로 음향학적 전략보다는 후두성구의 코디네이션 상태가 더욱 중요하다. (필자 주: 여성 벨터belter의 경우에는 M1 중심의 목소리 사용으로 인해 남성 가창자와 유사한 행태를 보여준다.)

또 여성이 F5정도 이상의 노트로 진입을 하게 되면, 더 이상 가수음형대가 크게 중요하지 않게 된다. 왜냐하면 기본주파수 F0가 이미 800Hz근처로 높아지고, H2만 되더라도 1.5kHz대역에 형성되는 등, 굳이 가수음형대가 아니더라도 사람의 귀가 큰소리로 인식하는데 필요한 고음성분이 충분해지기 때문이다.

나) 저음역대(흉성)과 중음역대

여성의 흉성은 보통 E4 혹은 F4 이하이다. 이 지점을 기준으로 여성은 성대진동이 M1 → M2로 변하게 된다. 이 지점을 'break'라고 말한다. (혹자는 '소리가 올라가다 멈춘다'라는 뜻으로 'brake'라고 설명하던데, 원래 뜻은 '연결이 끊어졌다'라는 뜻의 'break'이다. 'brake'는 자동차 등에서 사용하는 제동장치를 의미한다.)

그런데 위에서 언급하였듯이, 초심자의 경우에는 가창 = M2 라는 개념이 머리속에 잡혀 있어서 E4이하의 음역에서도 M2를 가지고 내려오는 경향이 있다. 그런 경우에는 이 음질적 변화가 잘 인지가 안된다. 그래서 초심자의 경우에는 팔세토와 구분되는 흉성의 음질을 먼저 익히도록 하는 것이 중요하다. 또 이 문제는 대부분의 여성 초심자들이 고음에서 성문의 뒤쪽(피열연골부분)을 벌리는 경향이 있는데 그 문제를 해결하는데도 중요하다. 흉성은 성대의 닫힘과 연관이 깊기 때문이다.

다시 '음향적'인 내용으로 돌아와서, 흉성이 충분한 여성의 경우 E4이하의 음역에서 분명한 소리(일반적으로 말할 때 사용하는 목소리)가 나오게 되는데, 이것은 'yell'한 음질이다. 그러다가 브레이크를 통과하게 되면, 'whoop'한 소리로 바뀌게 된다.

이 'yell → whoop'한 음질의 급격한 변화를 막기 위해, 여성 가창자가 취하는 전략은 다음의 2가지 정도이다.

첫째, 'yell'한 소리를 'whoop'하게 바꾸어준다. 이 경우를 전통적으로 표현하면, '흉성에 두성(팔세토)의 음질을 더해준다'가 된다. 만일 음향적으로 설명하면, break 이하의 노트들의 F1을 낮추어 더 부드럽고 깊은 소리가 나도록, 그래서 닫힌 모음(voce chiusa)이 되도록 해 주는 것이다. 이는 메조소프라노의 저음에서 들리는 벨벳 같은 질감을 말한다.

이 경우는 흉성과 팔세토의 음질 차이를 '흉성을 팔세토스럽게 만듬'으로써 성구융합을 꾀하는 것이다. 따라서 이 전략은 '팔세토 지배적인(falsetto dominated)' 목소리를 메인 목소리로 사용하는 가창자에게 적합하다. 즉, 서양 클래시컬 가수 혹은 리짓(legit)한 가창자를 말하는 것이다.

둘째 전략. 'whoop'한 소리를 'yell'하게 유지한다. 이 방식은 break가 넘어서도 여전히 저음의 'yell'한 음질을 유지하는 것이다. 이 말은 음향학적으로 'F1-H2 coupling'을 지속적으로 유지시킨다는 건데 피치가 상승함에 따라 H2도 증가할 것이므로 여기에 맞춰서 F1도 계속 상승하게 된다.

이런 방식은 '흉성 지배적(chest-dominated)'인 가창자들에게 적합한 전략이다. 즉 여성의 경우에는 'belter', 벨팅가수들에게 해당하는 내용이다. 벨팅에 대한 자세한 내용은 후에 별도로 다루도록 하겠다.

다) 중음역대의 열린모음

여기서 중음역대란 G4~G5정도의 여성 클래시컬 가창자가 비교적 가장 편하게 소리를 낼 수 있는 음역대이다.

많은 여성 가창자들은 이 중음역대에서의 열린 모음에 어려움을 겪곤 한다. /a/모음과 같은 열린모음은 높은 F1을 가지고 있으므로, 이러한 모음들을 발음하면 갑자기 소리의 부드러움과 풍부함이 사라지고 목소리가 불안정해지는 경험을 하게 된다.

그럼 이 상황을 극복할 수 있는 상황은 어떤 방법이 있을까? 간단하게는 모음을 변조하면 된다.

/a/와 같은 열린 모음의 F1을 의도적으로 낮추어서 (=어둡게 소리내서) 문제가 없도록 하는 것이다. 이 F1을 낮추는 것은 후두를 내리는 것(=성도를 길게하는 것)외에 수렴하는(convergent) 성도 모양을 형성하는 것이 도움이 된다. 더불어 성대의 접촉률을 높이는 것도 소리의 안정화에 도움을 준다.

또한 2nd 포먼트 튜닝, 즉 F2-H3커플링을 통해서 소리의 공명을 극대화시켜 소리를 안정적으로 만들 수 있다. 마지막으로, F1과 F2를 근접시키고, H2를 그 가운데 위치시켜 F1과 F2 둘 모두를 통해 소리를 공명시킬 수도 있다. 이런 경우에는 F1과 F2가 근접한 모음 /o, ɔ, ɑ, a, æ/이 유리하다.

라) 위쪽 높은 목소리

이 목소리의 음역대는 휘슬(whistle)보이스 혹은 프라제올렛(flageolet)에 진입하기 직전의 음역대로서. 대략적으로 F5~Bb5정도이다. 이 근방에서 가창자는 운동감각(kinesthesia)적으로 눈 뒤에서의 공명을 느끼게 되고, 마치 돔(dome)과 같은 감각, 또한 소리가 좁아지는 감각 등을 느끼게 된다.

이러한 감각을 느끼는 이유는 목이 열린 상태 때문인데, 즉 더욱 높이 위로 들리게 되는 연구개, 전방으로 나오는 혀, 적당히 닫혀 있으며, 수렴하는 듯한 성도모양 등의 영향에 의해서이다.

그러나 이러한 감각적인 느낌은 개인에 따라 상이할 수 있으니 참고만 해야 할 것이다. 클래시컬 가창자는 음향학적으로 이 음역대에서 F1-H1 커플링을 지속시킬 필요가 있다. 즉 'whoop'한 소리를 지속적으로 유지하는 것인데, 피치가 상승함에 따라 H1도 상승할 것이므로, 커플링을 위해 F1도 조금씩 상승하게 된다. 결국 후두가 조금씩 올라가거나 혹은, 혀 뒤쪽 통로가 약간씩 좁아지게 되는 등의 성도 변화가 일어나게 된다. (필자 주 : 후두가 올라가는 것보다는 혀 뒤쪽 통로를 조금 좁히는 것이 경험상 더 좋은 선택일 것이다.) 이런 느낌은 흔히들 말하는 inner smile 자세와도 관련이 깊다.

그러나 기본적으로는 'whoop'한 상태이기 때문에, 일반 말하기 혹은 벨팅 가창보다는 훨씬 깊은 성도와 뒤로 돌아나가는 소리이다. 기본적으로는 'whoop'한 소리인데, 소리가 조금 좁아지는 느낌, 포커스로 모이는 느낌이 발생하는 것으로서 벨팅처럼 목이 확 조이지는 않는다. 클래시컬 가창자는 모든 음역에서 들숨의 자세를 잘 확보해야만 한다.

마) Whistle성구로의 진입

이 휘슬 성구는 다음과 같이 여러가지 이름을 가지고 있다: flageolet(=flute), loft, bell, piccolo, campenello, Hohe 등. 이 음역대에

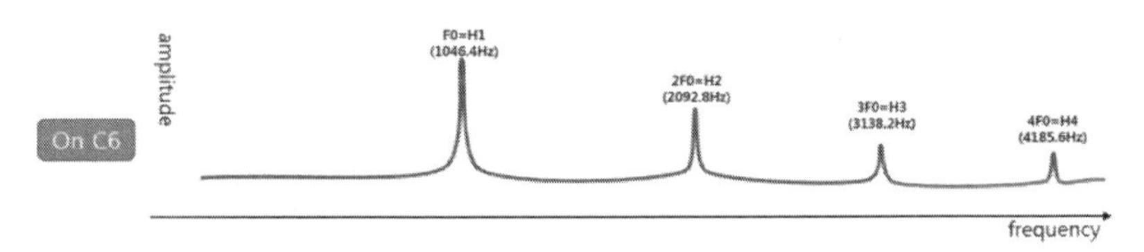

그림 83. C6의 배음성분. 주요주파수 4200Hz 이하에서 4개의 배음성분만 가지게 되고, 그 이상의 피치로 진입하면 3개 이하로 갯수가 더 적어진다.

진입하게 되면, 기본주파수 F0가 너무 높아져서 배음의 갯수가 현저히 줄어들게 된다. 즉 포먼트 튜닝이 무척 어려워지게 되는 것이다.

또한 앞에서 언급하였듯이 이 음역대 이하에서는 F1-H1 추적으로 인해 피치가 상승함에 따라 F1이 계속 상승하던 상태이었다. 또한 그를 위해 후두의 상승이 어느정도 이루어지고 있었다. 그런데 Bb4 정도가 되는 순간부터, 신체구조상 F1을 계속 끌어올리는 것이 거의 불가능해지게 돼버린다. 그래서 이 상황이 되면 다음 그림과 같이 H1이 F1-F2 사이에 놓이게 된다.

결국 위 그림에서 보듯이, 배음성분이 포먼트와 커플링되지 않아 목소리는 빛을 잃고 쇠약해지게 될 것이다. 그럼 이 문제는 어떻게 해결할 수 있는가? 이 경우에는 F1과 F2를 근접시켜(필자 주 : 이 상황에서는 F2를 낮춰서, 왜냐하면 F1은 더 이상 올릴 수 없는 상황이므로) H1이 F1과 F2 둘 모두에 의해 소리가 증폭되도록 하는 것이다. 그러면 다음 그림과 같은 상황이 된다.

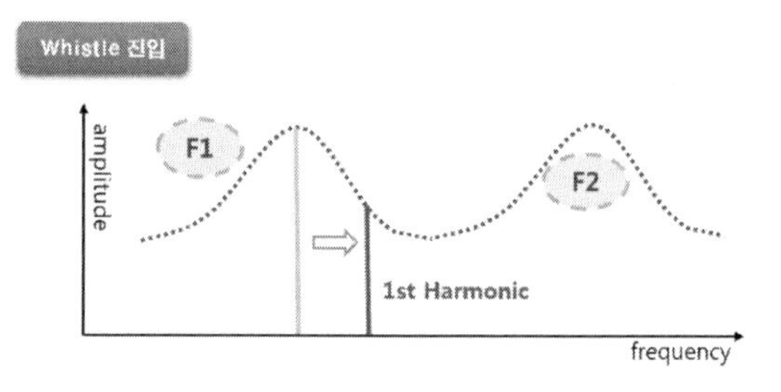

그림 84. 휘슬 성구에 진입하면, F1-H1커플링을 벗어나 H1이 F1과 F2 사이에 위치하게 된다.

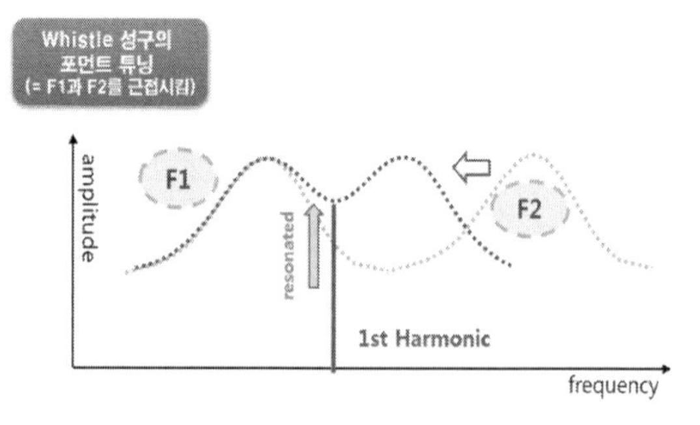

그림 85. F1과 F2가 근접해져서 중간에 놓인 배음성분을 증폭시킬 수 있게 된다.

이렇게 F1과 F2가 근접하고 있는 모음은 /o, ɔ, ɑ, a,

æ/ 가 있다. 결국 이 음역대의 노트들은 어떤 발음이던지 다 /o, ɔ, ɑ, a, æ/ 처럼 들리게 하는 (= 혹은 해당 모음으로만 소리를 낼 수 있는) 결과가 발생하게 된다.

Vowel	F1(Hz)	F2(Hz)	F3(Hz)
iː	280	2620	3380
ɪ	360	2220	2960
e	600	2060	2840
æ	800	1760	2500
ʌ	760	1320	2500
ɑː	740	1180	2640
ɒ	560	920	2560
ɔː	480	760	2620
ʊ	380	940	2300
uː	320	920	2200
ɜː	560	1480	2520

그림 86. F1과 F2가 근접해있는 모음들. 이들은 휘슬에 적합한 특징을 가지고 있다.

이 상황에서 발성기관의 형태는 기본적으로 후두가 상승되어 있으며, 입의 깊이도 굉장히 얇아지며, 광대도 위쪽 그리고 뒤쪽으로 바짝 당겨진다. 소리가 뒤로 최대한 바짝 당겨져 있고 머리 정수리에서 나는 듯한 느낌이 난다.

4) 여성 벨팅 가창자의 음향학적 전략

가) 여성 벨팅 창법에 대한 기본적인 이해 : Skillful Yelling

여성 벨팅창법이란 기본적으로 흉성을 끌어올리는 방식으로 이루어진다. 따라서 전체적으로 두꺼운 성대접촉을 유지하는 흉성구 중심, 갑상피열근 중심의 성대 조절상태이다. 벨터가 아닌 여성은 보통 브레이크 부근(E4-F4)에서 팔세토 지배적인 상태로 목소리가 전환된다.

그러나 벨터(belter)들은 그 부근에서 성구전환을 하기보다 흉성의 음질을 그대로 유지하는 쪽을 선택한다. 이것은 자연적으로 일어나는 성구전환을 지연시킨다는 맥락에서는 일종의 본성(nature)을 거스른다고도 볼 수 있는 행위로, 결국 더 섬세하고 철저한 훈련이 필요함을 의미한다.

이 벨팅은 뮤지컬(musical theatre)과 팝 음악의 등장으로 보다 본격적으로 등장했으며, 최근의 대중들은 클래시컬 타입의 가창보다 더욱 직설적이고 감정적이며, 말하기에 더욱 가까운 벨팅 스타일을 선호하는 경향이 있다. 재밌는 것은, 일반적인 말하는 목소리(speech voice) 즉 모달(modal)에 가깝다는 측면에서, 역설적으로 벨팅이 오히려 클래시컬 스타일보다 더욱 본성(nature)에 가깝다고 볼 수도 있다는 것이다.

여성 벨팅에 대한 기본적인 이해는 다음의 단어에 함축되어 있을 것이다: "Skillful Yelling". 이 단어는 교사나 학자들이 벨팅을 가리키며 흔히들 사용하는 어휘이다. 즉 기본적으로 '외치는 소리(yelling)'이지만, 동시에 능숙해야만 한다는 것이다.

따라서 우리는 벨팅을 살펴보고 훈련함에 있어서, 기본적으로 외치는 소리의 특성을 제대로 알고, 또한 그것을 확립하여야 한다는 것을 이해해야 한다. 하지만 반면에 가창이라는 측면에서 훈련이 필요하다는 것, 즉 그냥 자연적인 상태로 노래하는 것이 아니라 능숙함이 있어야 한다는 것 또한 이해해야 한다.

나) 외치는 소리(yell)의 확립

외치는 소리(yell)의 세부적인 특성은 앞에서 잘 설명하였다. 독자의 편의를 위해 간단하게 한번 더 정리하자면, 외치는 소리의 특징은 *① 흉성구의 우세, ②상대적으로 높은 후두 포지션 ③좌우로 크게 벌린 입모양* 정도로 볼 수 있다.

이에 대해 조금 더 자세히 부연하자면, '① 흉성구의 우세'는 기본적으로 성대가 두껍게 접촉하는 상태라는 뜻이고, '② 상대적으로 높은 후두 포지션'은 F1과 H2 결합을 지속적으로 유지한다는 의미이다. 마지막으로 '③좌우로 크게 벌린 입모양'은 전통적인 가수 음형대를 사용하는 대신에 F2 중심의 공명전략을 사용한다는 것을 뜻한다.

기본적으로 여성 벨터의 경우 이 외치는 소리에 익숙해져야 한다. 많은 가창자들이 훈련을 하지 않으면 저절로 브레이크를 넘어서면서 소리가 팔세토 중심의 Whoop 소리로 전환이 된다. 만일 누군가 벨팅 창법을 익히고 싶다면, 이 Yell 소리를 편하게 소리낼 수 있어야 한다. 아마도 최소 A4정도까지는 억지로 Yell한 상태로 소리를 유지할 수 있어야 할 것이다.

하지만 능숙한 가창자는 G4 근처에서 지나친 옐링을 이미 억제하기 때문에 이 구간에서 지나친 옐링을 계속 유지하는 것은 위험함을 잊지 말자. 이 구간에서 whoop한 소리로 빠지지 않고 yell을 유지할 수 있게 되고 나서는 나중에 적절한 Yell으로 리밸런싱이 필요하다.

이것을 훈련하기 위해서는 [a]와 같이 열린모음을 사용하는 것이 외치는 소리의 확립에 큰 도움이 된다. (반대로 [i]와 [u]같이 닫힌 모음은 오히려 외치는 소리를 방해한다. 하지만 세컨드포먼트 튜닝의 감각을 익히기엔 유리하다.) 그리고 템포는 느리게 점진적으로 상승하는 연습 보칼리제를 사용하는 것이 좋다. 고음으로 진입하면서 소리의 음질이 바뀌지 않게 버티어주는 방식이 유효하다.

그리고 기타 성대접촉을 강화하는 훈련이 도움이 되는데, 훈련 초기에는 성급하지 않게 성문이 잘 닫힌 소리를 차근차근 쌓아올리는 것이 가장 중요하다. 한편 아직 온전한 가창을 소화해 내기에는 외치는 소리가 다듬어지지 않은 상태이니, 성급하게 노래를 부름으로써 목에 데미지를 주지 않도록 유의하자.

다) 능숙한 벨터(belter)가 되기

벨터들은 기본적으로 남성 가창자와 많은 양태를 같이한다. 음역대와 흉성-지배적인 성구조절 상태가 그렇다. 그에 따라 취해야 하는 음향학적 전략도 남성 가창자와 거의 동일하다. 자세한 내용은 '남성가창자의 음향학적 전략' 부분을 보시면 도움이 될 것이다.

(1) 성구조절 다듬기

우선 지나치게 흉성구를 가져가지 않는 것이 중요하다. 앞에서 언급하였듯이 이미 벨터들은 적어도 A4까지는 외치는 소리(yell)로 음질을 유지할 수 있는 단계이고, 아마 A4 이내의 음역에서는 가창에 전혀 무리가 없을 것이다. 만일 이 단계가 아니라면(=의도치 않았는데 흉성이 풀려버린다면), 가창자는 조금 더 외치는 소리를 훈련할 필요가 있다.

문제는 이 단계가 되면, 자칫하면 지나치게 딱딱한 소리가 되기 쉽다는 점이다. 그것은 과하게 흉성을 가져가서 성대접촉이 너무 두껍게 이루어지기 때문다. 따라서 이제는 점진적으로 성대접촉을 가볍게 가져갈 필요가 있다. 대체적으로 F4-G4즈음에서는 중성구라 불리는 팔세토와 흉성이 적절하게 믹스된 소리로 진입할 준비가 되어야 한다.

이를 위해서는 음향학적으로 후두를 지나치게 높게 가져가지 않을 필요가 있다. 여기서 적정량의 후두 높이가 매우 중요한데, 왜냐하면 기본적으로 벨팅 가창은 클래시컬에 비해 훨씬 후두가 높은 상태이기 때문이다. 따라서 클래시컬 스타일에 비해 훨씬 높은 F1이 형성되고 가창자도 후두를 높이는 것에 익숙해진 상태이므로, (그렇기 때문에 벨팅 스타일의 목소리에 대해 키아로키아로(chiarochiaro)라고 표현하기도 한다[144]) A4 이상의 노트에서 지나치게 후두를 높이는 실수를 범하기 쉽

144) 필자 주 : 전통적으로 좋은 공명 균형을 키아로스쿠로(chiaroscuro)라고 표현하여 목소리의 어두움과 밝음의 균형이 맞는 상태를 나타내는데 반해, 벨팅은 목소리의 밝은 배음성분이 월등히 강하다는 뜻에서 키아로키아로(chiarochiaro)라고 나타내는데, 이는 밝고 밝다는 뜻이다.

다. 하지만 후두를 약간 낮춰주는 것이지 클래시컬 스타일 처럼 후두를 깊게 내리는 것은 아니다.

지나친 후두의 상승은 소리를 지나치게 밝게 하여 청감상 불이익이 있을 뿐 아니라, 불필요한 외부근육의 개입을 가져오기 쉽다. 그리고 일반적으로 후두의 상승은 지나친 흉성과 심리적으로 연관되어 있는 경우가 많기 때문에, 후두의 상승을 약간 억제하는 것만으로 팔세토의 비율을 늘리고 성대의 접촉을 낮출 수 있게 된다.

여성 벨터라 할지라도, 항상 흉성 지배적인 상태를 가져갈 수는 없기 마련인데, 그것은 특히 c#5위의 음역에서 더 그러하다. 이 음역에서는 벨터라 할지라도 상당한 수준의 팔세토가 사용되어야 한다. 그래서 이 음역대는 뮤지컬 관계자 혹은 교사들에게 관용적으로 믹스(mix)라고 불린다. 그리고 당연히 자연스러운 블렌딩을 위해 그 아래 저역에서 점진적으로 팔세토의 비율을 늘려야 할 것이다.

이제 벨터의 전체음역에 걸친 성구지도를 정리해보자.

(2) 벨터의 성구조절 지도(mapping), 조각(segments)

벨터의 음역대는 다음의 조각(segments)로 나눌 수 있을 것이다: ①Eb4이하 ②E4-G4 ③G#4-C5 ④C#5-F5 ⑥F#5-A#5 ⑦B5이상.

'①Eb4이하'의 음역에서는 흉성이 매우 지배적이다. 특히나 벨터의 경우에는 이 음역에서 거의 팔세토를 쓰지 않는 경우도 많다. 하지만 능숙한 벨터라면 이 음역에서 너무 흉성으로만 노래하지 않는 것이 좋다. 왜냐하면 브레이크(break)인 '②E4-G4'에서 너무 급격한 음질 변화를 겪을 수 있기 때문이다.

'②E4-G4'는 브레이크로서, 앞에서 언급하였듯이, 남녀노소 불문하고 공통적으로 '흉성-지배적(chest-dominate)'상태에서 '두성-지배적

(head-dominated)'상태로 전환이 일어난다.

벨터의 경우 '흉성을 지속적으로 유지한다'라는 개념 때문에, 그냥 흉성만 쓰는 것으로 오해를 하기 쉬우나, 사실은 그렇지 않다고 봐야 한다. 성대접촉의 정도는 분명히 브레이크를 기준으로 눈에 띄는 변화를 보인다. 즉, 팔세토의 비율이 더욱 늘어나는 것이다. 하지만 공명조절 측면에서 여전히 Yell한 상태를 유지한다. 이는 '확산하는 성도모양(divergent vocal tract shape), 높은 후두위치(high larynx position)'라고 특성 지을 수 있겠다.

확산하는 성도모양이란 [아]모음과 같이 성도의 뒤쪽(후두 쪽)은 좁게, 성도의 앞쪽(입술 쪽)은 넓게 벌려서 점점 확산하는 듯한 형태를 뜻한다. 그리고 높은 후두위치는 F1-H2 커플링과 관련된 것이다. 이런 음향적 특성 때문에, 벨팅 특유의 키아로키아로(chiarochiaro) 음질이 형성되는 것이다. 음향적 특성에 대한 이야기는 뒤에서 별도로 다루겠다.

벨터의 '③G#4-C5' 음역대는 여전히 흉성지배적이지만, 팔세토가 꽤나 참여해야 한다. 즉 성대접촉을 다소 낮춰주는 것인데, 벨터들은 이 음역대의 중성(medium voice)을 잘 확립해서 '거점기지'로 삼을 필요가 있다. 이 부분을 전략적 거점기지로 삼게 되면, 위쪽 두성구로의 진입과 아래쪽 흉성구로의 이동이 매우 용이해지게 돼서, 전체 음역대에 고르고 점진적으로 예측가능한 성구조절상태를 확보할 수 있게 된다.(실제로 대부분의 성구전환 문제는, 성구조절이 점진적으로 예측가능하지 않기 때문에 발생한다.)

사실 이 중성의 중요성은 남녀 혹은 가창 스타일을 불문하고 모두 동일하게 적용되는 원리인데, 특별히 벨터들에게 더욱 그러하다. 왜냐하면 벨터들은 지나치게 흉성을 가져가려는 성향이 뚜렷하기 때문이다. 이 성향을 벨터들이 Yell한 소리를 확립하면서 형성되는데, 이 상태의 벨터들은 팔세토의 비율이 거의 없는 딱딱한 소리를 이 중성의 음역대에까지 끌고 올라가는 경향을 보인다. 결국 중성에서 본격적인 두성의 음역대로 진입을 할 때, 아예 진입을 하지 못하거나 혹은 지나친 음질 변화를 겪을 수 밖에 없게 된다. 그래서 벨터들은 중성 음역대에서 적절한 팔세토의 비율을 잘 확보해야만 점진적인 성구조절을 성취할 수 있게 된다.

하지만 아직 벨팅 스타일이 몸에 익지 않은 경우에, 성급하게 팔세토를 섞는 시도를 하는 것에 대해 필자는 그다지 추천하지 않는다. 왜냐하면 경험상 아직 전반적으로 강한 성대접촉을 유지하지 못하는 경우에 팔세토를 섞으려고 시도하면 성대접촉이 너무 많이 풀어지는 경우가 다반사이기 때문이다. 이런 경우에 오히려 적어도 1-2개월 이상은 벨팅스타일을 확립하는데 공을 들여야 한다. 보다 솜씨있게 벨팅을 사용하는 것은 다소 나중의 문제이다.

한편 이러한 특성은 지나치게 흉성이 강한 남성 가창자에게도 매우 동일하게 적용되는 원리이므로, 잘 참고하길 바란다.

(3) 벨터의 고음역대 : 믹스(Mix)

'④C#5-F5' 이상의 음역대는 앞에서 언급하였듯이 흔히들 '믹스(mix)'라 부르는 음역대로서, 여기서부터는 상당한 수준의 팔세토가 사용된다. 즉 여기서는 성대접촉을 지나치게 가져가려고 하면 소리를 내는 것이 거의 불가능에 가깝다. 하지만 여전히 여성 클래시컬 스타일에 비해서는 성대접촉율이 꽤나 높은 상태이며, 여전히 후두도 높은 상태이다.

반면에 이 음역대에서 너무 팔세토를 섞어버리면 성대접촉이 너무 갑자기 풀리게 되므로, 적절한 성대접촉을 유지하는 것이 필요하겠다. 이것은 첫째는 음향학적 전략을 사용함으로써 성대의 '자기진동유지'를 안정화시키는 것에 의해 도움을 받을 수 있다. 그리고 두 번째로 살펴볼 것은, 여전히 논란이 존재하는 '윤상연골의 기울어짐(cricoid tilt)'이다.

'윤상연골의 기울어짐'은 벨팅 창법에 대한 연구를 확립한 '조 에스틸'에 의해 제시된 것으로, 벨터가 어떻게 강한 성대접촉을 유지할 수 있는지에 대한 중요 키워드로 제시된 내용이다.

이 내용은 EVT(Estill Voice Training)에서 출간한 「The Estill Voice Model」에 잘 나와있는데, 후두의 움직임에 대해 거의 강박증 수준으로 자세히 분해해 놓은 그 책에서, 윤상연골이 앞으로 기울어짐으로써 TA의 기능(성대를 두껍게 하는)을 보조할 수 있고, 그것이 벨터들로 하여금 강한 성대접촉을 할 수 있게 하는 원리라고 제시[145]해 놓았다.

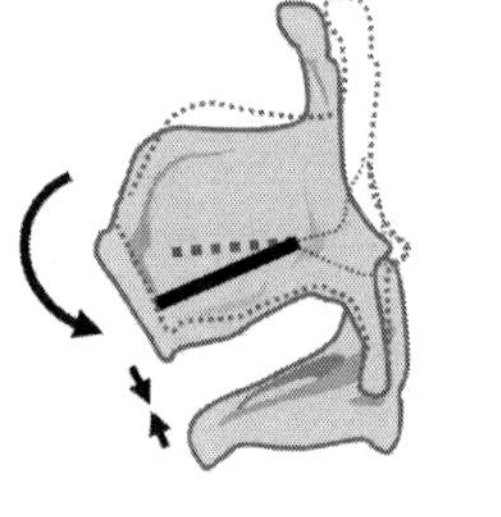

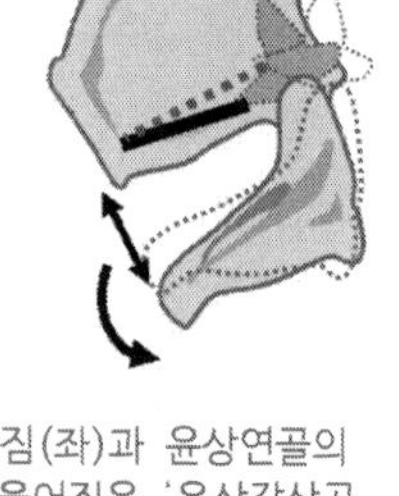

그림 87. 갑상연골의 기울어짐(좌)과 윤상연골의 기울어짐(우). 갑상연골의 기울어짐은 '윤상갑상공간(cricothyroid space)'을 좁아지게 해서 성대를 잡아당기고 그 결과로 성대접촉면이 줄어들지만, 윤상연골의 기울어짐은 반대의 결과를 가져온다.

일반적으로 윤상연골은 기도연골과 연결되어 있기 때문에 고정되어 있고, 윤상갑상근이 긴장하게 되면, 갑상연골이 앞으로 기울어지면서 성대가 늘어나면서 피치가 상승하는 메커니즘이 잘 알려져 있다. 하지만 반대로, 에스틸은 윤상연골이 앞으로 기울어지면서 성대의 접촉면을 크게 할 수 있다고 본 것이다.

하지만 이에 대한 반론도 만만찮다. 우선 윤상연골의 기울어짐을

145) Kimberly Steinhauer, Mary McDonald Klimek, 「The Estill Voice Model(2017)」, Estill Voice International, p.109-110

가능케 하는 근육인 윤상인두근(cricopharyngeus muscle)에 대한 기능에 대한 논란이다. EVT에서 윤상연골을 기울어지게 하는 핵심 근육으로 지목한 근육은 인두조임근 중 하나인 윤상인두근인데, 문제는 이 윤상인두근의 배열이 윤상연골을 앞으로 기울어지게 하는 방향이 아니라는 점이다.

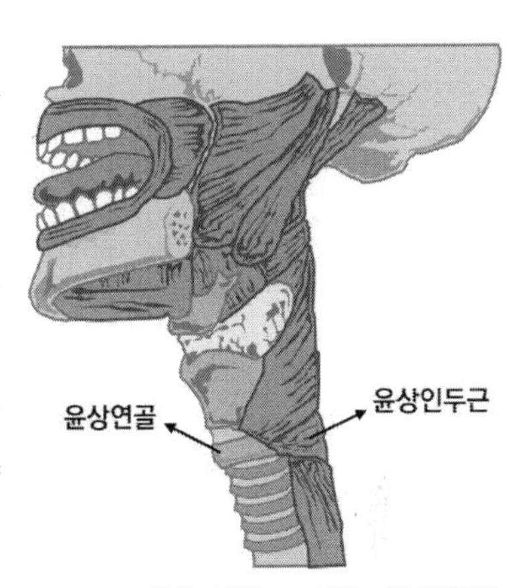

그림 88. 윤상인두근의 배열. 윤상연골과 수평방향으로 배열되어 있는 것을 볼 수 있다.

윤상연골을 앞쪽으로 기울어지게 하려면 구조 지오메트리 상 갑상연골과 윤상연골 사이의 관절(갑상윤상관절[crico-thyroid joint])을 기준으로 윤상연골 앞쪽에 근육이 수직방향으로 부착되어 있어야 한다. 하지만 해부구조 상 윤상인두근은 오히려 윤상연골의 뒤쪽에서 수평방향으로 부착되어 있다는 것을 볼 수 있다.

EVT에서 말하듯이 윤상연골을 앞으로 기울이게 하도록 부착되어 있는 근육이 존재한다면, 아마도 흉골윤상근(sterno-cricoid muscle)이라 불릴 것이다. 하지만 그런 근육은 존재하지 않으며, 오히려 갑상연골과 흉골사이에 부착된 (sterno-thyroid muscle)이 존재한다. 이 후두외부근육은 CT근에 의한 갑상연골의 기울임(thyroid tilt) 동작을 보조하는 역할을 한다.

결국 현실에서, 해부학적 지오메트리 구조를 고려할 때, 윤상인두근은 윤상연골을 앞으로 기울이는 것이 아니라, 오히려 뒤 방향으로 당겨주는 역할을 한다는 것을 우리는 추측할 수 있다. 그렇다면, 윤상연골이 뒤쪽으로 당겨지면 어떻게 되는가?

윤상연골 위쪽에는 피열연골이 붙어있다. 결국 윤상연골이 뒤로 당겨지면 피열연골도 뒤로 당겨질 것이고, 그러면 피열연골에 달려있는 성대주름(vocal folds) 또한 뒤로 당겨질 것이라는 것을 우리는 추측할 수 있다. 즉, 윤상연골의 뒤로 당겨짐은 성대의 길이를 짧게 하기보다는, 오히려 성대의 길이를 늘리고 윤상갑상공간(crico-thyroid space)를 좁히는 결과, 즉 CT의 수축과 같은 결과를 가져온다고 생각할 수 있다.

정리하면, 윤상인두근에 의한 윤상연골의 움직임은 성대를 짧게 하는 것이 아니라 오히려 성대를 늘리는 결과를 가져온다.

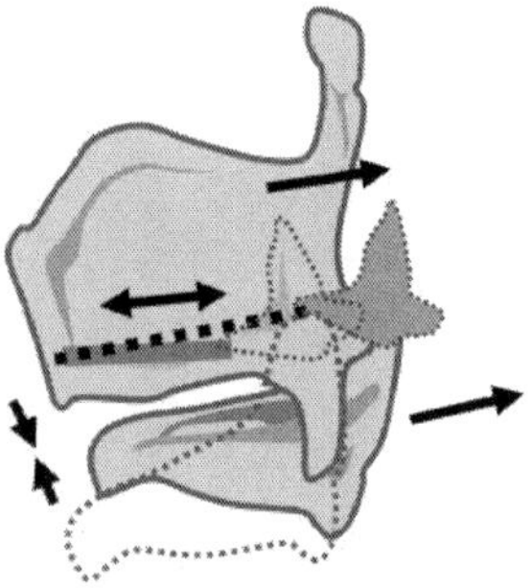

이것은 벨팅 스타일의 가창에서 어떻게 활용되는가? 오히려 성대의 접촉을 낮추는 것인가? 아니다. 오히려 성대의 강한 접촉상황에서 성대의 길이를 충분히 늘려줘서 일반적인 흉성의 음역대 위까지 흉성의 음질로 고음을 노래할 수 있게 해 주는 것이다.

그림 89. 윤상인두근에 의한 윤상연골의 움직임 예상도

달리 말하면, 벨터는 이미 저음에서 TA의 강한 수축에 의해 두꺼운 성대접촉 상태를 유지하고 있다. 그 상황에서 가창자가 고음으로 진입하게 되면, (CT와 TA는 직접적인 길항관계에 있으므로) CT가 성대를 잡아당기는데 큰 방해를 받게 된다. 이 상태에서 CT의 힘만으로는 한계가 있으므로, 외부근육인 윤상인두근(cricopharyngeus)의 도움으로 성대 접촉을 줄이지 않고서도 성대주름을 잡아당길 수 있게 되는 것이다.

이 조절 메커니즘은 벨터 이외에도 두성의 음역에서 강한 성대접촉을 가져가는 테너의 경우에도 동일하게 적용할 수 있을 것이다. 그리고, 이 조절 상태에서의 가창자는 목구멍의 뒤쪽(윤상인두근의 위치)에서 강한 수축감을 느끼게 되는데, 이는 CT근과 성대접촉을 양립가능하

게 하는 LCA와 IA근육의 위치와도 일치한다. 그리고 이 윤상인두근은 인두조임근으로서, 앞에서 살펴본 바와 같이 CT근과 가까운 신경명령계통(미주신경, 인두신경, 상후두신경)에 속한다.

따라서 가창자는 고음에서 올바른 발성을 유지할 때, 목구멍 뒤쪽에서 잡아주고 버텨주는 운동감각(kinesthesia)를 느끼게 된다. 또한 이것은 '목을 사용한다'라는 개념의 TA근육의 긴장이 앞에서 느껴지는 것과 대비되는 것으로, '호흡을 사용한다' 혹은 '아포지오를 이용해 호흡으로 지탱한다' 등의 감각과도 긴밀한 연관이 있을 것으로 추측된다.

상기의 고찰은 아직 증명되지는 않았다. 그러나 일반적으로 후두, 아니 인체의 일반적인 원리가 어떤 사실을 단편적으로 떼놓고 생각할 수 없음을 기억하라. 이미 앞에서 우리는 피열연골의 움직임을 살펴보면서, 단순한 몇 개의 동작만으로 우리의 신체조절을 규정할 수 없음을 언급하였다.

이것은 윤상연골의 움직임에 있어서도 마찬가지일 것이다. 사실 윤상연골은 (후두 자체가 그러하듯이) 어디에 고정되어 있는 것이 아니라, 공중에 달려있는 형태라고 보는 것이 옳다. 비록 설골(hyoid)정도로 완전히 근육에 의해 현수(suspend)되어 있진 않고 비교적 단단한 기도위에 붙어있지만, 그것이 절대적으로 고정되어 있다고 말할 순 없다. 작용-반작용의 법칙에 의해 한 부위가 움직이면 다른 부위에도 정도의 차이는 있을지언정, 필연적으로 움직임이 발생하게 되는 것이다.

따라서 윤상연골이 단순히 앞으로 혹은 뒤로 기울어진다고 콕 짚어서 이야기 할 수만은 없다. 현실에서는 각종 후두 현수근들(laryngeal suspensions)에 의해 복합적으로 조절되는 것이다.

오히려 여기서 교훈으로 삼을 만한 내용은, 성대의 조절은 단순히 후두내부근육들(intrinsic muscles)에 의해서 뿐 아니라, 후두 외부근들(extrinsic muscles)에 의해서도 조절될 수 있다는 사실이다. 결국 중요한 것은 좋은 소리이고, 그것은 올바른 성구조절상태를 이끌어 낼 수 있느냐에 달려있다. 모든 성종이나 스타일과 무관하게, 우리가 가창에서 가장 핵심적으로 생각해야 하는 사실은 모든 주어진 피치, 발음, 세기에서 안정적으로 성대의 접촉을 유지하는 것이다.

3. 발성훈련 보칼리제의 구성방법

가. 들어가기에 앞서 : 발성훈련 보칼리제의 중요성

발성훈련 보칼리제 설계가 중요한 이유는 기본적으로 발성기관이 불수의적이기 때문이다. 신체 조절이 눈으로 관찰 가능한 기악연주와 달리, 가창은 발성기관의 조절 대부분이 눈으로 관찰되지 않는다. 따라서 교사는 반드시 학생의 발성기관을 조절할 레버(lever)를 확보하는데 모든 노력을 다하여야만 한다.

발성훈련 보칼리제를 세심히 설계하면, 교사는 학생의 발성기관을 원하는 대로 조종할 수 있게 된다. 가장 흔한 경우 몇 가지를 예로 들어 설명하면, 흉성구(=성대접촉)가 과한 경우나 목이 조이는 경우가 있을 텐데, 그 경우에 학생에게 "목을 조이지 마라", "흉성구가 과하다 줄여라" 등과 같은 지시는 분명 도움이 되긴 하지만 그 한계가 뚜렷하다.

반면에 우수한 교사라면, 목을 조이지 않고 흉성구보다 팔세토를 독려하는 보칼리제를 구성할 것이다. 그리고 학생에게 그 훈련 보칼리제를 반복적으로 시키기만 하면, 학생의 발성기관 반사적으로 반응하여 금세 교사가 원하는 동작에 익숙해지게 되고, 그 다음에는 '저절로' 학생의 발성기관이 개선되게 되는 것이다.

벨칸토 시대의 유명한 일화로, 포르포라(Nicola Porpora)가 자신의 제자 카페렐리(Cafferelli)를 한 장의 종이에 담긴 몇 개의 연습에 6년

동안이나 묶어놓고, 그 이후에 카페렐리에게 "넌 세계 최고의 가수다" 라고 말했다는 사실이 있다[146].

또한 20세기 가장 유명한 교사 중 한명인 세스릭스가 평소 자신의 제자들에게 항상 가르쳤던 것으로 알려진 그의 발언은 그가 얼마나 훈련 보칼리제 설계에 심혈을 기울였는지 알 수 있다. 그 발언은 다음과 같다: "지시하지 말고 기대하라(Expect it, don't direct it)."

정리하면, 훌륭한 교사는 직접적으로 학생에게 지시를 하지 말고 훈련 설계를 잘 해서 저절로 교사가 원하는 결과를 얻을 수 있어야 한다는 뜻이다. 물론 교사 개인의 선호도에 따라서 얼마든지 선호하는 교습 도구가 달라질 수는 있겠으나, 단순 지시를 통해 불수의적인 발성기관의 발전을 효율적으로 이끌어내기란 거의 불가능한 일일 것이다. (물론 교사가 평시에 학생의 멘탈컨셉을 잘 구성해 놓았다면, 간단한 멘트 한마디로도 학생의 긍정적인 변화를 이끌어 낼 수 있다)

교사가 훈련 보칼리제를 설계하는데 있어서 유의해야 할 요소는 대체로 다음과 같을 것이다: *음역, 발음, 세기, 보칼리제의 진행방향(상승/하강), 템포, 인터벌.*

나. 발성훈련 보칼리제의 구성요소별 특징

1) 음역

음역의 선택은 기본적으로 성구의 특성에 크게 좌우된다. 아래쪽으로 내려갈수록 흉성의 참여율이 높아지며, 반대로 피치가 높아질수록 팔세토의 참여율이 높아진다. 따라서 더 낮은 음역으로 내려갈수록 흉성의 참여를 더 독려하여 성대의 접촉률을 높이고, 반대로 더 높은 피

146) Cornelius L. Reid, 「벨칸토 발성법」, 삼호뮤직, page.108

치일수록 팔세토의 참여를 독려하여 성대의 접촉률을 낮추는 경향이 있다.

특별히 브레이크(break)인 E4-F4를 기준으로 아래쪽은 흉성의 비율이 더 우세한 흉성-지배적(chest-dominated)인 구간이며, 반대로 위쪽은 두성-지배적(head-dominated)인 구간이다.

따라서 훈련의 목적에 따라(두 성구 중 어느 성구의 참여를 필요로 하는지) 흉성구과 두성구의 음역 둘 중에서 하나를 선택하여야겠다. 물론 양 성구의 융합을 위해 의도적으로 파사지오 구간인 C4-G4를 선택할 수도 있다.

한편 유의할 점 혹은 특이 사항으로, 가창자의 일반적인 음역 이하로 내려가게 되면 포먼트 튜닝(formant tuning)의 본능적 반사반응으로 인해 후두가 지나치게 내려가게 되고, 결국 오히려 성대접촉이 떨어지는(=흉성의 비율이 낮아지는) 결과를 가져온다. 따라서 교사는 흉성의 참여를 독려한답시고 지나친 저음으로 하행하는 보칼리제를 훈련시키지 않도록 조심하여야 한다. 항상 학생의 목소리에 기능적(functional) 귀를 기울여서, 성대의 접촉이 적절히 이루어지는지(=목소리 톤에 전반적인 고주파수 배음, 즉 키아로chiaro 톤이 살아 있는지) 모니터링 하여야만 한다.

이는 반대의 상황에서도 마찬가지인데, 극고음으로 올라갈수록, 오히려 흉성의 참여가 증가하는 경향이 있다. 그 이유는 앞에서도 언급한 바 있는데, 피치를 조절하는 1차 근육인 윤상갑상근(cricothyroid muscle)이 수축할 때, 반대 방향에서도 당겨주는 힘이 필요하고, 그것은 갑상피열근(thyroarytenoid muscles)를 중심으로 한 피열근들(arytenoids)이기 때문이다. 피열근들은 흉성(=성대 접촉율 증가)의 1차 책임자라는 것을 기억하라.

이것을 정리하자면, 고음으로 진입하면서 후두 내에서는 CT근의 긴장에 비례하여 길항근인 TA근의 긴장도 필요하게 되는데, 이것이 극고음에 도달하면서 CT근 뿐 아니라 TA근의 긴장도 거의 최대치에 가깝게 필요한 상황이 되는 것이다.

따라서 성대접촉이 잘 이루어지지 않는 가창자의 경우, 오히려 극고음을 짧은 노트로 연습시키면 일반 가창 음역대에서의 성대접촉 상태가 전반적으로 개선되는 효과를 거둘 수 있다.

2) 발음

발음은 기본적으로 성도(모음)와 기타 부속기관(자음)을 조절하여 형성된다. 즉 교사는 발음을 선택함으로써 가창자의 발성기관을 원하는 대로 조절할 수 있게 된다. 신체기관이 대부분 불수의적이기 때문에 교사는 이런 가창자의 반사반응을 적극적으로 이용해야 한다.

이런 발음을 활용한 훈련방법은 SLS 계열의 교사들이 아주 정밀하게 사용하는 편이다. 물론 이것은 세스릭스(Seth Riggs)의 천재성이 덧붙여지긴 했지만, 기본적으로는 옛 이탈리아 전통으로부터 유래한 것이다. 유명한 이탈리안 테너이자 세스릭스의 스승인 티토 스키파(Titto Schipa)의 훈련 보칼리제가 현재 유튜브에 공개[147]되어 있는데, 그것을 살펴보면 보칼리제의 멜로디는 다소 차이가 나지만, 발음은 현재 SLS 계열에서 즐겨 사용하는 발음들과 거의 동일하다.

가) 모음(vowel)

앞의 공명 편에서 언급하였듯이, 모음은 기본적으로 성도를 조절함으로써 F1과 F2에 의해 결정된다. 성도의 조절은 인두의 직경을 조절

---

147) aguacun, 「Tito Schipa vocal exercises 1-10」, https://youtu.be/yD8D9jy4Rm0 등

하기 때문에 필연적으로 성대의 형태에 영향을 미치게 되고, 결국 성대의 접촉정도를 조절할 수 있는 수단이 된다. 각 모음별 성도형태는 우측 그림과 같다[148].

[a]모음은 흉성의 참여를 독려하여 성대의 접촉률을 높인다. 그리고 목구멍 뒤쪽은 좁게, 앞쪽은 넓어지게 해서 '확산하는 성도 형태(divergent vocal tract)'를 유도한다. 또한 후두의 포지션을 높게 해서 결과적으로 밝은 소리인 키아로(chiaro)를 독려한다.

[a]

한편 초심자의 경우 어린아이처럼 [a]모음을 지나치게 밝게 소리내는 경우가 흔한데, 이 경우에는 필요한 만큼의 적절한 성구비율을 가지도록 키아로스쿠로 공명균형을 맞추어 줄 필요가 있다.

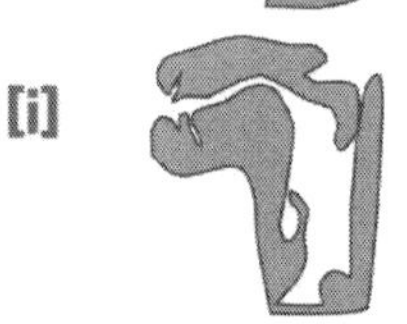

[a]모음과 반대로 [u]나 [i] 모음은 성도의 뒤쪽(후두인두_laryngopharynx)을 넓어지게 해서 팔세토의 참여를 독려하고 성대의 접촉률을 낮춘다. 성대접촉을 낮추는 경향은 두 모음 중 [u] 모음이 더 강하며, 경우에 따라서 초심자의 경우 구강을 좁히고 얇게 [i] 모음을 소리 내어 성대 접촉률이 크게 낮아지지 않을 수도 있다. 하지만 그런 경우에도 모음 [a]보다는 긍정적인 방식(=팔세토와 코디네이션 된 상태)으로 성대접촉이 이루어지는 것이다.

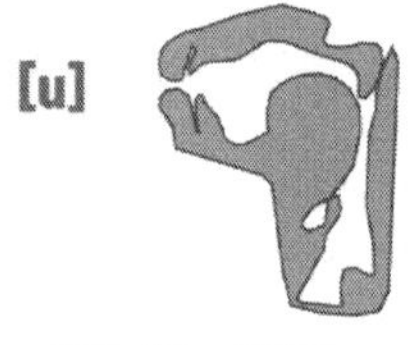

그림 90. 모음별 성도형태

그리고 [u] 모음은 후두를 낮추고 목구멍을 넓혀주는 효과가 있다. 따라서 초심자와 같이 전반적으로 성도가 협착되어 있는 경우, 모음 순화 과정 등에서 가창에 적합한 '키아로스쿠로 공명균형'이나 들숨의

148) Gunnar Fant 「Acoustic theory of speech production」

자세를 확립하는데 도움을 줄 수 있다.

나) 자음(consonant)

앞에서 발성을 지도하는 방법을 언급하면서 '파일럿 자음을 이용해서 가창자의 반사반응을 이끌어 낼 수 있다'라고 언급하였다.

앞에서 언급한 내용이지만 (독자의 편의를 위해) 한번 더 말하자면, 밀러(Richard Miller)는 자신의 저서에서 몇 개의 파일럿 자음이 가져다 주는 효과를 언급하고 있다. 일부를 살펴보면, /v/와 /f/는 연구개를 들어주는 효과가 있으며, /m/, /n/, /ɲ/, /ŋ/ 는 자연스럽게 마스께를 울리게 하는 공명균형을 위해 사용될 수 있다고 한다[149]. 또한 /k/와 /g/는 모음의 정확한 소리시작(onset)에 도움을 줄 수 있고, Roll /r/과 /m/은 아포지오 감각을 익히는데 도움이 된다.

한편 이너턴스(inertance)를 증가시키기 위한 방법으로 자음을 사용할 수도 있는데, 이너턴스가 증가하면 성대의 자기진동유지(self-oscillation sustain)이 더 용이해진다. 앞에서 언급한 바와 같이 이너턴스는 '관성적 저항'으로서 유체의 이동저항을 증가시킴으로써 가능하다.

[g]는 혀의 아래쪽을 뒤로 당겨서, 인두의 직경을 좁혀주고 그 결과로 이너턴스가 증가하게 된다. 한편 [b]는 소리의 시작 전에 입술을 닫음으로써 이너턴스를 증가시킨다. 이 이너턴스를 증가시키는 자음은 분명하게 발음할수록 효과가 증가한다. 따라서 된소리([ㄲ]나 [ㅃ]으로)로 발음하는 것이 더 큰 효과를 기대할 수 있다. [m]의 경우에는 입술을 닫아주긴 하나 소리가 부드럽고 비강 쪽으로 소리를 돌림으로써 이

149) Richard Miller, [Solutions for Singers: Tolls for Peformers and Teacher(2004)]

너턴스의 상승을 기대하기에는 조금 무리가 있겠다.

또한 [d], [t], [r], [n], [th] 자음은 혀 끝을 앞쪽으로 붙임으로써 혀 뒤쪽을 이용해서 후두를 지나치게 누르고 성대접촉을 과하게 시키는 것을 방지할 수 있다. 앞으로 혀를 길게 뺄수록, 그리고 소리가 부드러울 수록 그 효과가 크므로, 위에서 필자가 기술한 순서대로 해당 효과를 기대할 수 있다고 보면 된다. 하지만 단순 효과의 정도에 국한되지 않고 가창자의 다양한 개인적 특성에 따라서도 효과가 다양할 수 있겠다.

[h]의 경우 소리시작 이전에 성문에서 호흡을 통과시킴으로써 과한 성대접촉을 줄여준다. 즉 고음으로 진입이 어려운 경우 이 자음을 이용하면 성대를 얇게 접촉시키는 것을 도와준다. 비슷한 자음으로 [k]나 [f], [p] 등도 소리시작을 부드럽게 혹은 흐리게 함으로써 성대접촉을 상대적으로 줄여주는 효과를 기대할 수 있다. 이 [k], [f]와 [p]는 각기 [g]과 [b]의 기본적 특질을 그대로 유지하면서, 성대접촉을 보다 낮추는 특성을 가지는 것으로 이해하면 된다.

참고로 더 큰 효과를 지닌 자음이 우월하다고 생각해서는 안된다. 가창자는 특정 발음에 국한되지 않고 항상 좋은 발성상태를 유지하는 것을 이상으로 삼아야 하므로, 결국은 이 효과를 최소한만 사용하고도 교사가 필요로 하는 상태를 이끌어내는 것이 필요하다. 예를 들어 이너턴스를 상승시켜 성대접촉을 안정적으로 만들려고 할 때, 부드러운 [g] 발음으로도 충분한데 굳이 된소리 성향의 강한 [g] 발음을 사용할 필요는 없다. 가창자의 능력을 향상시키기 위해서는 해결할 수 있는 적당한 난이도를 제공하는 것이 더 좋은 것임은 당연한 일이다.

다) 발음의 명료도

발음을 명확하게 한다는 개념은 더 많은 성대접촉을 가져오는 경향이 있다. 반면에 발음을 흐리게 처리하면 성대접촉이 흐려진다. 공명의 측면에서는 발음을 분명하게 하면 성도가 좁아지고, 흐리게 발음하면 목구멍이 이완된다.

특히 부적절한 콧소리로 노래 부르는 학생의 경우 “발음을 분명하게 소리내라”라는 간단한 지시어로 콧소리를 제거할 수 있다. 이것은 콧소리의 원인은 성도 특히 연구개가 느슨한 상태로 쳐져있어서 비강으로의 통로가 열려 있는 상태이기 때문인데, 분명한 발음을 하게 되면 성도의 긴장도가 증가되어 그 통로가 연구개에 의해 막히기 때문이다.

발음의 명료도는 한국어의 특성이 상대적으로 외국어에 비해 노래 부르기에 약간은 부적절하다는 지적의 원인이 된다. 영어를 비롯한 라틴어 계열 언어권의 경우 각 음절을 사이를 연음으로 이어서 처리하는 경향이 있다. 반면에 한국어는 자음을 기준으로 명확하게 각 음절의 경계를 나눈다. 이것은 결국 상대적으로 더 많은 TA의 개입을 유도하고, 결국 가창 시 무엇보다 확보되어야 할 CT의 자유로움을 저해할 수 있다.

이런 태생적인 세부적인 특성은 여기서 논할 대상이 아니고, 교사는 그저 “발음을 분명하게/흐리게 소리내라” 라는 간단한 지시어로 성대의 접촉을 조절할 수 있다는 것을 숙지하면 되겠다.

3) 세기

세기는 성구조절에 직접적인 영향을 준다. 톤의 세기가 세면 셀수록 더 많은 흉성이 개입하게 돼서 성대접촉이 높아지고. 반면에 톤의 세기가 약하면 약할수록 팔세토가 더 많이 개입하게 돼서 성대접촉율이 낮아지게된다.

세기와 관련해서는 두 가지 측면을 살펴봐야 한다. 하나는 성대 아래쪽의 호흡압력이고, 또 다른 하나는 성대를 닫으려는 힘이다.

대체적으로 '소리를 세게 낸다'라는 가창자의 개념이 발동하면, 가창자는 강한 날숨과 동시에 성대의 내전근을 긴장시킴으로써 강한 소리를 만들어낸다. 이 둘 중에 보다 본질적인 것은 성문의 닫힘이다. 만일 성문이 닫히지 않고 날숨만 강하게 보낸다면, 오히려 성대의 접촉은 떨어지게 된다.

대부분의 경우에 강한 날숨과 성문의 닫힘은 '강한 목소리'라는 개념에 연관되어 있기 때문에 일반적으로 '강하게 소리를 낸다'라는 생각은 큰 문제없이 성대의 접촉율을 상승시킬 수 있다. 그러나 일부 가창자의 경우에 오히려 강하게 소리내는 것이 성대접촉율을 떨어뜨리는 경우가 있다.

이것의 판단은 앞에서 언급한 바와 같이 고음배음 세트의 세기라는 '음질'로서 분별이 가능하기 때문에, 교사는 학생의 성대접촉 정도에 대해 항상 예민하게 귀를 기울일 필요가 있다.

4) 상승/하강

상승 보칼리제는 저음에서의 성대접촉을 고음에서도 그대로 유지하기 위해서, 반면에 하강 보칼리제는 팔세토의 유연함을 저음에까지 침투시키기 위해서 사용될 수 있다. 그 결과로 상승 보칼리제는 강한 고음을 만들어 낼 수 있으며, 하강 보칼리제는 성구전환의 원활함을 도모할 수 있다.

이 때 상승 보칼리제는 상대적으로 낮은 저역에서 충분하게 확보된 성대접촉을 고음으로 가져가는데 그 목적을 두고 있는데, 충분한 성대접촉을 가져가야 하므로 [ㅏ]모음과 함께 사용하는 것이 좋다. 만일 발음측면에서 자음도 성대접촉을 더 독려하도록 하고 싶으면, [ㄲ] 등을 사용하여 이너턴스를 증가시킬 수도 있다. 그리고 이러한 훈련에는 반사반응보다는 미세한 의식적인 조절이 수반되어야 하므로 좁은 인터벌을 사용하는 것이 더 높은 상승효과를 가져올 것이다. 만일 인터벌을 넓게 가져가버리면 수의적인 조절보다는 반사반응이 훨씬 독려되게 되고, 초심자의 경우에는 성대접촉이 바로 풀려버리고 말 것이다.

반대로 하강보칼리제는 두성의 음질을 아래로 가져감을 목표로 할 것이다. 앞에서 언급하였듯이 가창 목소리의 핵심은 CT근의 원활한 동작이고, 그것은 흉성과 두성을 이어주는 핵심적인 원칙이 "흉성을 끌어올리는 것이 아니라 팔세토에 힘을 실어주는 것"이라는 사실의 근거가 된다.

이 훈련을 원활히 하기 위해서는 [ㅜ] 혹은 [ㅣ] 모음을 사용하고, 자음은 필요 시 [ㅎ]와 조합하면 극도의 팔세토를 유도할 수 있겠다. 그러나 지나친 팔세토는 성대접촉을 너무 떨어뜨리기 때문에, 모음도 [ㅗ]정도로 약간의 성대접촉은 유지할 수 있게 해주는 것이 원활한 훈련에 도움이 된다. [ㅎ]자음도 원하는만큼 충분한 팔세토의 비율이 나오지 않았을 때에만 사용하는 것이 좋겠다. 그리고 인터벌도 마찬가지로 짧게 가져가는 것이 좋다. 만일 인터벌이 넓으면 급작스럽게 흉성으로 소리가 떨어지고 말 것이다.

5) 템포

빠른 템포는 가창자의 불수의적인 반사반응을 이끌어 낼 수 있으며, 느린 템포는 가창자의 수의적인 미묘한 조절능력을 훈련시킬 수 있다.

예를 들어 가창자가 아직 고음을 소리내는 방식에 대해 많이 생소한 상태라면, 빠른 템포의 보칼리제를 반복적으로 훈련함으로써 고음에서의 감각에 익숙해지는데 도움을 줄 수 있다.

반면에 가창자가 어느정도 고음에서의 능력에 익숙해졌다면, 이제는 해당노트에서 버티면서 미세한 조절 능력을 키워야 하는데, 이때 느린템포의 훈련을 함으로써 가창자의 고음에 대한 개념을 순화시킬 수 있다.

정리하면 빠른템포는 가창자의 개념이 아직 실체화되지 않은 경우에 사용하면 좋고, 느린템포는 가창자가 이미 가지고 있는 개념을 더욱 정밀하게 다듬고, 해당 발성기관의 숙련도 혹은 근력을 키우는데 도움이 될 수 있다.

6) 인터벌

노트 사이의 간격을 인터벌이라고 하는데, 이 인터벌이 넓으면 가창자의 반사반응을 이끌어내기 쉽고, 반면에 인터벌이 좁으면 가창자의 미세한 조절능력을 키울 수 있다. 위의 템포와 비슷한 맥락에서 빠른템포는 넓은 인터벌, 느린템포는 좁은 인터벌과 매칭시킬 수 있을 것이다.

다. 발성훈련 보칼리제의 실제 예시

이제 실제의 몇 가지 예시를 살펴보면서 위의 각 요소들이 어떻게 활용되고 있는지를 살펴보자.

1) 5톤 보칼리제

이 보칼리제는 비교적 좁은 음역으로 구성되어 있는 보칼리제로서, 가장 흔하게 볼 수 있는 구성이다. 간단하게는 편한 음역에서 비교적

그림 91. 5톤 보칼리제

빠른 템포로 사용해서 목을 푸는데 사용할 수 있고, 점진적으로 고음으로 전조(轉調)하여 성구전환 조절 상태를 점검하는 데에도 활용할 수 있다.

그 외에도 음역이 좁은 편이기 때문에 특정 음역대의 능숙도를 향상시키는 데 도움이 될 수 있다. 예를 들어 흉성 음역에서 [아] 모음으로 노래부르면 흉성구의 확립-발전을 도모할 수 있고, 두성 음역에서 [우] 발음 등으로 노래 부르면 두성구의 확립-발전을 도모할 수 있을 것이다. 한편 만일 파사지오 음역대(C4-G4)에서 훈련을 실시하면 오히려 흉성과 두성 사이의 성구전환 능력을 키울 수 있을 것이다.

그리고 각 노트간의 간격이 2도 밖에 되지 않으므로, 어떤 한 상태의 성구조절을 상태를 다른 음역으로 가져가는 조절능력을 향상시키는데 도움이 될 수 있다. (인터벌이 넓어지면, 의식적인 조절보다 반사반응이 우세해진다.)

예를 들어 학생이 어느 정도 두성으로의 성구전환이 자유로워지면, 이제는 두성에 힘을 더해야 하는데, 이때 이 보칼리제를 사용할 수 있겠다. 상대적으로 더 낮은 저음에서 성대접촉이 유지된 상태에서 고음으로 진입을 하게 되면, 자연스레 성대접촉은 풀리게 되는 경향이 나타날 것인데, 이 때 성문이 벌어지지 않게 버티면서 고음을 진입하는 연습을 하면 도움이 될 것이다. 만일 이런 상태에서 인터벌이 3도나 혹은 5도와 같이 너무 벌어지게 되면, 아마도 순식간에 성대접촉이 풀려버릴 것이다.

반대로 팔세토의 음질을 저음으로 가져오는 데도 도움이 될 수 있다. 이럴경우에는 저음에서 시작하는 것이 아니라 최고음 [솔] 노트에서 하강만을 하게 되는데, 이 때 두성의 음질에서 급격하게 흉성으로 소리가 떨어지지 않도록 유의하면서 하강하면 된다.

그림 92. 5톤 하강 보칼리제

위와 같은 내용들은 상승/하강 보칼리제가 가지고 있는 기본적인 성향이 포함되어 있으니 구분하여 인식하여야 하겠다.

상황에 따라 자음을 조합하여 난이도를 더 세밀하게 조절할 수 있다. 난이도는 언제나 그렇듯이 학생이 해결하기에 너무 쉬워도 안되고 어려워도 안된다. 학생의 처리능력 경계에서 보칼리제를 구성하는 것이 학생의 테크닉을 향상시키는 데 도움이 될 수 있을 것이다.

2) 3톤 보칼리제

그림 93. 3톤 보칼리제

이 보칼리제는 5톤 보칼리제의 축소형으로 기본적인 특성은 그대로 유지하나, 더욱 좁은 음역에 국한된 훈련 보칼리제이다. 기본적으로 노트의 개수와 음역의 넓이가 좁기 때문에 난이도는 더 내려간다.

여성의 흉성(보통 G3-E4)이나, 남성 저음성부의 두성(G4-Bb4)은 그 음역이 매우 좁기 때문에, 5톤 보칼리제보다는 조금 더 좁은 3톤 보칼리제를 사용하는 것이 여러모로 더 유익할 것이다.

3) 1옥타브 점프 보칼리제

그림 94. 1옥타브 점프 보칼리제

이 보칼리제는 세스릭스의 SLS 계열에서 널리 사용해서 매우 유명해진 보칼리제[150]이다. SLS 계열 교사들은 이 기본 노트들에 [멈], [네이], [걱], [구] 등의 다양한 발음을 조합하여 여러 가지 효과를 유도한다.

이 보칼리제는 최고음 '도'에 도달하는 순간의 인터벌이 완전 4도로서 꽤나 넓은 간격을 가지고 있고, 그리고 초심자일수록 템포를 빨리 가져가고 (스타가토 등을 이용해) 각 노트의 길이(duration)을 짧게 해서 가창자의 반사반응을 이끌어내는데 초점을 맞추고 있다. 그래서 아직 두성에 대해 모르거나 혹은 정확한 개념이 아직 잡혀있지 않은 가창자에게 이 훈련을 사용한다. 이 훈련을 통해 가창자는 정확하고 순수한 두성의 개념을 익히게 된다.

세스릭스의 책에서는 처음에는 쉬운 난이도를 위해 후두를 올리더라도 전설모음을 사용해 연결된 두성이 나오도록 하는데 집중하고, 이후에는 어두운 모음을 사용해서 후두를 올리지 않고도(=어느정도의 공명강을 유지하면서도) 두성이 유지되도록 하고 있다.

이런 기본적인 컨셉에서, [ㅃ]나 [ㄲ] 자음을 사용하면 이너턴스(inertance)를 확보해서 더욱 손쉽게 성대접촉을 하도록 도와줄 수도 있다. 그리고 가창자가 익숙해질수록 템포를 늦추고, 노트들의 길이를 충분히 가져가서 더 높은 난이도를 부여할 수도 있다. 더 높은 난이도에서는 가창자의 의식적인 세밀한 조절능력을 향상시키는데 도움을 줄 수 있을 것이다.

---

150) Seth Riggs, 「스타처럼 노래하세요」, 상지원 출판. 원제 「Singing for the stars(1992)」

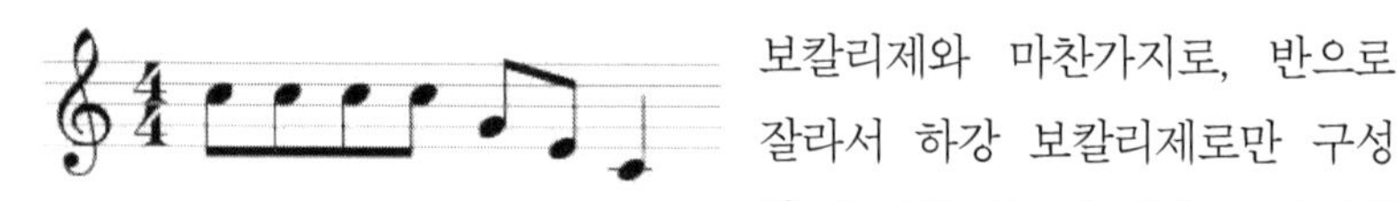

그림 95. 1옥타브 점프 하강 보칼리제

이 훈련도 앞의 5톤/3톤 보칼리제와 마찬가지로, 반으로 잘라서 하강 보칼리제로만 구성할 수 있는데, 이 경우는 두성에 대한 개념이 어느정도 자리잡았지만 여전히 흉성을 약간 끌어올리는 경우, 불필요한 긴장을 제거해주는 데 도움을 줄 수 있다. 그리고 두성의 음질을 그대로 흉성으로 가져오도록 훈련을 실시하게 되면, 저음으로 팔세토가 침투하도록 하여 성구융합에 크게 도움이 된다. 이것은 앞에서 누차 언급하였듯이, 가창에 가장 중요한 CT근의 원활한 동작을 확보하기 때문이다.

4) 1.5옥타브 I-V_7도 화음 아르페지오 패턴

그림 96. 1.5옥타브 I-V7도 화음 아르페지오 패턴

이 보칼리제 또한 SLS계열에서 사용해서 유명해졌다. 일단 1도 5도 화음을 사용해서 조금 더 곡의 형식을 갖추고 있고(사실 별 의미없는 수준이긴 하지만), 또한 전체 음역대는 1.5옥타브(도~높은 솔)에 달하고, 각 노트 사이의 간격은 대체적으로 3도 정도인 것을 관찰할 수 있다.

따라서 넓은 음역대에 걸쳐 성구를 점진적으로 전활할 수 있도록 하는 것을 1차 목표로 하고 있으며, 노트 인터벌은 비교적 좁으므로, 앞의 옥타브 점프 훈련에 비해 다소 의식적인 조절능력을 향상 시키기 위한 훈련 보칼리제임을 알 수 있다.

이 훈련을 빠른 템포로 가져가면, 점진적인 성구전환 능력을 향상시키는데 있어서, 가창자의 반사반응을 일으켜서 새로운 개념을 익히는데 도움이 될 수 있다. 반면에 느린템포로 훈련을 실시하면 이미 형성되어 있는 개념을 보다 순수하게 다듬을 수 있다.

정리하자면, 훈련 보칼리제의 템포를 조절하는데 있어서, 만일 가창자의 점진적인 성구전환에 대한 개념이 아직 미미한 상태라면, 빠른 템포를 선택하여 가창자의 반사반응으로 이에 대한 개념을 조금씩 형성하도록 하여야 한다. 그리고 그렇게 형성된 개념이 어느정도 자리잡으면, 이제는 템포를 느리게 함으로써 가창자가 그것을 의지적으로 조절할 수 있도록 해야 하는 것이다.

5) 1옥타브 I-V_7도 화음 아르페지오 패턴

그림 97. 1옥타브 I-V7도 화음 아르페지오 패턴

이것은 기본적으로 앞의 '1.5옥타브 I-V7 화음 아르페지오 패턴'과 같은 성격의 패턴이다. 다만 보칼리제의 전체 음역이 다소 줄어들어서 넓은 범위의 성구전환보다는 비교적 특정 구역의 음역을 대상으로 한다. 이것은 가창자의 성종이 가지는 특성으로 인해 너무 넓은 음역을 소화하지 못할 때 사용 가능하다. 다만 최고음에 진입할 때의 인터벌이 다소 넓으므로, 이것을 의지적으로 조절하기 위한 난이도는 조금 더 어려울 수 있다.

6) 옥타브 점프 보칼리제

이 훈련은 앞에서 언급한 원칙에서 다소 예외로 볼 수 있다. 앞에서 필자가 언급한대로라면, 1옥타브 씩이나 인터벌을 가지고 있기 때문

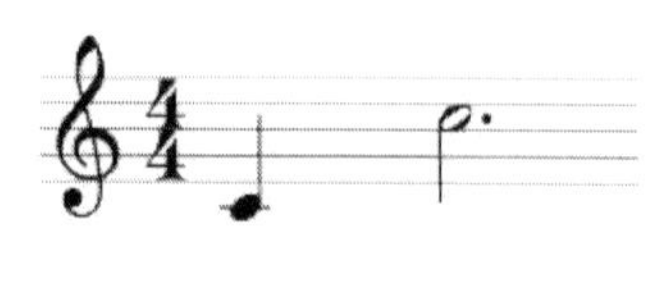

그림 98. 옥타브 점프

에, 이것은 가창자의 반사반응을 전적으로 유도하기 위한 훈련으로 볼 수도 있다. 그러나 이 훈련의 목표는 사실 정 반대다. 그것은 오히려 가창자의 반사반응을 억누르기 위한 훈련방법이다.

만일 별 신경을 쓰지않고 이 보칼리제를 수행한다면, 가창자의 목소리는 여지없이 플립(flip)될 것이다. 그러나 여기서 그 반사반응조차 조절하는 것을 목표로 설정하여 이 보칼리제를 수행하게 되면, 완전 반대의 목표를 성취할 수 있는 것이다.

우리의 본성(nature)은 저음에서는 모달(modal), 고음에서는 그냥 접촉되지 않은 두성, 즉 가성을 사용하는 것이다. 그럼 가창은? 그렇다. 앞에서 언급하였듯이 가창은 기능이라고 보기 힘들다. 그보다는 훈련이 필요한 대상이다.

만일 가창자가 고음에서 적절히 얇게 성대접촉 된 상태에 대한 개념이 명료하지 않다면, 이 훈련 보칼리제를 수행하자마자, 본성(nature)대로 반사반응에만 의존하게 되면, 고음에서는 아예 성대접촉이 풀려버리거나 아니면 반대로 지나치게 흉성을 끌어올리는 방식을 사용할 것이다. 그러나 숙련된 가창자일수록 매우 정밀한 조절을 훌륭하게 수행해낼 수 있을 것이다. 적절한 긴장으로 바로 진입하되, 필요한 긴장이 부족하여 가성으로 빠지거나 혹은 불필요한 긴장이 과다하여 목구멍이 좁아지지 않도록 주의를 기울여야 할 것이다.

따라서 이 패턴은 정확한 성대접촉 정도를 조절하는 능력을 키우는 훈련에 사용될 수 있으며, 그 목표에 맞게 느린 템포로 훈련하는 것이 좋다.

이 훈련을 수행할 때 만일 가창자가 지나치게 성대접촉이 강하다면, [ㅏ] 모음보다는 약간 어두운 모음을 선택하는 것이 좋으며, 세기도

약하게 해주는 것이 좋다. 반대로 가창자의 성대접촉이 부족하다면, 밝은 모음과 강한 세기로 훈련을 수행해야 하는데, 보통 성대접촉이 부족하다면 아직 이 훈련을 실시하기에 테크닉이 부족한 상태일 가능성이 높으니, 교사는 이에 대해 예민한 귀로 주의를 기울여야 한다.

만일 슬러(slur)로 미끄어지면서 소리내면 성대접촉을 끌고 올라갈 수 있기 때문에 도움이 될 수는 있으나, 그 경우 피치에 따른 긴장상태의 경계가 애매해지기 때문에 '고음에서의 정확한 긴장상태를 익힌다'라는 원래 훈련의 의미가 퇴색될 수 있다.

7) 스트레이트 톤(straight tone)

이 훈련은 하나의 노트를 비브라토 없이 길게 쭉 유지하는 훈련법이다. 이 훈련은 CT근의 동작을 확보하는데 매우 도움이 된다. 앞에서 언급하였듯이 CT근은 가창자의 피치 개념에 반사적으로 반응한다. 이때 특정 노트의 피치를 비브라토 없이 길게 유지하려면 CT의 지속적인 긴장이 필수적이기 때문에 자연스레 원활한 두성의 확보가 수반되게 되는 것이다.

비브라토는 CT근과 TA근의 교차긴장에 의해 발생되므로, 만일 비브라토가 개입하게 되면, 스트레이트 톤에 비해 노트의 전체 노트의 엔벨로프(envelope)에서 (특히 서스테인 구간에서) CT근 긴장의 비율이 상대적으로 적을 수 밖에 없다.

따라서 이 훈련은 CT근의 원활한 동작에 도움이 되므로, 가창자의 목소리에서 팔세토가 원활히 확보되지 않거나, 혹은 가창자의 인토네이션(intonation)에 문제가 있을 경우에 크게 도움이 될 수 있다.

제4장 발성기관은 어떻게 진보하는가

제4장 발성기관은 어떻게 진보하는가

이 챕터에서는 교사라면 반드시 고민해야 할 질문들에 대한 답을 찾기 위한 내용이다. 앞의 글에서는 주로 이상적인 가창의 상태의 조건들에 대해 기술 하였었다. 이는 주로 생리학적인 내용들로서, 즉 특정한 피치, 조음(articulation), 세기, 감정에 따라 성대가 어떻게 조절되어야 하는지, 또한 성도와 호흡은 어떻게 조절되며 목소리에 어떤 영향을 주는지와 같은 형이하학적인 내용들을 주로 다루었다. 그리고 이러한 내용을 가창자에게서 어떻게 이끌어 낼 것인지에 대한 각종 메소드들도 (저자의 관점에서는) 충분히 제공하기 위해 노력을 하였다.

하지만 이 모든 것을 이해하였더라도, 언젠가 교사라면 반드시 고민해봐야 할 문제가 여전히 존재한다. 그것은 교사의 지시가 학생의 입장에서 어떻게 받아들여지는지, 또 그 메소드가 가창자의 개념에 어떻게 통합되고, 나아가 궁극적으로는 몸이 기억하는지 등과 같은 내용들이다.

그 어떤 위대한 교사가 제공하는 메소드가 아무리 훌륭한 것이라고 한들, 만일 학생이 그것을 제대로 받아들여서 몸에 익히지 못한다면, 그것은 아무런 쓸모가 없다. **결국 가창자(학생)의 테크닉 습득 메커니즘은 가창훈련에 있어서 매우 중요한 핵심 요소이며, 만일 교사가 여기에 대해 신경을 기울이지 않는다면, 학생의 훈련 효율성은 매우 떨어질 수밖에 없다.**

물론 인간의 보편성이라는 것이 여전히 존재하기에, 아주 극단적인 장애가 있는 것이 아니라면, 문제를 정확하게 진단하고 그에 따른 올바른 메소드는 필연적으로 좋은 결과를 내게 되어 있다. 하지만, 문제는 가창자의 테크닉-습득 메커니즘이 전부 다르다는 점이며, 또한 그로 인해 훈련의 열매를 맛보는 데 걸리는 시간이 전부 제 각각이라는 사실이다.

대부분의 학생들은 제한된 자원을 가지고 있다. 그 자원이란 제한된 시간, 제한된 인내심, 제한된 (투입 가능한) 금전 등을 포함한다. 이 모든 것들은 안타깝게도 학생이 제대로 된 훈련과정을 온전히 마쳤을 때 마땅히 얻게 되어야 할 아름다운 목소리를 나타나지 못하게 한다.

필자가 학생을 가르치면서, 가장 안타까운 것은 각종 제한된 여건으로 인해 학생이 훈련을 포기할 때이다. 학생이 훈련을 포기할 때는 (물론 많은 상황이 존재하지만) 투입되는 자원 대비 성과(가창실력)이 부족하다고 판단될 때가 대부분이다. 다시 말해, 기대하는 것보다 예상되는 가창실력의 향상이 부족하다고 느껴질 때, 학생은 포기하게 된다.

물론 학생의 인내심이 지나치게 부족하거나, 또한 기대가 터무니없이 높을 수도 있다. 그리고 한편 학생들이 가진 습득능력의 편차는 당연한 자연의 법칙 중 하나일 것이다.

그러나 교사라면, 그 학생의 편차를 최소화시키고, 또한 테크닉의 습득기간을 최소화하기 위한 노력을 반드시 기울여야 한다. 교사라면 학생의 포기가 당연한 것인지, 혹은 교사의 무능 혹은 부족함 때문인지 항상 고민하고, 더 효율적인 훈련을 완성하기 위해 혼연의 힘을 다하여야 할 것이다.

당연히, 학생이 포기하는 원인이 교사의 문제인지 아닌지 정해 줄 기준은 존재하지 않는다. 그리고 심지어 학생과 교사의 성격적인 궁합 정도, 그리고 학생의 생활환경과 행복감 등 교사가 어떻게 통제하기가 거의 불가능에 가까운 요소들도 존재한다. 그러나 그런 상황에서도 교사는 최상의 결과를 내기 위해 노력해야 한다.

이 챕터에서는 그런 통제하기 어려운 요소들까지는 포함하지 않는다. (필자의 능력으로는 할 수도 없다.) 여기서는 그 많은 요소들 중 가장 중요하다고 생각되는 가창자의 테크닉 발전 메커니즘을 살펴 볼 것이다. 이를 위해 우선 가창자의 발성기관이 가진 신경 시스템, 그리고 가창자의 발성기관을 직접적으로 조절하는 멘탈 컨셉트와 이에 대한 접근법의 획득, 마지막으로 관련한 내용들을 다루어 왔던 학문인 체학(somatics)을 살펴볼 것이다.

안타깝게도, 필자의 능력부족과 제한된 지면으로 인해 관련된 내용들을 아주 면밀히 살펴보지는 못할 것이다. 오히려 너무 적은 내용만 수박 겉핥기 식으로 살펴볼 공산이 크다. 하지만 여기서는 이에 대한 독자의 완전한 이해를 도모하기보다는, 해당 분야에 대한 대략적인 인식과 더 나아가 앞으로의 공부에 가이드가 되는 것을 목표로 삼도록 하겠다.

1. 발성기관의 신경 시스템

가. 신경 생리학 일반

1) 신경계의 단위체 : 뉴런(neuron)

신경계는 신호를 전달하는 뉴런(neuron) 세포와 보조적인 역할을 하는 신경아교세포[glial cell]들로 구성되어 있다. 뉴런은 신경세포체[cell body]와 돌기로 구성되어 있는데, 이 돌기는 가지돌기[dentrite]와 축삭돌기[axon]로 나뉜다. 신호의 전달은 가지돌기에서 자극을 받아들이고, 신경세포체를 거쳐 축삭돌기로 진행된다.

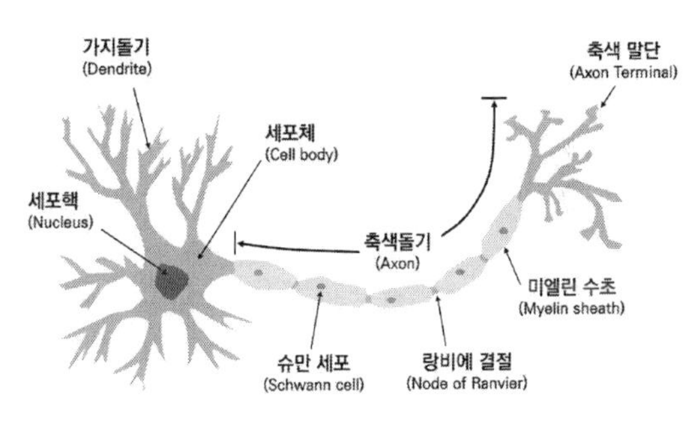

그림 99. 뉴런세포의 구조

여기 축색돌기가 미엘린 수초[myelin sheath]로 감싸진 형태는 유수신경이라 하며, 그렇지 않은 경우 무수신경이라 한다. 유수신경의 경우에는 랑비에 결절에서만 활동전위가 발생하는 도약전도

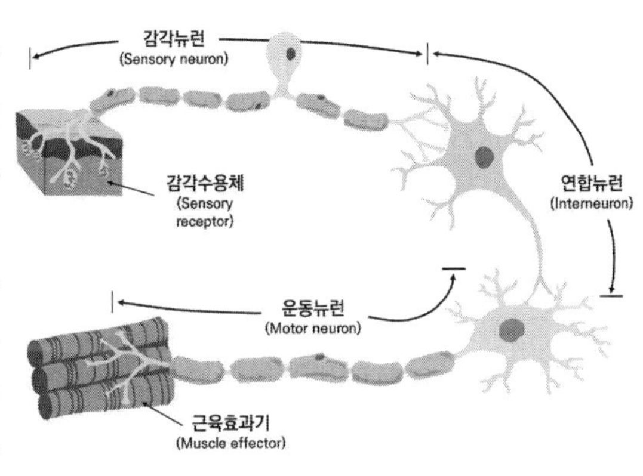

그림 100. 감각뉴런-연합뉴런-운동뉴런의 연결

saltatory conduction 현상으로 인해 신호전달이 빠르게 일어나며, 반면에 무수신경은 상대적으로 전달 속도가 느리다.

이 뉴런은 맡은 역할에 따라 감각 수용체와 연결된 감각뉴런(sensory neuron), 그리고 중추신경계를 구성하는 연합뉴런(interneruon), 반응기인 운동세포(motor neuron)와 연결된 운동뉴런으로 나뉘어진다.

2) 신경계의 구조

신경계는 중추신경계central nervous system와 말초신경계peripheral nervous system로 나뉜다. 중추신경계는 뇌brain와 척수spinal cord로 나뉘어지며, 말초신경계는 감각신경들을 포함하는 구심성신경afferent nerve, 그리고 체성운동신경somatic motor nerve과 자율신경autonomic을 포함하는 원심성 신경efferent nerve으로 나뉘어진다. 앞의 말초신경 구분은 신경전달의 방향에 따른 것이며, 중추신경계로부터 뻗어져 나온 위치에 따라서는 뇌신경cranial nerves과 척수신경spinal nerves으로 나뉜다.

이때 자율신경은 교감신경sympathetic nerve과 부교감신경parasymphathetic nerve로 구성되어 있는데, 이들은 서로 길항작용을 통해 신체의 항상성homeostasis을 유지하

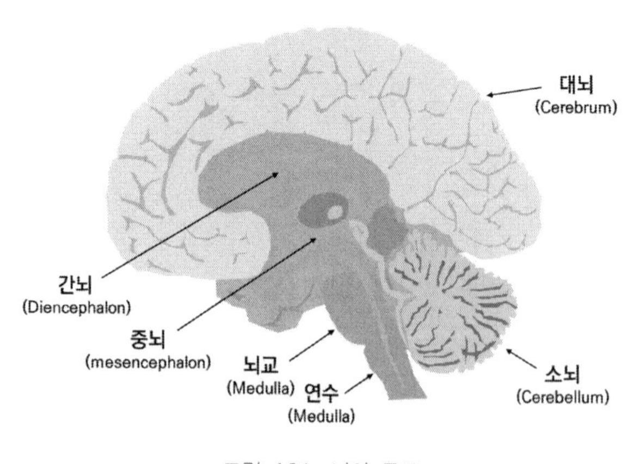

그림 101. 뇌의 구조

는 역할을 담당하며 무의식의 수준에서 동작한다. 앞의 성구 챕터에서 언급한 바와 같이, 발성기관은 이 자율신경과 깊이 관련되어 있으며 이와 관련한 내용은 차근차근 살펴보도록 하겠다.

두뇌는 크게 대뇌cerebrum, 소뇌cerebellum, 뇌간brain stem으로 구성되며, 이때 뇌간은 간뇌diencephalon, 중뇌mesencephalon, 뇌교pons, 연수medulla 가 포함되어 있다. 이 중 가장 바깥쪽에 위치한 대뇌피질은 비교적 의식적인 조절에 관여하고, 안쪽으로 갈수록 생명 유지와 관련된 조절에 관여하는데 이는 무의식의 수준에서 이루어진다.

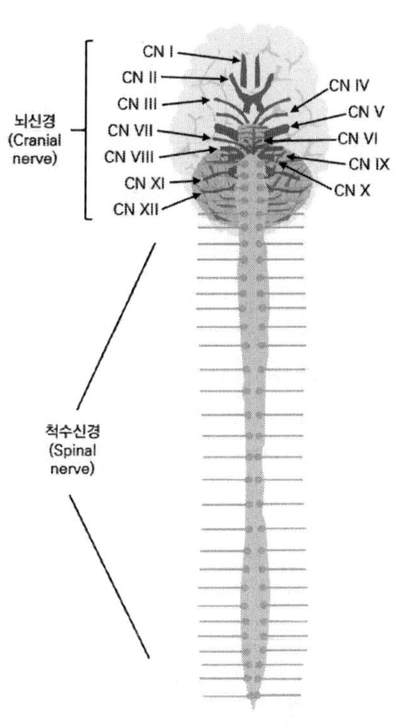

그림 102. 뇌신경과 척수신경

나. 발성기관의 신경분포

1) 후두의 신경분포

후두의 신경은 10번째 뇌신경인 미주신경과 연결되어 있는데, 이 신경은 자율신경의 부교감신경에 속한다. 이 미주신경은 연수에서 시작되어 후두 뿐 아니라 심장, 폐, 위, 간 등 주요 내장기관과 연결이 되어 있다. 엄밀히 말하면 미주신경이 호흡기관에 연결이 되어 있고, 그런 가운데 후두가 호흡기관에 속하기 때문에 연결이 되어 있다고 봐야 할 것이다.

(우리는 발성기관을 중심으로 신체 생리를 살펴보는 경향이 있는데, 그런 식의 접근은 언제나 작위적인 이해와 해석으로 귀결되기 마련이다. 따라서 우리는 항상 조심스럽게 원래의 기능을 중심으로, 그리고 또한 전체라는 통합성 측면을 고려하여 사고하여야겠다.)

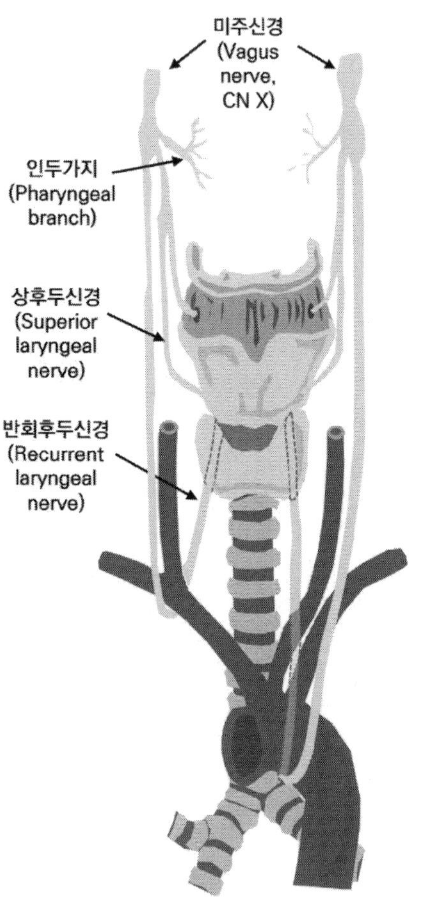

그림 103. 후두의 신경분포(innervation)

미주신경은 후두 내부근육에 두 방향으로 연결되어 있다. 하나는 위에서 내려오는 상후두신경superior laryngeal nerve, 나머지 하나는 후두를 지나친 다음 쇄골 아래쪽에서 다시 돌아서 아래로 들어오는 반회후두신경recurrent laryngeal nerve이다.

이 중 상후두신경은 (인두조임근들과 연결되어 있고,) 후두 내부근육들 중 윤상갑상근cricothyroid muscle에만 연결이 되어 있다. 그리고 TA, LCA, PCA, IA 등을 포함하는 나머지 각종 후두 내부근육들은 반회후두신경과 연결되어 있다.

우리가 후두의 신경분포를 보고 알 수 있는 것은, 후두근육의 조절이 자율신경계의 영향을 받는 불수의적 요소를 크게 가지고 있다는 점이다. 따라서 인위적으로 후두의 메커니즘을 조작하려는 시도는 대부분 실패하기 쉽다. 하지만 메커니즘을 조작하는 방법 자체가 불가능한 것은 아니며, 훌륭한 교사와 가창자는 간접적인 방법(피치-세기-모음 컴비네이션 등)으로 얼마든지 후두 메커니즘을 조절할 수 있다. 그리고 그 섬세함의 정도는 직접 손으로 조작하는

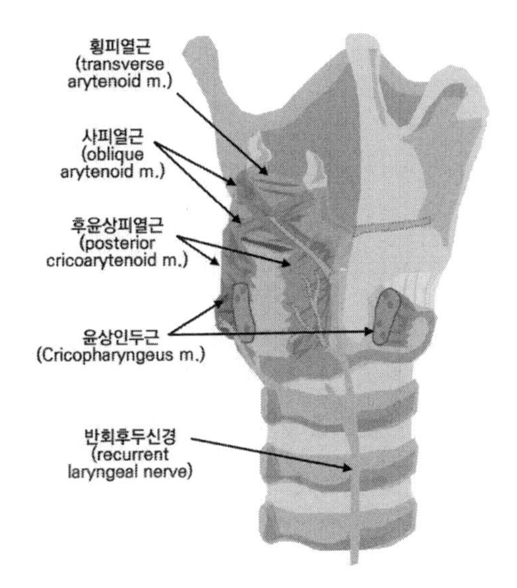

그림 104. 후두의 신경분포(후면)

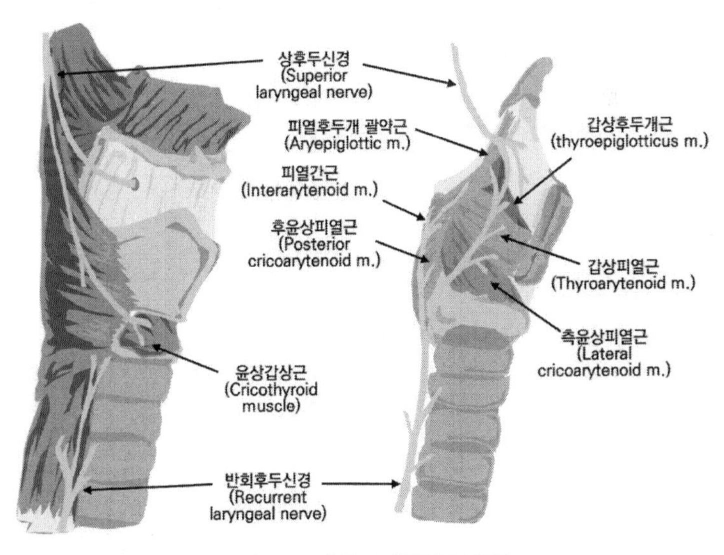

그림 106. 후두의 신경분포(측면)

것보다 더욱 세밀한 조정이 가능하다. 그 방법은 앞의 가창지도 방법을

기술하면서 상세히 설명해 놓았다.

두 번째로 살펴볼 수 있는 내용은, 후두 근육의 피열근들arytenoids과 윤상갑상근cricothyroid은 다른 신경계통에 속한다는 점이다. 그리고 성대주름을 앞으로 당겨주는 윤상갑상근은, 인두조임근들과 아주 가까운 신경 명령체계에 있다. 이것은 앞에서

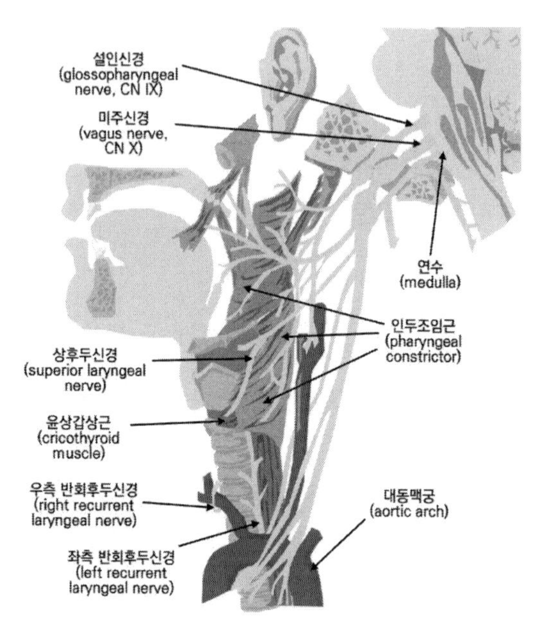

그림 105. 뇌, 후두, 인두의 신경분포

밝힌 바와 같이, 가창에 있어서 가장 핵심적인 **성구 조절 메커니즘에 대한 깊은 이해를 제공한다.** 반회후두신경 계통의 피열근들은 흉성구chest register와 직접적인 연관이 있으며, 반면에 상후두신경 계통의 윤상갑상근은 두성구head register와 직접적인 연관이 있다. 이와 관련한 내용은 앞의 성구 파트에서 상세히 살펴보았다.

마지막으로 중요한 의의는, **후두 조절 메커니즘이 가창자의 감정상태에 매우 깊이 관련되어 있다는 점**이다. 후두와 연결되어 있는 미주신경은 부교감신경으로서 가창자의 감정상태에 직접적으로 반사반응한다. 특히 부교감신경은 이완된 심리상태에 활성화되는 신경으로서, 만일 가창자가 위기감이나 흥분을 하게 된다면 부교감신경과 길항관계에 있는 교감신경이 활성화되어 부교감신경은 억제되게 된다. 즉 발성기관에 대

한 조절능력이 상실되는 것이다.

우리가 거짓말이나 긴장을 하게 되면, 목소리는 즉시 이상징후를 보여준다. 학창시절 등 발표를 한다던지, 아니면 많은 사람 앞에서 노래를 부른다든지 하는 상황에서, 긴장과 초조함[anxiety] 등으로 인해 목소리가 제 멋대로 떨리는 것은 누구나 경험해 본 상황일 것이다.

따라서 교사는 훈련이 이루어지는 동안 가창자의 심리상태를 면밀히 관찰할 필요가 있다. 이러한 내용은 호흡을 관장하는 근육도 자율신경과 연관되어 있기 때문에, 호흡과 관련된 신경분포를 살펴보면서 다시 한번 다루도록 하겠다.

2) 성도의 신경분포

성도(vocal tract)의 형태를 결정짓는 주요한 조절요인은 다음과 같이 정리할 수 있겠다: *①인두의 직경, ②후두의 높이, ③후두개의 개폐, ④턱의 개폐, ⑤혀의 포지션, ⑥입의 자세.*

이 성도의 조절은 공명기의 공명주파수, 즉 포먼트를 결정하여 성대원음(source)를 공명시킨다. 이 공명의 원리는 기본적으로 연결된 헬름홀츠 공명기 원리에 의해서 인두강은 F1, 구강은 F2를 결정한다. 성도의 형태가 성대원음을 어떻게 변조(=공명)시키는지는 앞에서 자세히 기술하였으니 참고하기 바란다.

인두의 직경은 기본적으로 인두조임근[pharyngeal constrictor]들에 의해서 조절된다. 이 인두조임근들은 후두신경[laryngeal nerve]들과 마찬가지로 미주신경[vagus verve]의 계통이며 삼킴동작에 반사적으로 반응하는 불수의적 근육에 속한다.

하지만 인두의 직경은 단순히 인두조임근에 의해서만 조절되는 것이 아니다. 인두의 외부에 붙어있는 후두 외부근[laryngeal extrinsic muscle]이 움

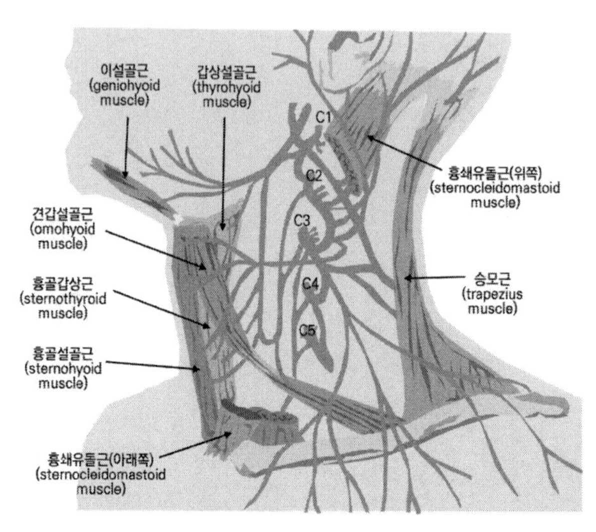

그림 107. 후두 외부근의 신경분포

직이게 되면 성도의 모양은 직접적인 영향을 받게 된다. 특히 후두와 직접적으로 연결되어 있는 후두 현수근들laryngeal suspensions은 **후두의 높이**와 같은 포지션을 결정짓는데, 이중 후두의 높이는 공명조절에 아주 핵심적인 성도의 길이를 결정한다. 이 목의 근육들은 경추 1~5번(C1~C5)과 연결되어 있는데, 이는 수의적인 조절이 가능하다. 하지만 기본적으로 운동 조절은 100% 수의적인 조절은 아니며, 무의식의 수준에서 소뇌의 지배를 많이 받게 된다. 그러나 학습을 통해 세밀한 의식적인 조작 수준을 크게 증가시킬 수 있기도 하다.

후두개의 개폐는 피열후두개 괄약근aryepiglottic sphincter과 갑상후두개근thyroepiglotticus에 의해 이루어진다. 이는 반회후두신경에 연결되어 있는데, 따라서 후두개의 개폐는 불수의적으로 동작한다. 한편 이것은 후두의 피열근들arytenoids과 같은 명령체계에 있다. 이것은 후두개와 피열근의 원래적 기능이 '기도로 이물질이 들어가는 것을 막는 것'이라는 것을 기억해 볼 때 당연한 것일 수 있겠다.

한편 목소리에 있어서 이 피열후두개 괄약근은 목소리를 강화시키는 효과를 가지고 있다. 피열후두개 괄약근이 긴장하면 상후두관epilaryngea l tube이 좁아지게 되는데, 앞에서 몇 번이고 언급하였듯이 이 상후두관의 좁아짐은 가수음형대singer's formant 형성에 필수적이며, 또한 이너턴스inertance를 상승시켜 성대주름의 진동유지를 도와준다.

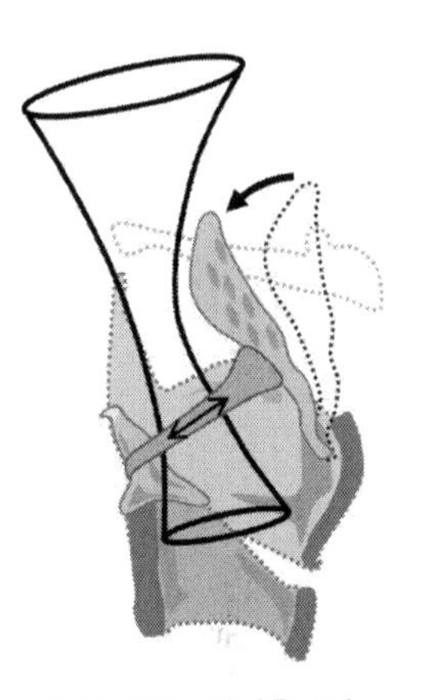

그림 108. 피열후두개괄약근의 긴장에 따른 상후두관의 좁아짐

턱의 개폐는 턱을 닫는 교근masseter, 측두근temporalis, 내측익돌근medial pterygoid, 외측익돌근lateral pterygoid과, 턱을 닫는 외측익돌근inferior head of lateral pterygoid, 앞이복근anterior digastric, 악설골근mylohyoid에 의해 이루어진다. 물론 턱관절도 가동범위가 넓기 때문에 외측익돌근을 이용한 전방전위protrusion(턱을 앞으로 빼는 행위)나 후방전위retrusion, 양 측면으로 움직이는 측방전위laterotrusion 동작 또한 가능하다. 이 중 전방전위와 후방전위는 인두pharynx의 직경에 직접적인 영향을 줘서 성대접촉에 영향을 미친다.

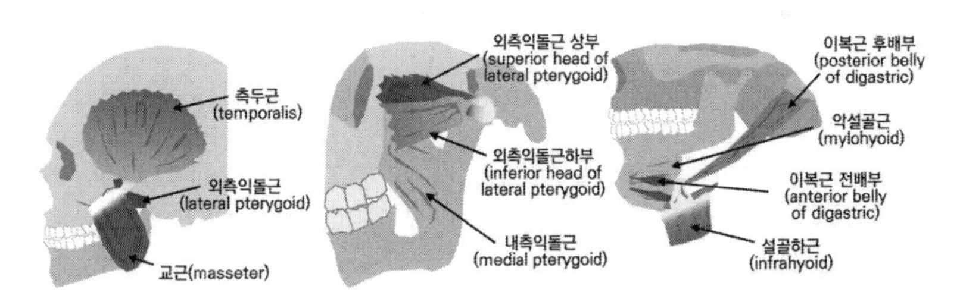

그림 109. 턱의 움직임에 관여하는 근육들

턱 근육은 5번째 뇌신경인 삼차신경의 3번째 가지인 하악신경mandibular nerve의 지배를 가장 크게 받으며, 이 신경은 운동겉질motor cortex에 연결되어 있어 수의적 조절이 가능하다.

혀의 형태는 연결된 헬름홀츠 공명기 모델에 따르면 성도의 두 번째 공명기인 구강oral cavity의 용적과 형태에 직접적인 영향을 미치며, 또한 혀뿌리 부근은 첫 번째 공명기인 인두강pharyngeal cavity의 덕트 부의 형태에도 영향을 준다.

혀의 포지션을 결정하는 혀 근육은 12번째 뇌신경인 혀밑신경hypoglossal nerve의 지배 아래 있다.

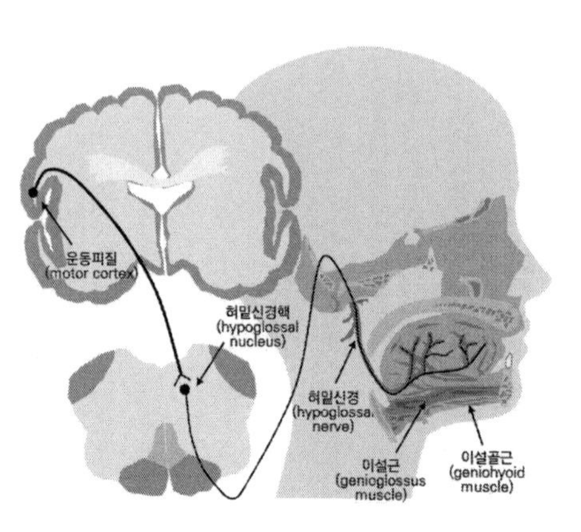

그림 110. 혀밑신경의 연결

3) 호흡의 신경분포

횡격막은 목신경 C3~5에서 유래한 횡격신경(phrenic nerve)에 연결되어 있다. 이 횡격신경은 운동겉질과 연결되어 있어 수의적 조절이 가능하다. 그러나 평시에는 의식하지 않아도 호흡은 자동으로 들숨과 날숨 사이클을 수행하는데, 이것은 연수와 교뇌에 위치한 호흡조절중추가 호흡을 지배하기 때문이다. 특히 호흡은 자율신경의 영향도 받기 때문에 가창자의 심리에 두드러지게 영향을 받는다. 그 외에 호흡에 영향을 미치는 근육인 늑간근의 경우 가슴신경 T1~12와 연결되어 있어서 수의적으로 조절된다.

2. 소주제 별 고찰

가. 발성기관의 불수의성

목소리 훈련에 있어서 가장 큰 난제는 바로 발성기관을 의지적으로 조작할 수 없다는 불수의성이다. 하지만 아이러니하게도 발성기관의 근육들은 골격근으로서, 계통적으로 불수의근이 아닌 수의근에 속한다. 하지만 실제로 많은 가창자들은 자신의 발성기관을 마음대로 조절하지 못해서 고생한다. 반면에 능숙한 가창자는 자신의 발성기관을 마음대로 조절한다.

이것은 발성기관에 대한 조절능력의 여부에 의해 결정된다. 가창 뿐 아니라 각종 몸을 이용하는 행위들 대부분이 맨 처음에는 마음대로 조절되지 않는다. 하지만 훈련을 거듭하면서 특정 동작은 점차 정교해진다.

일반인에게서는 정교하지 못하던 동작이 정교해지는 경우는 특정분야의 전문가들에게서 어렵지 않게 관찰된다. 몇가지 예를 들어보면, 웨이트 트레이닝에서 등 근육의 경우 일반인들이 고립시켜서 인지하기가 쉽지 않은 부위다. 그래서 초보자가 등 운동을 하고 나면 훈련하지 위한 목표근육에서의 피로감을 느끼기 보다는 정확한 위치를 알 수 없는 막연한 피로감을 느끼게 된다. 하지만 훈련을 통해 점차 해당부위의 근신경계가 발달하게 되면, 등근육 훈련을 할 때 더 높은 차원의 세부적인 근육부위(등 상부/중부/하부, 안쪽/바깥쪽 등)의 훈련을 수행할 수 있게 된다.

이렇게 등근육이 다른 근육 부위에 비해 인지능력이 떨어지는 이유는 아마도 수행자의 시각에서 벗어난 음영구역에 위치하기 때문일 것이다. 다른 근육부위는 시각으로 인지하기 쉬운 반면에 등 근육의 경우 거울을 써도 자신의 등을 정확하게 보는 것이 쉽지 않다.

발성기관도 동일한 이유로 다른 신체부위에 비해 인지능력을 가지기 쉽지 않다. 발성기관은 입모양이나 가슴의 부품 정도 말고는 모두 육안으로 관찰이 불가능하다. 따라서 다른 기악연주나 몸의 움직임에 비해 조절하기가 더욱 어렵다.

게다가 가창자의 감정상태와 긴밀한 연관을 가지기 때문에 더욱 조절은 어려워진다. 발성기관은 기본적으로 호흡기관에 속하기 때문에, 가창자의 감정상태에 큰 영향을 받는다. 따라서 가창자의 감정상태는 발성기관의 조절능력에 있어서 핵심 키워드이다. 능숙한 가창자는 자신의 감정상태를 조절해서 발성기관을 조절한다. 이것은 마치 요가 수련자가 자신의 심박을 어느정도 의지적으로 조절할 수 있는 것과 유사하다. 요가 수련자는 자신의 마음을 고요하게 하거나 혹은 흥분상태에 둠으로써 자신의 심박수를 조절할 수 있다[151]고 한다.

나. 발성기관의 조절 : 멘탈 컨셉

가창자가 특정한 생각을 하게 되면 발성기관은 거기에 반응한다. 이 때 가창자의 마음 상태를 멘탈컨셉mental concept이라고 명명할 수 있다.. 이 멘탈컨셉은 가창자가 스스로의 발성기관을 조절하는데 있어서 유일한 레버이다.

물론 이 가창자의 멘탈컨셉과 실제적 발성기관 사이에는 우리가 온전히 이해하기 힘든 복잡한 메커니즘이 존재한다. 가창자의 멘탈컨셉은 뇌에서의 전기적 신호로 표현될 것이고, 그 전기적 신호는 뉴런을 통해 다양한 발성기관으로 전달될 것이다. 그리고 그 전기적 신호가

---

151) Anupama Tyagi and Marc Cohen, [Int J Yoga. 2016 Jul-Dec; 9(2): 97-113.], Int J Yoga. 2016 Jul-Dec; 9(2): 97-113.

각 근육에서 특정한 방법으로 해석되어 근육의 움직임으로 변환되게 된다.

여기서 멘탈컨셉이 어떻게 특정한 전기적 신호로 변환되었는지, 그리고 그 전기적 신호가 근육에서 어떤 움직임으로 변환되었는지, 우리가 그것을 객관적인 수치로 이해하기는 사실 거의 불가능하다. 게다가 그 수치를 알 수 있다고 한들 그것이 다른 가창자에게 그대로 적용될지도 미지수이다.

이러한 프로세스는 일종의 함수모델로서 이해할 수 있다. 즉 수학적으로 'f:c→n→m' 으로 표현할 수 있다 (여기서 c는 mental concept, n은 neuronal signal, m은 muscle action을 의미한다).

이렇게 멘탈컨셉과 발성기관 사이의 함수function를 정의하고 나면, 우리는 여기에 역함수의 개념을 접목하여 가창자의 멘탈컨셉에 접근할 수 있게 된다. 즉 발성기관의 조절상태에 대한 데이터를 쌓아서 가창자가 어떤 멘탈컨셉을 가지고 있는지 추적할 수 있다.

이런 과정을 수행하기 위해서는 발성기관의 기능에 집중할 수 있는 귀를 가져야한다. 이것을 기능적 귀functional ear라고 부르는 데, 이는 미적인 귀aesthetic ear와 구분된다.

다. 기능적 귀

가창교사로서 학생의 목소리를 들을 때 기능적 귀functional ear를 사용하는 것은 무척 중요하다. 많은 관중들은 미적인 귀aesthetic ear를 가지고 듣는다. 이 미적인 귀는 가창자의 목소리가 얼마나 아름다운가, 즉 미적기준을 충족하는가 여부에 관심을 가진다.

하지만 기능적 귀는 미적기준보다 가창자의 발성기관이 기능적으로 어떻게 동작하는지, 더 나아가 발성기관의 통제를 위한 가창자의 멘탈컨셉이 잘 빌드업 되어 있는지 여부에 관심을 가지는 귀다.

이렇게 두 가지 다른 종류의 귀가 존재하는 이유는 둘 사이가 상충하는 경우가 많기 때문이다. 즉, 관중의 귀에는 즐겁게 들리지만 기능적으로 문제가 있는 경우가 있고, 반대로 아름다운 목소리는 아니지만 기능적으로 꼭 필요한 목소리도 존재한다.

예를 들어 뒤섞인 성구조절 상태의 목소리는, 여리게 노래 부를 때에는 달콤한 목소리로서 관중의 귀를 즐겁게 하지만, 내구성에 분명한 한계를 가지고 있고, 가창자가 그 목소리를 억지로 키우려고 노력하는 순간 목소리는 깨지기 시작한다. 반면에 순수한 두성과 순수한 흉성은 노래에 전혀 사용할 만하지 않지만, 가창자의 목소리를 빌드업하기 위해서는 반드시 훈련해야 하는 목소리이다.

따라서 가창교사는 이 둘 사이의 특성을 정확하게 알고 학생을 지도하여야 한다. 당장 직면한 레슨에서 둘 중 어떤 것에 중점을 두어야 할지는 학생의 상황에 따라 달라질 수 있다. 둘 중 가장 중요한 것은 당연히 기능적인 부분이겠지만, 당장 오디션을 보거나 공연을 앞둔 상황에서는 미적인 부분이 반드시 고려되어야만 한다. 한편 이 둘이 공존하는 목소리 또한 존재하기 때문에 (즉, 듣기도 좋지만 기능적으로도 가창자에게 긍정적인 효과를 제공하는 목소리) 뛰어난 가창교사는 둘 사이의 교집합을 찾아내는데도 능숙하다.

라. 분리와 통합

발성기관은 수많은 요소가 복잡하게 동작한다. 좋은 목소리는 그러한 발성기관의 수많은 요소들이 상호작용하여 만들어낸 결과이다. 발성기관의 요소들은 매우 다양하다. 목소리 생성의 기본요소인 후두와 그 안의 성대조직은 물론이고, 성도와 호흡기관을 포함한다. 그리고 호흡에 영향을 미치는 요소는 더욱 광범위하고 넓어서 몸 전체가 발성기관이라고 불려도 큰 무리는 없을 정도이다. 따라서 올바른 가창에서는 반드시 몸 전체가 사용되어야 한다.

하지만 반면에 몸 전체의 통합성을 더욱 더 이끌어내기 위해서는 고립시켜서 각 요소의 기능을 활성화하는 작업 또한 필요하다. 때문에 가창교사는 학생의 목소리를 낱낱이 분해해서 부족한 기능성을 찾아낼 수 있어야 한다. 이러한 각 요소의 기능성은 완성된 노래의 목소리에서는 분명히 식별하기가 어렵다. 때문에 전체적인 노래에서 대략적인 범위를 잡고, 특정한 보칼리제 등을 통해 목소리의 기능적 문제점을 정교하게 진단하여야 한다.

이것은 운동선수의 퍼포먼스 문제와 비슷한 양상을 보인다. 운동선수의 더 나은 퍼포먼스를 이끌어 낼 때 걸림돌이 되는 것은, 전체 퍼포먼스 자체가 문제이기보다 오히려 작은 요소가 문제가 되는 경우가 흔하다고 한다. 이때 작은 요소는 주로 코어근육 혹은 견갑, 골반 주변의 안정화 문제, 좌우 불균형 등과 같은 비교적 국소적인 특정 부위의 문제인 경우가 많다고 한다[152].

가창자의 경우도 그런 경우가 많다. 공연 전체의 퍼포먼스로 보면 큰 무리가 없으나, 작은 요소들이 그 가창자의 내구성을 갉아먹는 경우가 흔하다. 이때 문제가 되는 작은 요소들은 주로 다음과 같다 : 과한 호흡압력, 성대의 벌어짐, 자세, 특정 모음 등

따라서 기본적으로 가창훈련은 세밀한 분해가 이루어져야 한다. 하지만 노래는 우리 몸 전체가 쓰일 뿐 아니라 가창자의 정신적, 감정적 요소까지 결합된 복합체이므로 이 모든 것을 엮어내는데도 큰 공을 들

---

152) Okada, Tomoko; Huxel, Kellie C; Nesser, Thomas W. [Relationship Between Core Stability, Functional Movement, and Performance(2011)]. Journal of Strength and Conditioning Research 25(1):p 252-261, January 2011.

여야 한다. 가창자의 문제는 세밀한 요소가 문제일수도 있고, 혹은 개별 요소에서는 문제가 없었다가 그것을 엮어내는 통합의 과정에서 갑자기 문제가 출현할 수도 있다. 따라서 가창교사는 가창의 각 요소들을 계속 분리하고 통합하는 과정을 반복해야 한다.

일반적으로 초심자일수록 발성기관을 세밀하게 나눠서 인식하는데 더 중점을 둬야 하고, 숙련자일수록 목소리의 통합성을 높이는데 더 중점을 두는 것이 더 좋은 훈련효율을 보인다. 하지만 발성테크닉의 수준과 무관하게 여전히 분리와 통합의 과정은 끊임없이 반복되어야 한다.

마. 일단 한번 소리내기 : Try and Error

가창자가 얻고자 하는 목소리는 대부분 그 가창자가 단 한번도 과거에 소리내본 적이 없는 목소리이다. 이는 발성문제를 굉장히 어렵게 만드는데, 그 이유는 가창자의 머리 속에 없는 개념을 새로 만들어내야 하기 때문이다.

그렇기 때문에 이런 상황에서 가창자의 의식은 발성문제를 해결하지 못할 뿐 아니라 오히려 문제를 더욱 꼬이게 만들어버린다. 즉, 가창자의 "이렇게 소리내볼까?"하는 노력이 오히려 장애물로 전락해버리는 것이다.

그렇기 때문에, 가창교사는 가창자의 의식적인 조절을 억제할 필요가 있다. 그렇게 가창자의 의식적인 조절을 우회할 때, 새로운 개념이 반사적으로 소리나게 된다. 이때 가창자가 한번도 소리내보지 못한 소리가 등장하게 된다.

이렇게 일단 한번 소리난 새로운 목소리가 가창자가 얻어야 될 새로운 개념이다. 이 새로운 개념을 위해 반드시 필요한 것이 바로 반사반응이며, 훌륭한 가창교사라면 가창자의 반사반응이 적절히 등장하도록 유도할 수 있어야 한다.

이 때 유도방법은 일반적으로는 보컬리제vocalise의 정교한 디자인이나, 꼭 그것에 국한되지만은 않는다. 특히나 이 반사반응은 가창자가 익숙하지 않은 성구를 이끌어낼 때 더욱 필요한 경향이 있다.

가창훈련은 이렇게 만들어진 소리를 바탕으로 가창자의 목소리를 쌓아나가게 되는데, 테크닉의 수준이 높아질수록 가창자의 의식적인 조절, 즉 인지능력이 중요해지게 되며 발성요소도 호흡과 공명이 더욱 중요한 요소로 다뤄지게 된다.

바. 의식과 무의식 사이의 교환 : 운동프로그램

그렇게 정교하게 다듬어진 가창자의 테크닉은 이제 패턴화되기 시작한다. 이것은 마치 컴퓨터에서 매크로와 같다. 매크로는 복잡한 명령어 패턴을 하나의 키로 묶어 그것을 간편하게 실행시킬 수 있는 것인데, 가창자의 테크닉이 이런 과정을 거치게 되는 것이다.

스포츠 과학에서는 이런 습득과정을 운동학습이라고 하고, 정교하게 프로그래밍 된 것을 운동프로그램이라고 한다[153]. 가창자가 운동프로그램을 습득하여 개념을 형성하기 시작하면, 그 개념은 자동화 과정을 거치게 된다. 자동화 과정을 거치고 나서는 가창자는 더 이상 발성기관의 복잡다단한 조절을 매번 새롭게 의식하지 않아도 되고, 결국에는 그냥 '노래한다'라는 생각만 해도 그 복잡한 운동프로그램을 자동으로 수행할 수 있게 된다.

이 때 학습과정의 의식적인 조절의 중추는 대뇌이고, 반면에 자동화된 운동프로그램의 중추는 소뇌이다[154]. 가창자는 훈련을 거듭하면서

---

153) Richard A. Schmidt, Timothy D. Lee, [운동학습과 수행:원리와 적용(2016)] ; 옮긴이 고의석, 김상범, 박승하, 이승민, 전혜선, 황수진; 도서출판 한미의학

154) Marjorie E. Anderson, [The Role of the Cerebellum in Motor Control and Motor Learning(1993)], Physical Medicine and Rehabilitation Clinics of North

운동패턴, 즉 가창테크닉을 프로그래밍화 하게 된다. 이 프로그램은 처음에는 대뇌에 의해 매번 의식적으로 복잡한 동작을 컨트롤 하다가, 후에 충분한 숙련과정을 거치면 복잡한 메커니즘은 소뇌로 저장되게 되고, 그 결과로 복잡한 발성기관의 컨트롤은 무의식의 수준에서 이루어질 수 있게된다. 이것이 온전히 이루어지고 나서야 가창자는 테크닉에 종속되지 않고 자유를 얻게되며, 이제는 음악적 표현에 더욱 집중을 할 수 있게 된다.

사. 계획과 무계획 : 피드백 시스템

이렇게 다듬어진 운동프로그램의 수행은 피드백 시스템을 거쳐 최종 결과물을 만들어낸다. 피드백 시스템이란 최초 목표값과 최종 결과값 사이의 차이를 식별해내고, 그 차이값을 보상하여 우리가 요구하는 최초 목표값을 이끌어내는 것이다.

이 때 우리가 가지고 있는 목표값은 선발성적 개념prephonatory concept에 의존한다. 선발성적 개념이란 성대진동이 일어나기 전에 가창자가 이미 훈련-학습한 데이터베이스를 기준으로 계산한 값을 의미한다. 가창자는 소리내기 이전에 자신의 경험을 바탕으로 '이 정도면 이런 목소리가 나오겠지?'라는 생각을 하고 목소리를 어택하게 된다.

하지만 가창자의 컨디션이란 것은 항상 같지 않다. 가창자의 컨디션은 그날의 바이오리듬, 건강상태, 심지어 기분과 날씨 등의 매우 많은 요소들의 영향을 받게 된다. 따라서 선발성적 개념은 반드시 완벽할 수 없는데, 이 때 능숙한 가창자는 목소리의 시작과 거의 동시에 그 오차를 잡아내고, 그것을 보정하는 처리능력을 보여준다.

초보자와 숙련자 사이의 가장 큰 실력차이가 바로 여기서 발생하

America, Volume 4, Issue 4, Pages 623-636,

는데, 초보자는 이 피드백 시스템의 기능이 제대로 발전하지 않아서 목소리를 시작하기 전에 지나치게 많은 생각을 하게 되고, 결국 전체 가창의 완성도가 훼손되는 양상을 보인다. 반면에 숙련된 가창자의 경우 대략적인 방향만 잡은 채 소리를 시작하고, 곧바로 이어지는 자동화된 피드백 시스템에 의해 곧바로 완벽한 밸런스의 목소리로 연결시킨다. 물론 초심자 대비 애초 시작부터 완벽한 밸런스의 목소리의 근사값으로 어택이 시작되는 것도 사실이다.

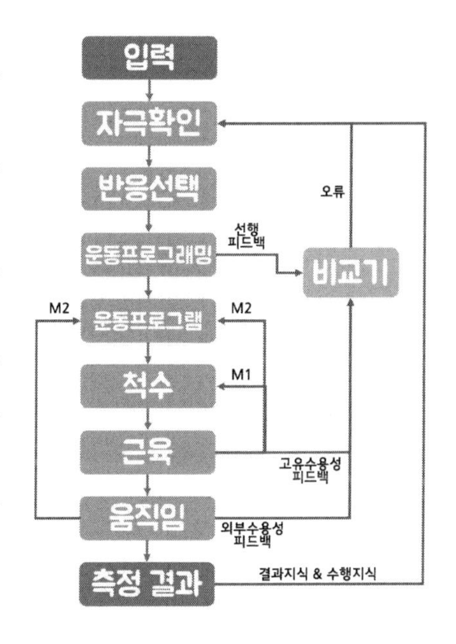

그림 111. 가창 시 운동프로그램과 피드백 시스템

이때 가창자의 피드백은 고유수용성과 외부수용성으로 나뉜다. 고유수용성이란 신체 내부로부터의 감각이고, 외부수용성이란 신체 외부에서 받아들이는 감각이다.

내부수용성 피드백의 경우 주로 신체의 감각으로서, 골지건기관, 근방추 등의 자기수용체proprioceptor에 의해 인지되며, 몸의 기울어짐, 압력, 진동감각 등이 이에 속한다.

반면에 외부수용성 피드백은 대부분이 청각 즉 목소리의 질감이며, 만일 거울을 본다면 시각적인 정보 또한 외부수용성 피드백으로 분류될 수 있다. 하지만 발성기관은 일반적인 상황에서 스스로의 신체를 보는 것이 불가능하고, 게다가 다른 기악연주와 달리 신체 내부에서 대부분의 동작이 이루어지므로 그 비율은 매우 작다.

하지만 F.M. 알렉산더를 비롯한 많은 교사들의 경험 사례에서 살펴볼 수 있듯이, 평소 인지하지 못하던 것이라는 측면에서 거울을 바라보며 자신의 가창모습을 제3자의 관점에서 관찰하는 것은 가창 테크닉의 발전에 매우 큰 도움이 되기도 한다.

아. 체학

체학somatics이란 신체를 인지하고 조절하는 방법을 훈련하는 메소드들을 총칭하는 말이다. 명칭에 포함된 용어의 어원이 되는 소마soma란 신체를 뜻하는 그리스어이다. 이것들은 사람의 몸과 관련해서 치료, 교육, 예술, 그리고 신체적 표현과 관련된 작업들을 포함한다[155].

이때의 신체는 단순히 물리적인 대상에 그치지 않는다. 체학에서는 그보다 몸의 인지능력에 중점을 두는데, 즉 정신과 신체사이의 연결고리에 그 초점이 맞춰져 있다. 일반적으로 요가, 필라테스, 알렉산더 테크닉, 휄덴크라이스 메소드, 롤핑, 현대무용 등이 체학의 분야들로 알려져 있다. 체학은 대체의학적 요소를 가지고 있으며, 영적인 수련까지도 의미를 포함하고 있다.

가창교수법을 배우는 우리가 체학을 살펴보는 것은, 체학의 추구가치가 가창교수법의 그것과 상당부분 일치하는 부분들이 있기 때문이다. 체학의 핵심 키워드는 '자기신체인식-개선-조절'이라고 볼 수 있는데, 가창훈련법도 그것과 비슷하다.

가창자의 목소리는 조절시스템이 눈으로 보이지 않기 때문에 결국 훈련의 대상은 신체를 인식하고 조절하는 가창자의 개념으로 초점이 맞

155) Mullan, Kelly, "The Art and Science of Somatics: Theory, History and Scientific Foundations" (2012). MALS Final Projects, 1995-2019. 89.

춰지게 된다. 이러한 가창훈련의 특징은 체학의 핵심가치와 상당한 부분을 공유한다고 볼 수 있다.

체학이 본격적으로 등장한 것은 19세기 말 이후였으나, 실상 그 시작은 매우 고대로 거슬러 올라간다. 그 기원 주로 동양 문화권에서 찾아 볼 수 있으며, 인도의 요가, 중국의 쿵푸, 태극권 등이 그것이다. 이들은 일종의 수련법으로서 신체적인 훈련을 통해 정신적, 종교적 깨달음을 얻는 것으로 신체 수련법을 활용하고 있다.

서양에서도 원래 고대 그리스시대에서는 신체수련과 관련하여 체육을 교육의 중요한 한 분류로 보았으나, 중세 이후 그 관점은 점차 약화되어 왔다. 그러다 19세기 중후반 이후 서양에서는 현상학과 실존주의의 인기가 증가하게 되었고, 철학분야에서 경험적 학습에 의한 철학이 등장하게 되었다.

무용 분야에서도 던칸Isadora Duncan, 라반Rudolf von Laban등을 통해 전통적 관념의 무용에 대한 도전이 이루어졌고, 유럽에서 알렉산더F.M. Alexander, 휄든크라이스Moshe Feldenkrais등을 통해 대체의학적 요소를 가지고 있는 본격적인 소매틱 테크닉somatic technique들이 등장하게 되었다.

20세기에 들어서 각 협회와 단체들이 생겨났고, 각 소매틱 그룹들은 체계화되면서 전 세계에서 세력을 넓혀나갔다. 그러다가 한나Thomas Hanna가 처음으로 이런 계통의 접근법들을 총칭하는 어휘로서 체학somatics 라는 용어를 처음 사용[156]하였고, 이는 곧 널리 사용되었다.

20세기 말은 통섭consilience이라는 용어가 유행하면서, 2가지 이상의 학문들이 서로 융합되면서 활용되는 경향을 보여줬는데, 체학도 그 흐름의 중심에서 예술, 공학, 인문학 등 타 분야에 적극적으로 활용되었다. 또한 1990년대 건강에 대한 관심이 증대되면서, 필라테스 요가 등 대체의학이 대중화되면서 체학의 인기는 더 높아졌다.

156) Hanna, Thomas. [What is Somatics?]. Somatics: Magazine-Journal of the Bodily Arts and Sciences. Retrieved 17 November 2014.

하지만 영국 보건국[157], 미국 국립보건의료연구소(NICE)[158], 호주 보건국[159] 등에서 알렉산더 테크닉이 질병에 대해 도움은 될 수 있으나 객관적인 효과를 보장할 수는 없다고 언급하는 등 분명한 한계를 가지고 있기도 하다. 이는 다른 대체의학과 비슷한 모습이다.

그러나 질병이 아닌 개인의 생활습관, 특히 몸을 사용하는 운동선수나 (목소리를 포함한) 악기 연주자, 배우 등에게 효과를 보이는 것은 꽤나 오랜기간 동안 경험적으로 증명되어 왔다. 그 결과로 현재 많은 유명 예술대학에서 알렉산더 테크닉을 정규 과목으로 편성하는 현상이 존재한다. 따라서 체학을 살펴보는 것은 가창교사와 가창자에게 큰 도움이 될 수 있을 것이다.

체학 중 가창과 관련하여 활용되는 것은 알렉산더 테크닉과 휄든크라이스 메소드이다.

알렉산더 테크닉의 창시자인 F.M. 알렉산더는 호주 출신의 셰익스피어 낭독배우였다. 그러던 어느날 목소리가 나오지 않는 경험을 하였고 병원에 가서 진료를 받았지만 병원에서는 별 문제점을 찾지 못하고 휴식만을 권하였다. 결국 알렉산더는 스스로 해결책을 찾으려고 하였고 거울을 보면서 자신을 관찰한 결과, 자신이 발성 전 키를 작게 만드는 움츠러드는 자세를 취하는 것과 머리의 잘못된 포지션이 문제의 원인이라는 것을 발견하였다. 그 결과를 바탕으로 알렉산더는 목소리 문제를 해결하였는데, 이후 자신 뿐 아니라 많은 사람들이 자신과 같은 문제로 어려움을 겪는다는 것을 발견하였다. 그리고 자신의 재능이 남을 가르

---

157) [Alexander Technique]. National Health Service. 6 September 2021. Retrieved 1 December 2021.

158) [Parkinson's disease in adults]. NICE. Retrieved 7 November 2023.

159) Baggoley C (2015). [Review of the Australian Government Rebate on Natural Therapies for Private Health Insurance] ; Australian Government - Department of Health. Archived from the original on 26 June 2016. Retrieved 12 December 2015.

치는 데 있다는 것을 발견하여 알렉산더 테크닉을 창시, 불편한 사람들을 치료하는 활동을 전개하였다. 그는 4권의 저서를 출판하였으며, 현재까지 그 사람들의 제자들이 알렉산더 테크닉을 발전-계승하고 있다.

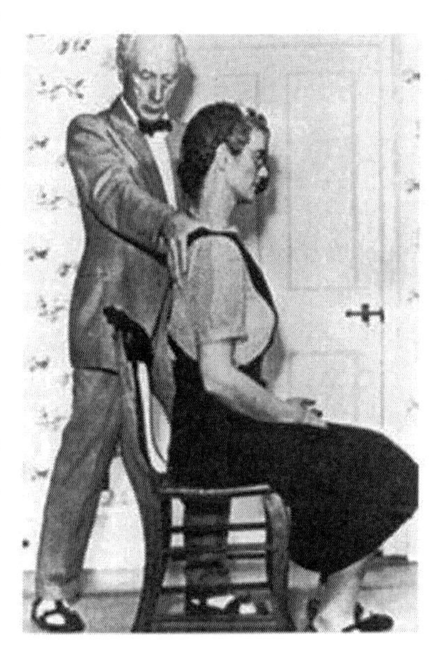

그림 112. 핸즈온을 하고 있는 F. M. 알렉산더

알렉산더는 인류의 발전단계에서 특히 의자의 사용이 신체 밸런스를 무너뜨렸다고 주장하였으며, 이를 교정하기 위해 올바른 운동 감각, 자기수용적 감각을 인지하고 잘못된 조절 능력을 억제함으로써 개선되 움직임을 이끌어 낼 수 있다고 말하였다. 알렉산더 테크닉 교사들이 즐겨 사용하는 방법 중 하나는 바로 '핸즈온hands on'으로서, 이는 교사가 학생에게 직접 손을 통한 접촉으로 학생의 올바른 자세를 이끌어내는 방법이다.

휄든크라이스는 퀴리부인과 같이 연구를 하기도 한 물리학을 전공한 과학자이다. 그도 알렉산더와 비슷하게 자신의 문제를 스스로 해결하면서 휄든크라이스 메소드를 개발하였는데, 그의 문제는 무릎부상이었다. 그는 무릎부상을 당해 의사로부터 절름발이가 될 것이니 준비를 하라는 진단을 받았으나, 스스로 재활훈련을 하여 절름발이가 되지 않을 수 있었다. 그는 주짓수 수련을 하고 유도의 창시자인 지고로Kano Jigoro와 교류하며 유도교본을 만드는 등 무술에도 깊은 조예를 가졌다. 그가 유명해진 계기는 이스라엘 수상 벤구리온을 지도하게 된 것이었으며, 이후 세계를 돌아다니며 수백명의 인증교사를 배출하였다.

휄든크라이스는 인간의 생각, 감정, 감각이 모두 움직임을 수반하며, 그렇기 때문에 움직임을 깨닫고 질을 향상시키는 것은 그 사람의 감각, 감정, 생각의 성숙이라고 말하였다. 그래서 그는 이 움직임의 개선이 모든 교육의 궁극적 목표와 궤를 같이 한다고 주장하였다. 휄든크라이스 메소드는 크게 ATM(Awareness Through Movement)과 FI(Functional Integration)으로 나뉜다. ATM은 입문과정으로서 움직임을 통해 스스로 깨닫는 과정이며, 교사의 코멘트에 맞춰 스스로의 신체와 움직임을 인지하도록 지도한다. FI는 주로 1:1로 이루어지며 교사의 핸즈온이 이루어진다. 이는 알렉산더 테크닉의 핸즈온, 롤핑요법 중 구조적 통합과 유사한데, 휄든크라이스는 이 과정을 일종의 사이버네틱스와 같은 교사-학습자의 유기적 연결로 간주하였다.

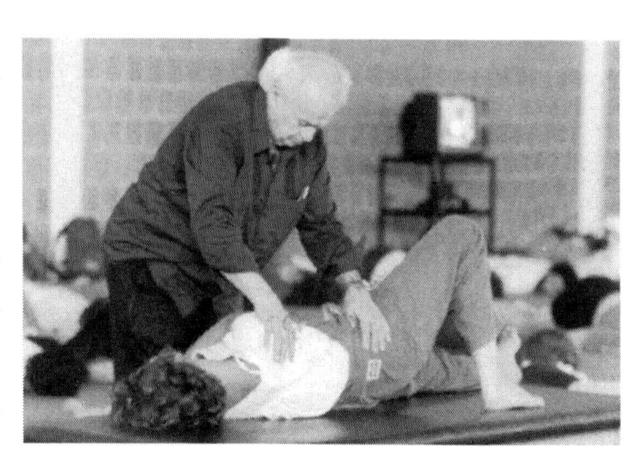
그림 113 FI에서 핸즈온을 하고 있는 모세 휄든크라이스

이상 언급한 내용은 두가제 메소드를 깊이 경험하지 못한 필자가 제3자의 입장에서 기술한 것으로 세부적인 내용이 사실과 다를 수 있다. 하지만 두 방법 모두 인간의 움직임을 올바르게 인지하고 개선하여 적절한 컨트롤 능력을 획득한다는 데 그 목적을 둔다는 것은 비교적 분명한 사실이며, 이는 가창교수법의 목표와 그 궤를 같이 한다. 이것은 흔히들 말하는 '마인드-머슬 커넥션'의 일종이라 볼 수 있으며, 가창교사는 이런 타 분야의 체학을 연구함으로써 더 깊은 교수법을 획득할 수 있을 것이다.